3/02 Spanish

SE HABLA ESPAÑOL

SELECCIÓN DE
EDMUNDO PAZ SOLDÁN Y
ALBERTO FUGUET

Se habla español

Voces latinas en USA

ALFAGUARA

ALFAGUARA

© De esta edición:
2000, Santillana USA Publishing Company, Inc.
2105 NW 86th Avenue
Miami, FL 33122

www.alfaguara.net

Alfaguara es un sello editorial del **Grupo Santillana**. Éstas son sus sedes:

ARGENTINA, BOLIVIA, CHILE, COLOMBIA, COSTA RICA, ECUADOR, EL SALVADOR, ESPAÑA, ESTADOS UNIDOS, GUATEMALA, MÉXICO, PANAMÁ, PERÚ, PUERTO RICO, REPÚBLICA DOMINICANA, URUGUAY Y VENEZUELA.

ISBN: 1-58105-676-1

© Ilustración de cubierta: Ivelisse Jiménez
© Diseño de cubierta: Leonel Sagahón

Impreso en México

Índice

Prólogo

El monstruo come (y baila) salsa

Opening Scene
Knock, knock.

En USA no se utilizan mucho los timbres. Son demasiado políticamente incorrectos. Rudos. Alteran. Aún más en este pueblo de cuarenta mil almas —Ithaca—, anglo en exceso, de supermercados orgánicos y cafés que ofrecen demasiados cappuccinos, no smoking please. La gente sube al porch, golpea la puerta (tal como se hacía en el siglo pasado) y espera a que uno abra. Como ahora. Aparece una mujer madura, de pelo blanco.

— Hi, good morning. I'm here to cheer up your day.

El tono es dulce, inofensivo, amormonado, dominical.

—What (Qué).

—I want to share some good news with you. Not just what CNN shows. Yes, the word of God. Paradise is here, but not many realize it.

—Yeah. Oh, that's great.

—What a lovely accent.

—Thanks, it's kind of cool, actually.

—You speak really good English. Where are you from?

—Bolivia (Chile, México, Argentina, Cuba, all of the above).

—Así que hablas español. Qué alegría. La Biblia también viene en español.

—Wonderful. El paraíso está en dos idiomas.

—Mi esposo es de Guatemala.

—Eso está muy lejos.

—Sí, pero el cielo no lo está tanto. Te puedo alegrar tu día y dejarte este booklet. Quizás te gustaría juntarte con mi esposo. Seguro que tienen muchas cosas en común.

—Muchas cosas, no doubt. Nice to meet you.

—Nice to meet you. Encantada de conocerte.

Hombre mirando al Noreste

Hacia 1885, el escritor y talking head cubano (el prócer como corresponsal joven) José Martí escribió, en Nueva York, una crónica en la que hace mención a la universidad de Cornell (Nabokovland, el cosmos privado de Carl Sagan), situada en el remoto pueblo de Ithaca, Upstate NY.

Ciento quince años después, pleno 2000, en la misma Ithaca, NY, 14850, area code 607, esta antología se cierra y se pule.

Una antología sobre los Estados Unidos, sí, pero en español. Articulada desde las entrañas mismas del monstruo —Martí *dixit*—, pero en una USA contemporánea, vista por escritores latinoamericanos (¿qué significa ser latinoamericano?) de la nueva generación (¿qué implica nueva generación?), todo esto escrito, por cierto, en el nuevo idioma del gigante: Spanish.

Spanish spoken here.

La idea (mala, según algunos; peculiar para otros) era narrar la diversidad de la experiencia latinoamericana en USA. Eso salimos a buscar. Eso fue lo que usamos como punto de partida a la hora de convocar. Para sorpresa nuestra, llegaron relatos, más de lo esperado; por otra parte, aparecieron textos que iban mucho más allá. Pocos autores convocados no conocían o, al menos, no tenían algún lazo (directo, vicario, literario, cinematográfico) con *America* (ya saben qué América). Dos contestaron: *no tengo nada que ver con USA, y espero no tenerlo.*

Esto hizo que nos preguntáramos: ¿puede alguien hoy —de verdad, sin posar— no tener nada que ver con USA? Quizás pueda uno quererlo, pero es poco menos que imposible lograrlo. Estados Unidos —let's face it— está en todas partes. Es una de las materias de nuestros sueños: ¿no es Faulkner, por ejemplo, uno de los padres del boom? ¿No aparece Hollywood todas las tardes en las marquesinas de nuestros cines (en el de Coronel Vallejos de Puig, o en una plaza desierta en Cartagena de Indias)? ¿Y qué de Billie Holiday, Bob Dylan, R.E.M, Nirvana?

USA también se hace cargo, e impulsa, acaso fomenta, nuestras pesadillas. En la era de la globalización, la fuerza del gigante (el único que queda) hace que, para bien o para mal, algunos países vivan ésta como una americanización tan deseada como rechazada. La globalización, en una de sus versiones/lecturas más siniestras, no es más que la consolidación del imperio yanqui. Y si bien es cierto que la periferia se fue downtown, no es menos cierto que, desde Calcuta a Ciudad del Este, el olor de los Estados Unidos lo ha invadido todo. Esto no debería asustarnos. Como sugiere Vargas Llosa, «el temor a la americanización del planeta tiene mucho más de paranoia ideológica que de realidad. No hay duda, claro está, de que, con la globalización, el impulso del idioma inglés, que ha pasado a ser, como el latín en la Edad Media, la lengua general de nuestro tiempo, proseguirá su marcha ascendente... ¿Significa esto que el desarrollo del inglés tendrá lugar en menoscabo de las otras grandes lenguas de cultura? En absoluto. La verdad es más bien la contraria. El desvanecimiento de las fronteras y la perspectiva de un mundo interdependiente se ha convertido en un incentivo para que las nuevas generaciones traten de aprender y asimilar otras culturas... Quisiera citar, como ejemplo de lo que digo, el caso del español».

La idea de la antología era plasmar la colonia (el perfume, digamos) de los tiempos. Escribir cuentos, o textos, que, de una u otra manera, captaran el *zeitgeist* actual. *Sign o' the Times*, en palabras de Prince. Una colección que oliera a french fries, buttered popcorn and Sloppy Joes pero también a burritos, productos Goya, smoothies de mango-guayaba y Häagen-Dazs de dulce de leche. La mayoría de los autores no se sorprendió de la solicitud. Para nada. Algunos, incluso, radicalizaron la propuesta y escribieron cuentos con personajes exclusivamente norteamericanos, prescindiendo de la experiencia latinoamericana. ¿Por qué no?

Pero volvamos a Martí. Radio Martí, al habla.

Martí sugiere que el lugar donde se debería enviar a los hispanoamericanos a estudiar es a Cornell, entidad «basada en el conocimiento y necesidades de la vida moderna, sin desdén de lo bueno de la antigua... donde [los alumnos] adquieren, en un trabajo interesado y fecundo, los elementos universales de la vida nueva».

Martí, como muchos de su época, y como algunos hoy, fue un furioso crítico de los Estados Unidos, pero también encontró aquí valores para admirar: su literatura, su democracia, su sistema educativo, ciertos aspectos de la vida moderna. Oscilando entre el elogio y la crítica, el escritor cubano, como sugiere Susana Rotker en «José Martí and the United States: On the Margins of the Gaze», fue construyendo, en sus innumerables crónicas despachadas desde la Gran Manzana, una influyente dicotomía: *ellos* (los norteamericanos) versus *nosotros* (los latinoamericanos). Estados Unidos fue imaginado, por Martí, como el territorio de lo material, y Latinoamérica —así, generalizada, obviando las particularidades históricas de cada país—, como el espacio de lo espiritual, del corazón. Esta dicotomía reaparece con fuerza en su ensayo «Nuestra América» (1891). Cuando el uruguayo José Enrique Rodó escribe *Ariel* en 1900, ya se ha consolidado este latinoamericanismo que se define en oposición al «gigante de siete leguas». Ellos son malos; nosotros, buenos. Superbuenos.

Peregrinos en Europa

A lo largo del siglo XX, el imaginario latinoamericano acerca de los Estados Unidos ha estado marcado por los parámetros definidos por Martí y Rodó. Ha oscilado y tambaleado entre la admiración y la condena, siempre a partir de una fundamental diferencia de identidades. Para los escritores, el país-continente del Norte ha sido una fuente incesante de discurso, de opinión, de soundbites. Son pocos, sin embargo, los que se han aventurado a ambientar un cuento o una novela en Cleveland o Las Vegas. Partir a la jungla de cemento, a las tierras exóticas del Norte, y asir, como peces fuera-y-dentro del agua, el color local.

Esta ausencia no implica una falta de interés en lo que ocurre más allá del continente. La narrativa del latinoamericano en Europa, por ejemplo, es abundante y compleja. A lo largo del siglo XIX y durante las primeras décadas del XX, la cultura urbana latinoamericana idealizó la modernidad europea como el objetivo a alcanzar, y, como señala Marcy Schwartz en su libro *Writing Paris*, escogió una capital para proyectar su deseo: París. Desde Sarmiento a los modernistas, París ha servido como modelo para el desarrollo cultural latinoamericano (modelo revisado y atacado posteriormente por escritores como Cortázar y Bryce Echenique). No es casualidad que los peregrinos de García Márquez peregrinen por Europa y no por Cincinnati o, para no ir tan lejos, una ciudad tan tercermundista, latina y «mágica» como Nueva Orleans.

En la segunda mitad del siglo XX, la disminución de la influencia del modelo europeo fue acompañada por el aumento de la presencia del modelo norteamericano. Habrá siempre un París para los escritores latinoamericanos (o una Europa, como lo demuestran las novelas recientes de autores postpostboom/boomerang como Volpi, Padilla, Brizuela o Thays), pero ahora se abren paso, como nuevas capitales del imaginario, Nueva York (en Giannina Braschi, por nombrar una de las más destacadas de una larga lista), Miami (clave en la obra de Jaime Bayly), la frontera méxico-estadounidense (que ya tiene a su Crosthwaite). Poco a poco, sin prisa pero sin pausa, estas megalópolis multiculturales se van convirtiendo en destinos literarios a los que en el futuro se viajará con frecuencia. Habrá más novelas, cuentos, crónicas, poemas y ficciones digitales ambientadas en los Estados Unidos. Espacios urbanos poblados de (y reconfigurados por) mexicanos, cubanos, sudamericanos, puertorriqueños, dominicanos y centroamericanos no merecen menos.

Romancing the Stone

Existe una respetable tradición literaria anglo (inglesa, primero, y norteamericana luego) que transplanta a un local a un territorio exótico: Asia, la India, África y, por cierto, Latinoamérica. Desde *Nostromo* a *Bajo el Volcán* y *Esos caballos tan lindos*, de *El poder y la gloria* a *El cónsul honorario*, este tema se ha convertido en un subgénero tan complejo como facilón. Lo practican hoy escritores tan respetables como Robert Stone y Joan Didion, y tan deplorables como Lawrence Thornton y Marc Jacobs. Hollywood no se ha quedado atrás, y ha producido, a su vez, una inmensa, e irregular, cosecha de películas: *The Treasure of Sierra Madre, Touch of Evil, Gilda, Missing, Salvador, Romancing the Stone*. En tono de comedia o drama, de aventuras o de thrillers, el gringo perdido/atrapado/seducido en las profundidades de América Latina —un lugar maravilloso, exótico, excéntrico, exuberante y, sobre todo, peligroso—, nos ha entregado muchos estereotipos y quizás una sola verdad: que aun entre equivocaciones culturales y fáciles condescendencias, vale la pena hacer el viaje.

Ése fue uno de los puntos de partida de la antología. El viaje al revés. Turned around. Flipped. Buscar, en tono de comedia o drama, de aventuras o de thrillers, al latinoamericano perdido/atrapado/seducido en las profundidades de los Estados Unidos —un lugar maravilloso, exótico, excéntrico, exuberante y, sobre todo, peligroso—. Y rogar que, al final del camino, haya más verdades que estereotipos.

Entre los autores latinoamericanos que han intentado imaginar a USA desde el boom en adelante (entre los que se encuentran, entre otros, Benedetti, Skármeta, Soriano, Agustín,

Valenzuela, Allende), el más persistente ha sido Carlos Fuentes. El escritor mexicano ha acertado en muchos de sus análisis, y ha sido uno de los primeros en reconocer la vitalidad de la cultura hispana en Estados Unidos (ver el último capítulo de *El espejo enterrado*, por ejemplo). Pero a la hora de expresar narrativamente sus ideas, Fuentes ha preferido el poco sutil simbolismo, la fácil caricatura de los gringos. Tal como lo señala Jay Parini al analizar *La frontera de cristal* (un título de tesis más que de novela) en *The New York Times*, «las ideas de Fuentes siempre han sido más atractivas que sus escritos». Fuentes, que ha vivido y enseñado en los Estados Unidos, tiene una visión carente de matices; en ésta, la unión entre el Sur y el Norte jamás podrá ocurrir, excepto de forma onírica (como en la última escena del cuento «La pena»). Quizás tenga razón las más de las veces. Pero no siempre. De acuerdo: la frontera es más una cicatriz, pero también es una puerta corrediza. Físicamente, quizás sea —o intenta ser— la nueva muralla china. Culturalmente, en cambio, es la región más transparente.

José Donoso, el genial escritor de *El obsceno pájaro de la noche*, es otro que lo ha intentado. Lo suyo ha sido otra forma de caricaturización: el grotesco simplista. En *Donde van a morir los elefantes*, Donoso, que estudió en Princeton y pasó largas temporadas en lugares tan diversos como Iowa y Washington, imagina a los Estados Unidos como el país del exceso, de «los gordos y gordas —o por lo menos personas de proporciones desmesuradas— acariciándose obscenamente, devorando palomitas de maíz que sacaban de gigantescas bolsas de papel». Para justificar su cruel caricaturización del mundo norteamericano, Donoso señala que se trata de ejercer «nuestro derecho de invadirlos y colonizarlos… y desconocerlos —¿y, por qué no, vengarnos?— como ellos nos invaden, se apropian de nosotros y nos colonizan». Toda razón es válida para escribir una novela, incluida la venganza. Pero hay razones más válidas que otras. ¿Para qué combatir un estereotipo de manera negativa, con otro estereotipo? ¿No sería mejor tratar de ir más allá y olvidarnos de golpes bajos? Se trata, después de todo, de hacer literatura, no de cobrar mezquinas cuentas pendientes.

¿Se puede imaginar a USA en sus propios términos? No es fácil. Donoso lo sabe, y hace de ello una bandera: «las limitaciones personales y nacionales son las que dan su forma única a un texto». En todo caso, hoy por hoy, a la hora de ayudarnos a imaginar lo que está detrás de la «frontera de cristal», quizás no sean muy útiles las limitaciones de Fuentes o Donoso.

De todos los representantes del boom (¿o postboom?), quizás el más siglo XXI, más mass media, más global soul, fue (y aún es) Manuel Puig. Al igual que sus pares, vivió fuera de su país natal (incluso cuando estuvo dentro). Pero, a diferencia de los otros, captó y empatizó (Spanglish, anyone?) con sus nuevos entornos. Brasil habitó dos de sus novelas, y Estados Unidos, cuya cultura pop formateó su disco duro from day one, se hizo presente, con sus edificios y sus habitantes abandonados, en *Maldición eterna* (la escribió en inglés, primero), *The Buenos Aires Affair* y los episodios hollywoodenses de *Pubis Angelical*. A la hora de emprender el viaje al Norte, las millas viajeras de Puig rinden más que las de cualquier otro padre/madre/tío literario vivo o no-tan-vivo. Abrió el camino, nos consiguió las Visas y puso la vara muy alta.

Road Trip
La OEA, ese monumento a la burocracia, las buenas intenciones y la ineptitud, se adelantó a su época en un solo aspecto: quiso entender a América como un todo (mientras ese todo no cuestionara el *statu quo*: recuérdese que Cuba fue expulsada de la OEA en 1962). Intentó organizar a los estados americanos. No a los cincuenta estados americanos sino los treinta y cinco que colorean el mapa del Nuevo Mundo. Desde Canadá, por el Norte, hasta Chile y Argentina, por el Sur. Incluyendo, Brasil y Trinidad y Tobago y las tres Guyanas y el Caribe y los Estados Unidos. Es el Pacto Andino más el Mercosur más el Nafta.

Así, quizás por error, la OEA desinfló el concepto de América Latina. No dividió al continente por su idioma o su región geográfica (a veces sí, por su intolerancia política). En esto, y quizás sólo en esto, la OEA acertó. Porque, a estas alturas, ¿qué es América Latina? ¿Estamos hablando de Latinoamérica o de la parte latina de América? Sea lo que sea, una cosa está clara: no se puede hablar de Latinoamérica sin incluir a los Estados Unidos. Y no se puede concebir a los Estados Unidos sin necesariamente pensar en América Latina. Mejor dicho: en las Américas Latinas. Los acelerados procesos de regionalización en marcha hacen que el registro de lo latinoamericano sea, por suerte, cada vez más diverso y más amplio. Y que a veces, pese a muchas cosas en común, no nos reconozcamos entre nosotros. Lo cual, dentro de todo, no está mal si nos tira por los suelos las generalizaciones que, muchas veces, han terminado por simplificar incluso la visión que tenemos de nuestros propios vecinos (¿cuando leeremos la gran novela ecuatoriana/argentina/cubano/uruguaya/canadienese/haitiana/brasilera/peruana/panameña/etc.?).

Confesamos nuestras limitaciones: hubiéramos querido una antología más inclusiva, con autores que escriben en francés y en portugués (y así, *ad infinitum*). Ya existen y están dinamizando las cosas (por fin). Para citar a la OEA, todos somos americanos y, cada día más, nos estamos mezclando y fusionando. También queríamos más autores de apellido latino que escriben en inglés. Al final, por razones de logística, acotamos el proyecto y nos concentramos en quienes escriben en español (o en alguna de sus variantes, en el caso del Spanglish). Incluimos, eso sí, algunos textos originalmente escritos en inglés, en USA (Paternostro, Stavans, Quiñónez, Díaz), como sign of things to come.

Lo otro que acotamos fue el típico tema generacional. Sin duda tenía que ser postboom. Y deseábamos que, a su vez, fuera una narrativa joven o, al menos, reciente, en proceso de consolidación. Optamos por 1960 como la línea divisoria. Hay autores nacidos ya en los setenta y otros a mediados de los cincuenta. Faltan, claro, pero esperemos que no sobren.

Así las cosas, con las cuentas claras y la amistad panamericana cada día más sólida (really), iniciemos el viaje.

Partamos de Miami, chico, la puerta de entrada. Aquí definitivamente se habla español. Luego viramos hacia el Oeste (esto es muy norteamericano: el viaje literario este-oeste, go west, young man, go west) y nos topamos con el Sur, ya'll, territorio, aquí, de enfermeros y Greyhounds. Proseguimos el viaje hacia el Southwest, bato, ese espacio que alguna vez fue mexicano y en cuyas mesetas y desiertos se encuentran ilegales y pruebas atómicas. Nos dirigimos luego hacia California, dude, el Sueño Americano por excelencia. Después nos vamos hacia el Midwest, carnal, en el que todas las planicies y vientos parecen terminar en Chicago. Pasamos hacia el industrial y vetusto Este, brother, para culminar el viaje, no porque lo hayamos querido, sino por decisión de los textos recibidos, en la inmensa e intensa Nueva York, pana, la nueva gran capital del deseo y la decepción latinoamericana.

El viaje por el Planeta USA revela que no sólo el país es más complejo y grande de lo imaginado sino que, en efecto, acá se habla español. Si USA es un país joven, lo es más aún en Spanish. Recién se está pavimentando narrativamente. A partir de la diversidad de experiencias y perspectivas, la mirada que se desprende de los Estados Unidos a través de este periplo literario es ancha pero no ajena. Más que centrarse en un *ellos* y un *nosotros*, la mayoría de los textos explora lo que hay de «ellos» en «nosotros», y de «nosotros» en «ellos». También explora, por supuesto, las diferencias entre «nosotros». Así, este…

...recorrido por USA...
...aqui UrbanCowboy... are you there?
...de manos de estos treintitantos escritores de nuestra propia gen-ñ-x-y-z...
...answer, please, ASAP, you have me waiting here 45m...L
...algunos de los cuales, es probable, no estarán de acuerdo con nosotros...
...¿probably?... seguro... better believe it...
...nos ha abierto los ojos y sorprendido...
...about time... J
...nos ha comprobado que el espanyol ha invadido de a poco ámbitos antes impensables y, más importante aun...
...sorry, I think I'm in the wrong chat room... que es esto, man?
...que es un idioma flexible y abierto...
...are you there?... aqui area-12... me copias?... who is this????
...tal como lo es el inglés...
...UrbanCowboy here... what the hell is going on?
...nuestros autores también lo son...
...really?
...quizás esta fusión que está ocurriendo no tiene tanto que ver con la raza o la geografía sino, en efecto, con el idioma...
...Spanish spoken here?

...dos idiomas se juntan y ambos ganan...
...yes yes yes...
... la frontera de cristal is now virtual
...sí sí sí...

EDMUNDO PAZ SOLDÁN/ALBERTO FUGUET
Ithaca, NY, junio de 2000

Welcome to Miami

Las palmeras detrás

Ronaldo Menéndez

[JUAN] Saldremos antes de la medianoche; Yoni, el Indio y yo. Tres cámaras ensambladas con soga, cáñamo, presillas innombrables que inventó un pescador y he retenido por meses sin saber en alguna gaveta anónima; sin saber y ahora han servido para tensar puentes entre uno y otro módulo. Hemos averiguado y un bote es peor embarcación; cuando se sale a alta mar las olas cambian y no tienen dirección estable, te bambolean por todos lados y si el mar se pica en un momento tienes el bote hecho agua o quizá puede virarse de una embestida. No. Las tres cámaras bien infladas es más seguro, por debajo, una red tensa para que las piernas no cuelguen, ni quede el redondel vacío pues dicen que los tiburones meten la cabeza; no sé si es cierto pero preferimos no tentarlos. Los partes meteorológicos son favorables y se ha mantenido el secreto.

Ahora camino para casa del Yoni a hacer el censo de los bártulos. Está solo, su familia trabaja: toda precaución es poca.

[YONI] Por ahí viene Juan, tremendo tipo; sólo a unas horas y anda con su paciencia de piedra. Llega haciéndose el distraído, la vista en el aire y una zoncera de sonámbulo. Sonámbulo estoy yo que anoche me tomé dos diazepanes para calmarme, sólo así cerré los ojos. Estoy loco por verme remando, perdiéndome de la costa hasta el más allá, partiendo el horizonte y resistiendo la marea. Quisiera que llegara la noche, sombras invisibles, vamos a burlar la vigilancia.

[JUAN] El gran Yoni. *Yoni the big*. Casi no cabe en su balsa que será la primera. Él con su fuerza irá marcando el ritmo y dándonos el mayor impulso. En la noche pasamos por casa del Indio, inflamos las balsas en el garaje y vamos directo por el terraplén. Si alguien nos pregunta vamos a pescar. Me dice el Yoni que por lo menos una ballena que nos remolque rápido y nos saque de esta isla del diablo. El Yoni ahora está maldiciendo su desgracia de haber nacido aquí… Antes no lo hacía porque estaba convencido de que allá linchaban a los negros, aunque despúes de lo de Los Ángeles dice que ojalá hubiera sido él: millonario por dejarse dar unos palos. Es una suerte que el Indio viva a menos de cien metros de la costa.

[INDIO] Nos apuramos y tiramos las balsas. Aquí vamos. El Yoni a la cabeza. «¡Rema, socio!» Aquí vamos. La luna está ahí que brilla pero se va a esconder. «¡Rápido, Yoni!» Eso es, yo también. Dice Juanci que con calma, no estamos coordinando bien, en la cautela está la velocidad… «¡Para!»… Ahora me doy cuenta: «Olvidé la mochila allí».

Con el apuro figúrense ustedes, con el apuro y con el nerviosismo. No es fácil. Un momento.

El agua es fría hasta la cintura. Me impulso y nado con ropa, lentamente.

[YONI] «Indio, viejo; qué es eso. Te diste un golpe, ¿no?… Entonces, ¿y ese quejido? Y tirarte al agua con ropa. Coño, qué disparate. Dale, ven. Cógelo con calma. Estás bobeando…»

[YONI] El Indio está callado pero tiene esa cara que parece lo están mordiendo los tiburones. Juanci me manda a callar con una indirecta: Ya, ya, sin más comentarios, hay que alejarse un poco. Entonces yo remo, porque Juanci me explicó bien claro que yo era como el motor principal, el que cuidaba la dirección y marcaba el ritmo. Ahora sí, todo coordinado… Uno y dos, dale conmigo. Tremenda velocidad, parece una lancha de motor, así nos ponemos en el horizonte antes de mañana…

[JUAN] ¿Estamos saliendo de peligro? El Yoni rema que es un mulo. Parece que el Indio se dio un golpe, por ahora no hay nada que hacer hasta que no salgamos mar afuera. La luna ha dejado de preocuparnos, se oculta o aparece arbitrariamente, de todos modos los guardacostas tienen reflectores.

El Indio por fin dice algo. Es para preguntarme si podemos coger un descanso. «Nada de eso, socio», responde el Yoni poniendo más firmeza en su ejercicio. Acepto con mi silencio la resolución de seguir remando, hay que avanzar más. Supongo que el Indio no está bien y por eso propone un descanso, prefiero no correr el riesgo tan cerca de la costa.

[INDIO] «Nada de eso, socio», dice el Yoni cuando propongo coger un diez. Tengo un dolor en la pierna… De todos modos comprendo que estamos muy cerca. Hay que callarse por ahora lo de la pierna para no preocuparlos. Es muy pronto.

[JUAN] Amanece. Por fin un tono rojizo anuncia la claridad de la distancia que hemos recorrido. Llevamos seis horas remando casi sin parar. Sugiero descansar y me empino la caneca que hago circular por manos de mis compañeros. Ellos lanzan el líquido contra la garganta y perciben la estimulante quemadura del alcohol. El mar ha persistido gentil; se avanza aunque no lo parezca, desde que perdimos las luces de la costa no tenemos referente que nos indique el movimiento real. Esto es algo que no había previsto, el mar redondo es como una sábana fija que ondula para sorprendernos: nos convierte en puntos indefensos, casi nulos, luego nos sustituye la sensación de desplazamiento por otra de impotencia, de infinitud. El Indio enseña su pierna amoratada con bastante inflamación. Le doy dos duralginas para calmarlo, aunque insiste en que no duele.

[YONI] «Coño, Indio; qué clase de trastazo te diste. ¿Cómo fue eso, socio? Eso por estar en la bobería, ahora figúrate tú. Apenas empezamos y ya estás jodido. No debías haberte tirado al agua con ropa y todo, hubiéramos virado a recoger tu mochila… Mira eso, la pierna se te ha puesto verdosa, quizá te la partiste… ¿No? Bueno, tú eres quien sabe. Mójala, mójala en el agua a ver si se refresca, a ver si con el agua fría te baja la hinchazón…»

[JUAN] Dos tiburones. Por un momento se asomaron grises y deben andar cerca. ¿Desde cuándo habrán estado siguiéndonos?

[YONI] Esto no es juego, los del acuario son más prietos y parecen limpiapeceras. Estoy asustado aunque Juanci diga que es normal, desde que uno sale a alta mar empiezan a dar vueltas.

[JUAN] ¿Los tiburones no se pierden en el mar? Trato de conservar la serenidad y tranquilizar a los otros. Lo peor hasta ahora es el sol que ha ido subiendo y nos castiga la cara y la vista. Si soplara algo de viento se aliviaría un poco. Siempre supe lo del sol pero nunca lo sentí, es algo muy diferente a encontrarse en la playa bajo el mediodía con el cuero tenso y encendido, cuando se tiene la convicción de estar a salvo, el sol inofensivo de la playa puede ser derrotado con sólo una sombrilla. Agua. La cantimplora recorre cuidadosamente nuestras manos. Les he advertido que tomen sólo un buche, retengan por un tiempo en la boca, y luego traguen.

[INDIO] Parece que se fueron, hace como dos horas que no se les ve; por eso estoy metiendo la pierna en el agua, es tan reconfortante, la frialdad lo anestesia todo. Vamos remando un poco desganados; Yoni es quien más nos impulsa, dice que hay que llegar para mañana. Meto y saco la pierna en el agua, es tan bueno…

[YONI] ¡Coño, Indio, mira eso! ¡Casi te jode! Oye, los tiburones no son cosa de juego… ¡Mira eso, Juanci!… Mira, ahí viene el otro. Están ahí los muy cabrones, debajo esperándote, vigilando a ver si nos caemos… Y tú, con tu pierna mete y saca; que ellos tienen ganas de desayunar, no digo desayunar sino almorzar. Porque son como las doce y pico… Y tu pierna parece un jamón. No, no, un jamón no; un queso verde.

[JUAN] Dicen que los tiburones tienen órganos gustativos en todo el cuerpo, es decir, que con sólo rozarte significa que ya te están probando. Hay que tener cuidado. El Yoni me pasa una soga gruesa que me ato a la cintura y el otro extremo queda bien amarrado en el empate de dos cámaras. Ya es pasado mediodía y creo debemos comer algo. Aunque con esta sed, tendremos que vaciar la cantimplora. El Indio reproduce en su semblante el aspecto de la pierna, tiene arcos ojerosos y un rojo fuego, casi escozor, a causa de la luz. «Tengo mareos, Juanci», dice el Yoni después de haber comido algunas cosas.

[INDIO] Dice el Yoni que está mareado. Después de oler alcohol más una pastilla que le hizo tragar Juanci se ha puesto a vomitar. Para mí eso sería lo último, aunque no sé si tengo alguna ventaja con esta pierna. Ya ni me duele, parece que se ha secado y cada vez se pone más oscura. La toco y es como si se tratara de otra persona, en los bordes aún siento que la carne oscura se empata a esta otra que sí es la mía. ¿Me estaré muriendo por la pierna? Mal chiste.

El Yoni se inclina sobre lo que debiera llamarse borda y deja caer las entrañas por la boca. La leche condensada es particularmente desagradable. Tiene venas en la garganta.

[YONI] Todo empezó a moverse, bueno, es que el mar siempre se está moviendo; este maldito mar que no se cansa. Todo empezó a moverse de una manera, y yo hace rato me venía sintiendo… tú sabes, por mucho que aguantes hay algo que no te deja ni respirar, y tienes que soltarlo todo y dejarte bambolear por el mareo… Fue la comida. «¿Verdad, Juanci? La comida y esa leche condensada… Qué malo es estar aquí, viejo.»

[JUAN] Me parece que yo también. Esta puñetera comida. Me parece que ya me estoy sintiendo mareado. Quizá de revolverme tanto con el Yoni por la punta de la balsa pegado al agua, y todas esas cosas que soltó… Un malestar comienza por la cabeza o por el estómago. Le hago señas al Indio para que me note, le hago señas al Indio que…

[INDIO] Voy y me acerco a rastras. Juanci está doblado sobre el agua y empieza a vomitar. Esto es lo último, primero el Yoni y ahora él: primero yo con mi pierna jodida, el Yoni se puso a vomitar y ahora éste… «A ver, viejo. Dale suave que te vas a caer y los tiburones…» Lo aguanto por la frente que así me hacían en la casa cuando me ponía malo. Milagro yo no he empezado con los mareítos. Ver el mar temblando como si lo tuviese dentro, y después a vomitar que para mí sí es lo último.

Ya es de noche.

[YONI] Caridá, Oshún, Yemayá; Virgencita del Cobre, ya se fue el sol, qué bueno, ya no nos castiga este calor del diablo; gracias por el vientecito, a ver si nos está empujando allá y no de regreso. «Juanci, socio; ¿ya te sientes mejor?»

[INDIO] No se me baja la fiebre, parece que esta pierna de jamón, toda reseca. Ya con la medianoche el frío se mete dentro de uno, toda esta mojazón en la ropa que lo único que hace es guardar el frío dentro. Quizá la fiebre aunque yo creo que no porque Juanci también está encogido con la cara hecha una tabla. Los ojos están incrustados como los nudos de la tabla, la nariz una fibra. El único que se mueve es el Yoni. Buen prieto el Yoni; el gran Yoni, todo musculoso y remando sin parar con su medallita apretada y los santos que nos están ayudando. O nos van a ayudar, algo de eso; casi no lo oigo desde aquí y con esta fiebre y esta pierna.

[JUAN] Le dicen mar de fondo. Ocurre incluso en pleno día y con buen tiempo. Tiene que ver, creo, con desprendimientos de grandes masas sólidas en el fondo. De repente, sin causa aparente, el agua se riza y luego se vuelve un infierno, con sol en el cielo y oleaje aquí abajo.

[YONI] «¿Qué cosa es esto, Juanci?» El Juanci me mira y se engurruña más todavía. El Juanci es mi amigo, el que me embulló a hacer esto, y ahora se engurruña más todavía. El agua de un momento a otro está cambiando y nos tira de lado como para echarnos por ahí. «¿Dónde está el temporal?» El Juanci dice que sí, que hay mal tiempo. «Es mar de fondo. No jodas, Juanci; cómo que mal tiempo ahora que yo estaba remando.» Le pido a Yemayá y a Oshún, no sé si deba a alguien más. Esto es una prueba que nos ponen, ¿o qué? Y las olas que nos van a virar.

Por un momento veo que el Indio se pierde… Está en el agua, ¿o qué?… El Indio se pierde pegado a su cámara; está abrazado con la cara hacia adelante gritando cosas que deben ser malas palabras… El Juanci trata y suelta su remo que se traga el agua que ahora sí está furiosa. «Juanci, coño, aguántate que esto nos va a joder.» Él hace lo que puede medio salido de la cámara. Porque ahora la balsa se invierte y él queda a la cabeza, soportando unas olas que lo tironean hacia los lados y le llevan el remo y también la mochila. Juanci parece una bandera colgando de su soga bien cortica… ¿Qué cosa es esto virgensanta? ¿Una prueba? O es que ya nos vamos a pique; este mar loco y sin viento.

[INDIO] Se ha calmado algo pero no está pasando. Yo sigo aquí abrazado muy fuerte. Todavía no me he ahogado. Este mar puede tragarnos como nada y después seguir tan violento, y hasta tragarse las cámaras y todos los bultos. Llevo como dos horas así, creo, con el agua pasando por arriba y por abajo en una corriente de espuma blanca. No debí haber salido de allá, tan seco que estaba todo, y mi abuela con unas manos calientes y una taza con algo. Creo que no me voy a ahogar porque estoy aquí abrazado. Si me suelto caigo al agua pero no me voy a soltar. Voy a hacer el viaje aquí abrazado y cuando llegue me dan masaje en la espalda. Juan seguro que flota, tenía la cara hecha una tabla, toda plana que seguro flota.

[YONI] «¿Y tú, Juanci, por qué no dices nada, así engurru-ñado?»

El Juanci está ahí medio de lado encogiéndose cada vez más sin decir nada, aguantado porque las olas están fuertes. Las olas se quedaron aunque más suaves, ya uno puede estar mejor porque se ve bien. Quedan muchos tiburones que me tienen asustado. No sé cuántos pero hay muchos que ahora salen y se acercan con las aletas. Entran y salen y no puedo contarlos pero les tengo miedo.

[INDIO] Ya está al llegar, por eso no me suelto. Corre mucho y reconozco que debe ser así para avanzar entre tanta hierba revuelta. El caballo es de los mejores, negro y con un lomo liso y poderoso. Cómo me gustaría que alguien me viera a esta velocidad y tan seguro. No sé si sería posible, la hierba es muy alta y se mueve casi hasta taparme. Ya me verán. Abuela debe estar allá para quitar este sudor.

Por eso no me suelto aunque Él me grite cosas para que abandone y quede ahogado entre la hierba que tanto se agita. Por nada del mundo me dejo tapar por esa hierba que da picazón y no deja respirar...

Mi caballo es mi recurso, él tiene los suyos y se arriesga sobre estos hierbajos. Lo que soy yo no me suelto.

[JUAN] Nada ha quedado excepto una extensión de líquido azul que alguien agita desde todas partes. También hay criaturas. Una de ellas se acerca y me roza con una mirada bruta, pero no les temo. El líquido azul es como agua en el piso que un criado remueve para quitar la mugre. El azul es de las losas. Yo he tenido que permanecer sobre la cama para no entorpecer al criado que remueve solícito. Gran negro de corta imaginación. Le digo que así sobre esta cama, navegando siempre hacia el Oeste, vamos a dar a las Indias.

[INDIO] No sé que pasa que Él me arranca de mi caballo y me tira a un lado. Yo no puedo soltarme, le digo; tengo que seguir hasta que alguien aparezca. Pero Él es muy fuerte, no piensa que éste es mi caballo, que sin él la hierba me cubre y así no puedo avanzar. Aún trato de abrazarme, pero Él no pierde tiempo; es poderoso y me empuja dándome todo tipo de golpes. Dice que alguien me va a partir de una mordida. Debe ser por la hierba que araña mucho. Yo creo que Él no entiende que mi recurso es el caballo... Bien; mientras esté cerca vigilándome no voy a montar, pero en cuanto se haga el bobo voy y me encaramo con todo el cuerpo y lo dejo a un lado.

[JUAN] Estoy muy cansado. Buscaré el momento para dejarlo todo atrás, aunque no sé si deba hacerlo descalzo. Estoy cansado de esa lámpara del techo sobre la cama. La lámpara quema con su brillo fenomenal y me tiene muy irritado; la piel se va a consumir... Navegando siempre hacia el Oeste. Sobre esta cama no sé si pueda. Es tan lenta y además tiene una lámpara muy potente que me persigue. Mejor camino. Mejor camino y dejo al criado en lo suyo de revolver sobre las losas... Me levanto y veo que el criado se pone convulso y salta sobre mí, pero estoy bastante lejos en mi cama. Doy el primer paso sobre el suelo...

[INDIO] Algo está pasando que Él deja de vigilarme y se va a trastear. Se pone a gritar mucho y tira de una soga con toda su fuerza. Está como sacando algo de entre el hierbazal. Lo que no entiendo es por qué le grita a la cosa. Yo aprovecho para ponerme sobre el caballo. Lo dije; en cuanto se haga el bobo me vuelvo a montar y lo dejo a un lado. Aunque no creo que se esté haciendo el bobo. Parece que la cosa a la que gritaba en el hierbazal es como un brazo; lo tiene agarrado y lo tironea con toda su fuerza que es mucha. Aunque con toda esa fuerza ahora se pone a gritar y llora y da golpes sobre la hierba; grita y llora sobre la pierna del jinete que está medio flaca, como si fuera un rollo de trapo fofo y pintorreteado.

[JUAN] Cuando abro los ojos queda sobre mí un azul que ya empieza a oscurecerse. Qué incómodo. El vaivén me hace sentir ligero. Un dolor irresistible sube desde la pierna derecha y me adormece toda la cadera hasta el brazo… Algo debió pasar hace mucho. Llamo al Yoni pero no me responde… Tengo algo extraño en la pierna que no me deja mover. Me enderezo un poco pero estos mareos y el dolor… Es como si alguien me estuviera aguantando, y el mar se bambolea otra vez…, se pone oscuro y enloquece y ya me da lo mismo.

De pronto algo se mueve, como que se abren los nubarrones y entra una claridad, algo que baja con mucha luz sobre nosotros… como una mujer. «¡Yoni, mira!…»

[YONI] «…¿no estás viendo eso?» El Juanci me grita que si no estoy viendo. ¿¡Qué cosa es esto, virgensanta!? «¡Indio, enderézate y mira!…» ¿Qué cosa es esto? Y ahora que parecía que el tiempo se viraba y el mar nos tragaba para siempre. ¡A arrodillarnos como se pueda que ésta es mi Santa, la Virgencita de la Caridá! Con su luz y su luna que da vueltas, y su coro y sus cornetas y todo. ¡Oigan la música! «¿No oyes, Juanci?… ¿y tú, Indio? Ya viene llegando, con su coro y sus trompetas… ¡Mira cómo se tranquiliza el mar y ella nos salva! ¡Ya nos está sacando de aquí…!»

Pequeño diccionario Spanglish ilustrado

Gustavo Escanlar

ancorman (*viene de* anchorman, *presentador de televisión*). me iba a entrevistar jaime bayly para el programa que conducía todas las noches por cbs. yo no tenía ni idea qué cosas me podía llegar a cuestionar el pibe ni por qué me había invitado a su chou si a mí nadie me conoce. el freak peruano ya está más allá de todo, se puede dar el lujo cada tanto de llevar a un escritor de tercera, tercer mundo total, que viene de down there, solamente con el fin de horrorizar a dos o tres doñas latinas y mandar mensajes entre líneas para que los que están en la pomada se den cuenta que el tipo es un fenómeno, mitad gay mitad drogo mitad vaya a saberse qué. yo me acordaba de lo que él dice que le dijo a luis miguel cuando lo entrevistó. dice que al despedirse le tiró un «qué bien hueles, luis miguel» y el gordito bolerudo se puso muy nervioso y se cagó hasta las patas anchas y guacheó para otro lado. me mandaron un pasaje fri por united directo hasta miami, el paraíso del plástico. iba con la secreta fantasía de que jaimito me dijera lo mismo que le dijo a luismi y termináramos viendo la salida del sol totalmente borrachos y estoneados en la rufa de un hotel cinco stars propiedad de mas canosa. culísimo. me llené de aftersheif para oler bien, pero ni ahí. no pasó nada. all professional stuff. jaimito fue tan frío conmigo como con calamaro, que se tiraron dardos durante todo el programa. se ve que no le gusta tener cerca un potencial competidor. aunque yo no le llegue ni siquiera a los tobillos.

bacunclíner (*viene de* vacuum cleaner, *aspiradora*). el negro carlos era dominicano y ya llevaba cuatro años en boston. en la patria de juan luis «quisiera-ser-un-pez» guerra el tipo había dejado esposa e hijo con la promesa de mandarlos buscar cuando las cosas empezaran a irle bien. pero ya habían pasado cuatro años y la negra y el negrito estaban presionando demasiado. «si te va bien vamos nosotros, si te va mal vuélvete tú» le decían cada domingo, cuando hablaban por teléfono. «carlitos ya no te recuerda, cabrón», le reprochaba dominical la negra. un domingo, el negro carlos no pudo más y tuvo que ceder. «está bien, mujer, esta semana les mando los tiques. ya no me grites más, ya están viniéndose». la negra comprobó, apenas llegó, que el paraíso americano no era como lo pintaban. que el negro apenas si podía mantenerse con el sueldito semanal que ganaba en la radio, que siempre estaba ahí latiendo el fantasma de la deportación, que banana plain no era demasiado diferente de los barrios pobres de dominicana, que el crisol de razas no era para ella. que tampoco tenía ganas de regresar derrotada y sin dollars. así que tuvo que ponerse a trabajar. de doméstica, 15 dólares la hora, en la casa de vasallo. por lo menos le daba para, una vez a la semana, comprarse una jaquet para el cine, un cárdigan brauncito que jamás podría haber tenido en el caribe. y para mandar cartas y polaroids a las vecinas para que vieran qué bien que les estaba yendo en américa.

bisnes (*viene de* business, *negocio*). lo afirmaré sin miedo: boston es la ciudad más aburrida de todo el universo. bullshit intelectual. mierda universitaria. como si los talking heads siguieran juntos y de moda. como si todavía importara leer libros y saber. como si llevar saquitos tweed siguiera siendo cool. of course, nada de drugs. nada de sexo. nada de nada. el centro mismo del imperio, el corazón del mundo, y yo sin poder conseguir un gramo, un puto gramo de merca. can't fuckin' believe it. dos opciones: o el cine se la pasó mintiendo o yo soy un gil a pedal. «vamo al barrio chino, por lo menos», terminé suplicándole al huevón. «qué prefieres, huevón, que te maten o que te cojan?», me contestó dando la conversación por terminada, ofreciéndome, por quinta vez, una piedra de fumo. «no, no quiero fumo, quiero merca. MER-CA, ¿me entendés? ¿cachás la onda? oro blanco, el manjar de los dioses, la blanca, cocaína, she don't like she don't like she don't like. desde el 89, hace ya siete años, siempre, a fin de año, me consigo un buen papel, me surto bien, me lleno, no voy en tren voy en avión. tomo para no enamorarme, me enamoro para no tomar. no puede ser que ahora, acá, en plena madre patria, me tenga que quedar como un tarado mirando la moron-a-toon de beavis and butthead y tomando budweiser». el huevón era chileno y transaba videos que conseguía no sé dónde. un día trajo *blown away*, lo menos, diciéndome orgulloso: «en ésta podés ver todo boston. después, si querés, vamos a los lugares donde la filmaron». ¿a los lugares donde la filmaron? pero por qué no te vas a cagar, huevón hijo de puta, andá a cantarle a zamorano. ¿a los lugares donde le vendían la merca a jeff bridges no podríamos ir? ¿tommy lee jones se la trajo en un bolsito? ¡¡¡¡QUIÉN VENDE ACÁ, HUEVÓN, DECIME QUIÉN LA VENDE!!!! al final, pude dar con un colombiano que parecía uno de los hueritos de *el premio mayor*, el teleteatro mexicano donde trabaja uno de los tantos uruguayos que triunfan en el exterior, que ahora se hace el galán en televisa y hace 15 años curraba con el galpón en el exilio, con obras en verso de benedetti contra la dictadura. el tipo se quedó en tierra azteca y ahora es el rey de los mariachis. canta y todo. no tiene vergüenza. acá sí la tendría. el colombiano la cobraba cuarenta (¡cuarenta, brode, no puede ser! ¿con qué la cortan? ¿con oro te la cortan?). quedamos en encontrarnos en un boliche que se llamaba the cavern (a house of blues no me llevan ni en pedo). tocaba morphine. era jueves. fui, los escuché, bastante bien los pibes, presentaban cure for pain, thursday es un temazo, pero el colombiano nunca pintó. indigno hijo de la tierra de escobar, al otro día me explicó, en la radio, que «la vaina estaba very difficult». lo mismo que me dice el casavieja cada vez que me hace la guita.

brekas (*viene de* brakes, *frenos*). si algo hay que reconocerle al huevón, el chileno que me tocó de roommate, es que sabía cómo ingeniárselas para currar en el primer mundo. no solo laburaba en la radio y le robaba la plata a los vasallo, sino que también vendía buzos de lana de su madre patria y se los vendía a los yanquis como si se tratara de merca de primera cuando eran, de verdad, una cagada. una terrajada que, encima, venía con la inscripción «auténtica lana peinada de chile» bordada en plenos pectorales, para que te la junara todo el mundo. lo menos el huevón, lo menos sus bucitos. así y todo, el ingenio le dio hasta para venderme uno a mí. ¡a mí, sí, que detesto todo lo artesanal! así que, aunque se le puedan detectar muy pocas habilidades al huevón, esto hay que reconocérselo: era un buen busca. una noche, mientras miraba el weather channel, se puso a llorarme la milonga con que le estaba quedando poca guita y que de repente se tenía que volver, que tenía que inventarse algo para hacerse unos dollars. qué te cuento que al otro día lo veo aparecer todo vendado. parecía la momia de *titanes en el ring*. «¿qué te pasó, huevón?» no se podía ni mover. apenas si podía abrir la boca. muy despacio, me dijo: «me hice atropellar por un carro en el midtown. ya hablé con un loier y presenté la su. me van a dar por lo menos cuatro lucas». terminaron dándole seis. le dio para vivir un año más. yo me saqué el sombrero. él se dejó las vendas.

broudcas (*viene de* broadcast, *transmisión radial*). me imagino al cubano vestido de armani y gritando por las calles de boston, como loco «eliancito se queda», pidiendo que dejen en miami al pequeño balsero, el niño gusano. me lo imagino ahora, ya con 32 años, convirtiéndose en uno de los líderes del exilio en boston, siguendo los pasos de su padre que le dejó la posta. es cubano, pero nunca pisó cuba. es inteligente, habla los dos idiomas, tiene la cuarta parte de un hotel en varadero, socio de los gallegos. edita un pasquín semanal contra fidel y es dueño de una radio dirigida a la comunidad latina, esa que vive en los suburbios, todos conventilleando en un barrio llamado banana plain. la radio era lo menos. el cubano, of course, era supergusano, no dejaba pasar nada que tuviera olor a izquierda. no existía. pronunciar, por ejemplo, la palabra «silviorodríguez» era —no es joda— causal de despido. se llamaba vasallo, y le hacía honor al apellido. en el periódico daba las news de toda la actividad gusana del mundo. mi trabajo en la radio era lo más sencillo: tenía que llegar a las seis de la mañana, leer el *boston globe* y el *boston herald* y traducir las noticias donde aparecieran apellidos latinos. las printeaba, se las daba a los locutores y ellos las leían muy serios. siempre se trataba de peleas o asesinatos o accidentes. algunas cosas eran para cagarse de risa, como el dominicano que se metió una lamparita de luz —un bombillo, decían ellos— en el culo y se le rompió adentro y le hizo mierda el intestino y la quedó jurando que era hetero y que lo habían embrujado. obviously, cuando lo de lorena bobbit estuvieron semanas jodiendo con la ecuatoriana que le cortó la dicka al gringo. la venganza latina. también había que traducir las noticias deportivas, del béisbol sobre todo, y revisar los cables con los resultados del sócer de los países centroamericanos, al pedo, si nunca van a ganar un mundial. a media mañana tenía un recreo. salía a comprar algunas «grocerías» y a renovar el parqueo del carro. a las 12, la radio terminaba la trasmisión latina y aparecían unos religiosos.

carpeta (*viene de* carpet, *alfombra*). el telo donde fui a parar en nueva york era de cuarta. la única ventaja es que estaba bien ubicado, a dos bloques de times square y de la virgin. 44 y la tercera. televisión abierta, de cable ni hablemos. 750 la semana. la segunda noche, dormido, dejé caer la mano debajo de la cama. toqué algo suave, como velve. «un monedero», pensé, fisurado como siempre por los dollars. me semidesperté para chequear. era una rata muerta. ahí, en el medio de la carpeta donde apoyaba los pies cada vez que me levantaba. no way, josé. no dije nada, no era un hotel en que pudieras hablar con el gerente y protestar, imagínate, pero dejé la rata arriba de la tele, como para que se dieran cuenta, que la vieran cuando vinieran a mapiar. al otro día desapareció. andá a saber, la deben haber puesto debajo de otra cama.

chatear (*viene de* chat, *conversación*).

estoymuerto ingresa a sala privada.

ash ingresa a sala privada.

ash dice: ¿de verdad estás muerto? qué envidia, cabrón

estoymuerto dice: es verdad, sí…

ash dice: ¿muerto de qué? ¿de amor, de rabia, de cansancio?

estoymuerto dice: de vida… ¿comprendes?

ash dice: para nada…

estoymuerto dice: un día me di cuenta que no tenía nada que perder… que ya estaba jugado, que era libre… entendí que estaba muerto… ese día cambió mi vida, entiendes? al comprender que estaba muerto… ahora sí?

ash dice: …es un poco rebuscado pero vale, está bien…

estoymuerto dice: eres h o m?

ash dice: importa?

estoymuerto dice: sí

ash dice: m

estoymuerto dice: ok. edad?

ash dice: 23… tú?

estoymuerto dice: 32…

estoymuerto dice: de dónde eres?

ash dice: …ya comienzas con esas preguntas…

ash dice: …voy a mentir…

estoymuerto dice: …ésa es la gracia…

ash dice: … en boston… en miami… en rivera…

ash dice: ...elige...

estoymuerto dice: ...¿rivera? ¿qué es rivera?

ash dice: ...me quieres en rivera?

ash dice: ...una ciudad perdida del norte de uruguay... en la frontera con brasil...

estoymuerto dice: i like it...

estoymuerto dice: yo estoy en nueva york...en queens...

estoymuerto dice: ...¿sigues ahí?

ash dice: ...sí, sigo aquí...

ash dice: ...es que estaba haciendo memoria...

ash dice: ...y revisando el chat...

ash dice: ...y no recuerdo haberte preguntado dónde estabas...

estoymuerto dice: ...qué agresiva eres...

ash dice: ...es que lo que me atrajo de tu nick era lo original... diferente a los otros... no me gustaría que nuestra charla fuera convencional... como todas...

estoymuerto dice: ...sorry... enséñame como hacerlo diferente...

ash dice: ...mentirnos todo el tiempo, por ejemplo...

ash dice: ...es lo bueno de tu nick... dices que estás muerto, pero no es verdad...

ash dice: ...digo que estoy en rivera, pero quizá no...

ash dice: ...digo que soy mujer, pero nunca lo sabrás...

ash dice: ...en que parte de queens estás?

estoymuerto dice: y eso? esa pregunta no va contigo...

ash dice: ...es que también estoy en ny...

estoymuerto dice: ...yo también te mentí...

estoymuerto dice: ...vivo hace dos años en miami...

estoymuerto dice: no eres mujer? no tienes 23?

ash dice: mujer sí… 23 no…

estoymuerto dice: …nothing but the truth, please…

ash dice: 44…

ash dice: vas a irte? te asustan las vejetas?

ash dice: plis, don't go away…

ash dice: …si querés, podés elegirme cualquier edad…

estoymuerto dice: 44 está bien… i like it… casada?

estoymuerto dice: …yo tampoco tengo 32… no estoy tan muerto ni soy tan libre como dije…

ash dice: casado?

ash dice: divorciada dos veces… tres hijos… uno de 15, una de 9, uno de 7… los tres viven conmigo… vos?

estoymuerto dice: de verdad estás en ny?

ash dice: hábil para cambiar de tema…

ash dice: …no estoy en ny…

ash dice: de verdad estás en miami?

estoymuerto dice: …no…

ash dice: no qué?

estoymuerto dice: ni casado ni en miami…

ash dice: ves que no importan los lugares?

ash dice: …lo que importa es el sitio…

ash dice: …este sitio…

estoymuerto dice: …me parece que te pusiste triste…

ash dice: …cuando la máquina se cuelgue no nos veremos más…

ash dice: …y se está por colgar…

ash dice: …y era todo mentira…

ash salió de la charla. ¡Chau!

contestación (*viene de* contest, *concurso*). era la época de *pulp fiction* y tarantino y john travolta parte dos. era la época morocha de uma thurman saturando el micrófono al pronunciar los nombres. «mia wallace», «vincent vega». era, como sucede siempre con travolta, época de concursos. en los setenta se trataba de imitarlo, de ver quién bailaba más parecido a él al son de fever night fever night fever we can try to do it. ahora la mano venía de parodia, de lograr hacer reír a la gilada pero, a la vez, bailando en serio. en tower records, como siempre, aprovecharon la bolada y se mandaron un concurso de twist. se anotaron 33 desgraciados para ver quién bailaba con más onda you never can tell. fue hasta la marylin trucha de la muvi de tarantino. al final fueron injustos: el radiograbador se lo ganó una minita que bailaba nada que ver con la película pero que estaba producida para la ocasión, una que se puso el vestido negro, brillante y minifaldoso de la vieja que lo había usado en los setenta. al final es como acá: no premian al mejor desgraciado, sino al que más llama la atención.

copion (*viene de* copy on, *primera copia*). algunos dicen que soy un hijo de puta. otros que soy un pusilánime. lo cierto es que un día te puedo hablar pestes de alguien y al otro día me podés ver con él charlando en un boliche como si fuéramos amigos de toda la vida, casi hermanos. hoy te digo que el casavieja es un sorete y mañana me vas a poder ver encarando algún proyecto con el pibe. cuando me invitó a hacer una película yo le dije que sí. mirá si voy a andar diciendo que no a ese tipo de invitaciones, que por lo general siempre quedan en proyecto pero me dan ideas con las que divertirme un rato. el casavieja, como todos los let's pretend directores de cine uruguayos, andaba necesitado de guiones. y me dijo si yo no tenía alguno para darle. por el trabajo, dijo, quedábamos a mano con la deuda que él decía que yo tenía con él por la cuenta de teléfono de cuando estuve en boston. le dije que sí. no perdía nada. me puse a escribir de apuro y me salió algo bastante interesante. la película se iba a llamar «el asesino silencioso», y se trataba de un serial killer. pero no un serial killer cualquiera: un asesino de mimos. mimos, esos payasos que te hacen gestos y pretenden ser graciosos. mimos, los seres más despreciables de la tierra. el asesino les tiraba unos coras, los llevaba a mcdonald's, se hacía amigo, los invitaba a cenar, y al final los llevaba a su derpa a charlar, a escuchar música.

cuando ya los tenía medio borrachos y entregados, de sorpresa se les tiraba encima y les arrancaba de un tirón la lengua. los mataba acuchillándolos de a poco, cosa que se murieran sin poder gritar y haciendo gestos. como debe morir un mimo. una joyita la peli, no me digas que no. íbamos a filmar algunas escenas en central park, cosa de garronear viajes a new york new york. el casavieja nunca quiso filmarla. ¿sabés qué me dijo? que era demasiado incorrecta políticamente, que los de *brecha* la iban a hacer mierda. yo me hice el ofendido, consideré la deuda pagada y nunca más le hablé al casavieja.

digrís (*viene de* degrees, *grados*). en montevideo todavía no había llegado el cable, así que era toda una novedad sentarse frente a la teli y ponerse a ver mtv y real world a cualquier hora. el puto ya me tenía harto, hasta clinton lo saludó cuando el tipo se dedicó a dar lástima porque tenía aids y no quería que lo discriminaran. clinton está en cualquiera, te digo la verdad. me pasaba las noches mirando cable. no había nada que me distrajera de mi canalera. con decirte que hasta miré el superbowl, yo que no entiendo un carajo de fútbol americano. pero todas las noches, a eso de las once, llegaba el huevón de pololear con alguna yanqui rubia albina enamorada de los sudacas. y, no te miento, todas las noches me sacaba el control remoto como si fuera de él y se ponía a mirar, durante horas, el maldito weather channel. resulta que el quía quería saber cuántos grados iba a haber al otro día, si iba a tener que palear nieve debajo de la picap, si iba a tener que usar botas o algún raincoat. y para eso me privaba a mí, todas las noches, de uno de los pocos momentos divertidos de mi vida en boston.

drinquear (*viene de* to drink, *tomar un trago*). ya lo dije pero no tengo ningún problema en repetirlo: boston es la ciudad más aburrida del mundo. aún los primero de año. cada tanto me llamaba algún uruguayo que yo no conocía: «venite, che, y nos tomamos unos mates», «no querés ir a lonchar al boliche de un amigo que prepara la barbecu como allá». obviously, nunca iba. ya sabía la que se me venía: cómo está todo en el paísito, cómo está la rambla, cómo está 18 de julio, ya arreglaron el estadio, te acordás del reloj de la olímpica, hubo mucha gente en el último mitin del frente, la mostaza de la pasiva sigue siendo la misma, leíste el último de galeano, ese que habla de sócer, qué fenómeno el quía. yo no estaba ni ahí con pasarme una tarde tomando mate lavado y comiendo bizcochos duros en la patria de mcdonald's y las donuts. hay gente que merece ser deportada. pero el 31 no pude zafar. «dale, no seas boludo, es fin de año, no te quedés solo, vamo arriba che, yo sé cómo es, te deprimís horrible». te invitan como si te estuvieran haciendo un favor ayudándote a estar menos solo en aquella tierra inhóspita. no se dan cuenta, ni se les ocurre, que eso, justo eso es lo mejor, estar tan solo, leer las revistas el diez de cada mes, ir al cine tres o cuatro veces por semana y cambiarse de sala de garrón, no tener necesidad de intercambiar palabra alguna en inglés ni en español con absolutamente no one, sólo aplicaciones como «have a nice day» o «black large coffee». el 31 no hubo modo de zafar. no hay excusas. imposible negarse. lo que ellos definían como «fiesta» empezaba a las cinco de la tarde, más o menos cuando anochecía. había cuatro uruguayos, dos españolas y el huevón en representación de la patria de parra, nicanor, el poeta. el menú era multiétnico y pobre: por uruguay el mate, caña ancap, dulce de leche y un asado tipo suela de zapato: duro, imposible de comer, carbonizado. las españolas se mandaron un gazpacho y una paella renga, con más arroz que calamares. el huevón se puso con un litro de vinacho berreta que se tomó enseguida él solo. a eso de las ocho todo el mundo empezó a mirar el reloj y saludarse, a destapar botellas y brindar. ahí caché, por cómo saludaban a las gaitas, que estábamos festejando el año nuevo hora española. después de los besos dobles, las minas —que, cabe consignar, eran horribles, estilo ana botella— corrieron a llamar collect call a la familia. hablaron como media hora cada una. se ve que allá se pasaban el teléfono el tío manuel al sobrino benjamín a la abuela inocencia a la cuñada maripili a los primos —genoveva a antonia a emilio a josémanué— porque dijeron «feliz año» a los gritos como doce veces cada una. a las diez, turno yorugua. nos tuvimos que saludar entre nosotros como si estuviéramos acá y fuéramos familia consumiendo la sidra tibia y el pan dulce duro. hubo a quien casi se le escapó una lágrima, quizá recordando algún cuñado, quizá pensando en araca la cana, en peñarol, en la pizza de rodelú, en algún poema de benedetti como aquel que dice «si te quiero es porque sos mi amor, mi cómplice y todo». a las doce estábamos todos medio en pedo, mirando por televisión la cuenta regresiva y el festejo de los yanquis en times square. a eso de la una se nos dio por salir a bailar. rajamos a un lugar que se llamaba the paradise, donde unos días antes había ido a ver a tom jones y a las veteranas que le tiraban las chabombas. tocaba un grupo desconocido que se llamaba rustled root y eran una especie de talking heads universitarios. el número supuestamente fuerte era joan jett, una panquequita en decadencia. había un olor a grass que te volteaba. los universitarios bostonianos le dan a la maruja por una «cuestión ideológica». quieren que la legalicen. te cuentan que clinton dijo que «había fumado pero sin tragar el humo». se ríen del tipo pero no se dan cuenta que ellos hacen lo mismo. nadie —nadie— estaba de merca. nadie, de verdura. fui al restrum por lo menos quince veces, no te miento, con la esperanza de darle la captura a alguien, pero ese fin de año, en el paraíso, nadie aspiró nada en absoluto del gatorade del inca. y cómo lo extrañé, rodeado del latinazo más atroz.

estore (*viene de* store, *tienda*). en virgin records de broadway y la 44, en pleno times square, en el subsuelo, donde venden las revistas y los libros, al costado de los cines, de cuatro de la tarde a dos de la mañana, en la segunda caja, atiende un negro. negro negro, retinto, casi azul. pero negro traidor, nada de calle ni de rap ni de hip hop, un negro de corbata y barba de tres días, negro de dientes blancos siempre riendo, un negro alma de esclavo, que agradece a dios cada vez que se levanta por la oportunidad de laburar ahí en la virgin. un negro, encima, trolo. como buen bulímico del tercer mundo, yo iba todos los días a la estore, a ver qué disco nuevo había aparecido. cada vez que iba el negro aprovechaba para chatear un rato. me llevaba la carga. «how r u?», me cuestionaba siempre, abandonando lo que estaba haciendo y mostrándome los dientes. yo hablaba poca cosa, siempre en mi inglés sudaca. «where r u from?», se animó a preguntarme al tercer día. «iuruguai», le contesté, acordándome de homero simpson y cómo se cagó de risa cuando vio el nombre de ese país en el mapa y leyó «u r gay». «iuriguai? where is it? in brazil?». el negro no cazaba una. no necesitaba, en realidad, si nunca iba a salir de virgin records. «yes. brazil». el último día quise darle un poco más de filo y me compré, al pedo porque lo odio, el doble de george michael. lo logré. el negro se pensó que yo también era puto, que la miraba con cariño, que me tragaba el viborón, que me gustaba la carne en barra, que me sentaba en la escopeta, y me invitó a salir. le dije what a pity, que me iba esa misma tarde en el vuelo de las cuatro. que se hubiese animado unos días antes. que ya volvería. y es verdad. cuando vuelva voy a ir ahí, a la tienda de virgin de times square, al subsuelo, a la segunda caja, y ahí va a estar él. de repente se acuerda de mí y seguimos jugando.

flipar (*viene de* flip out, *conmoción*). dicen que los poké-mon, esos cartones ponjas, un día dejaron epilépticos como a qui-nientos guachos. que los colores y los flashes y la data que tiraban eran tan hard que los pobres pibes quedaron ahí, frente a la televi-sión, pirando y con convulsiones. dicen que fue el chapter 540, que hoy te lo venden en el mercado negro como a mil dólares. bueno, lo mismo me pasó a mí la primera vez que llegué a times square. las luces iban para todos lados, todo giraba que parecía *adiós a las vegas*. de un lado la taza de sopa caliente echando humo, del otro el cartel de coca-cola, del otro la virgin store, del otro el estudio onda pecera de mtv, del otro la pantalla gigante de nikon, del otro lado la proa que se va abriendo, del otro el cartel de nike, del otro el boliche con que curran los deportistas, del otro el quiosco con todas las revistas del mundo, del otro la hora, del otro la televisión con larry king, otra vez la taza de sopa caliente echando humo, otra vez la coca-cola, cada vez más rápido, cada vez más difuso, cada vez me-nos yo. hasta que me caí en el medio de la calle, entre los homeless, los percusionistas que te manguean, los breakdancers fuera de onda y los que pasaban apurados para el cine. un tajo en la cabeza, sangre, jacket arruinado. lo mismo me pasó la primera vez que estuve en barcelona, en la mitad de las ramblas. iba tan apurado y con tantas ganas de guachear todas las cosas a la vez que me caí y quedé hecho mierda entre los turistas y las estatuas vivientes. me desperté en un hospital que parecía *er*, con un médico catalán igualito a george cloo-ney que me mostraba dos dedos y me preguntaba en qué día estába-mos. en new york new york fue diferente: me desperté exactamente en el mismo lugar que me había caído. habrían pasado 10, 15 se-gundos, nada del otro mundo. yo ahí medio zombi, todo ensan-grentado y la gente ni me miraba, aunque daba entre asco y lástima, medio rotoso y todo sucio. un taifa que se metió en problemas, algún homeless más, otro latino dándole al hangyeo, no te acerques por las dudas, don't talk to strangers, mirá lo que le pasó a rebecca de mornay. me levanté como pude. estaba bastante más lúcido de lo que pensaba. saqué del bolsillo de atrás el papel con la dirección del telo que había reservado desde acá. me di cuenta que, en la caída, me había cagado. suerte que el lompa era negro, el guess. jedía, pero no se notaba la mancha. en el telo no me dejaron entrar. no pude ni siquiera invocar la reserva. menos mal. si me hubiera quedado ahí la guita no me hubiera alcanzado para nada.

saquear (*viene de* to suck, *chupar*). los latin fashion awards. otra terrajada para vender publicidad y mostrar minas medio en bolas por e! entertainment television, la televisión del espectáculo. la gorda figueroa estaba en miami hacía tres años y nunca había ligado ningún laburo. jamás había aplicado, en realidad, para un trabajo en serio. estaba clandestina, nunca tramitó aidí. se divertía gastándose la guita que le pasaba el viejo. pero ya estaba medio podrida y quería encontrar un curro fashion. esta vez se le dio. le dijo a fabiancito, un trolo que había conocido en bunker, un boliche medio gay de punta del este, si no le podía presentar a carlos cámara, el fiolo de modelos que se dice representante. a cámara, que no se sabe si es maraca o se hace el maraca para levantar minas, la gorda le pidió que le presentara a pancho dotto, el fiolo number one. dotto le dio un laburo de esos de cuarta, de «producción». tenía que tirarle agüita en el pechito a ivancito de pineda, el modelo de dientes desparejos más fashion del río de la plata. recontracul. y ahí estuvo la gorda toda la noche tirándole agüita en el pechito al ivancito, intentando levantárselo. el pibe parecía medio bobo, siempre riéndose con esos dientes de mierda. no le dio la más mínima pelota a la gorda. al final el iván ya estaba rezarpado de tanto tripi que le habían dado en el backstage. como no podía ni pararse, la gorda tuvo la oportunidad de tirarlo en un sillón y chuparle bien la pija, que dicho sea de paso es extra large. trabajó bien la gorda, se la mamó de arriba a abajo al ivancito que gozaba con los ojitos cerrados sin saber ni dónde estaba. acabó sin siquiera darse cuenta que la gorda que le estaba tragando la leche condensada era una asquerosidad uruguaya. después, cuando volvió, la gorda ponía orgullosa en el currículum que había trabajado con dotto en el latin fashion awards y para darse dique con las minas decía que se la había chupado al ivancito.

teatro (*viene de* theater, *sala de cine*). mis últimos días en el mundo civilizado los pasé currando en el boston language institute, un lugar donde el laburo consistía, básicamente, en traducir los títulos de las películas que iban a distribuirse en el mercado hispano. así, gracias a mi labor, algunas muvis llegaron a ser rebautizadas. la siguiente es una breve lista de algunas traducciones de mi autoría.

pokémon: «pokémon, la película»; *rushmore*: «tres es multitud»; *go*: «viviendo sin límites»; *cruel intentions*: «juegos sexuales»; *stepmom*: «quédate a mi lado»; *a thousand acres*: «en lo profundo del corazón»; *soldier*: «el último soldado»; *kids*: «golpe a golpe»; *the gingerbread man*: «hasta que la muerte nos separe»; *black dog*: «alto riesgo»; *blade*: «blade, cazador de vampiros»; *message in a bottle*: «mensaje de amor»; *the boxer*: «golpe a la vida»; *mercury rising*: «alguien sabe demasiado»; *there's something about mary*: «loco por mary»; *the game*: «al filo de la muerte»; *sling blade*: «resplandor en la noche»; *a bug's life*: «bichos, una aventura en miniatura»; *she's so lovely*: «cuando vuelve el amor»; *the preacher's wife*: «caídos del cielo»; *mad city*: «el cuarto poder»; *afterglow*: «una luz en el corazón»; *home alone 3*: «mi pobre angelito 3»; *one hundred and one dalmatians*: «la noche de las narices frías»; *the hudsucker proxy*: «el gran salto»; *short cuts*: «ciudad de ángeles»; *deconstructing harry*: «los secretos de harry»; *jackie brown*: «triple traición».

Southern Comfort

Faulkner

Edmundo Paz Soldán

Después de leer los letreros que anunciaban la cercanía de Natchez Trace, Jorge le dijo a su padre que se hallaban a punto de entrar en reserva y que lo más conveniente era llenar el tanque. Su padre asintió. Mientras me encuentre en este país, dijo, tú decides. Jorge lo miró por un instante y supo que no había caso, que a pesar de todas sus esperanzas él jamás cambiaría. Apenas vio una gasolinera, disminuyó la velocidad.

Una vez apagado el motor del Chevrolet Cavalier rojo, Jorge le preguntó a su padre si quería algo. Un paquete de Marlboros. Bajó del auto, llenó el tanque y entró a la tienda. Se acercó a la cajera, una obesa mujer que poseía, como única y suficiente belleza exterior, un par de ojos verdes de conmovedora, intensa dulzura.

—Would that be all? —Jorge pidió un paquete de Marlboros. Luego pagó.

—Have a nice day.

—You too —respondió, saliendo de la tienda y retornando al Chevrolet. Hacía calor, la humedad adhería la camisa a su cuerpo, las nubes se habían ido disipando a medida que avanzaba la mañana. Gracias, dijo su padre, y encendió un cigarrillo. Jorge reanudó la marcha.

—Allá vamos, Willy —dijo.

Jorge obtenía en 4 días el B.A. en periodismo y su padre había venido desde Bolivia para asistir a la ceremonia. Con lo poco por ver ya visto en Huntsville, la ciudad donde se hallaba su universidad, Jorge había propuesto viajar a Oxford, Misisipi, a conocer la ciudad de William Faulkner. Eran sólo cuatro horas de viaje. Su padre había aceptado. Jorge se había emocionado mucho con la idea, tanto que la tensa felicidad del reencuentro con su padre y de la cercana graduación habían pasado por un momento a segundo plano: siempre había querido visitar la ciudad (y siempre algo se lo había impedido) del escritor que más admiraba, del hombre cuyo ejemplo lo incitaba a consumirse en noches y madrugadas escribiendo y a soñar con tornarse escritor algún día. Pero ahora, en la Natchez Trace, rodeado de bosques de pinos y cada vez más cerca de Oxford, Faulkner se había escondido en algún recodo de su mente y sus pensamientos y sensaciones merodeaban en torno a su padre.

Repitiendo un gesto de adolescencia, lo miró de reojo. ¿Es que siempre lo tenía que mirar de reojo? Por un tiempo, después de recibir su llamado tres semanas atrás comunicándole que asistiría a su graduación, Jorge había pensado en la posibilidad de una reconciliación. Tiene que haber cambiado, se decía, después de todo, está viniendo. Hizo planes que incluían largas charlas en algún bar, al calor de buen jazz y cerveza de barril. Le contaría de sus planes y le preguntaría acerca de su vida: ¿cómo había sido su infancia? ¿Había participado en la revolución del 52? ¿Cómo había vivido su primer amor? ¿Y qué de sus años de exilio en Buenos Aires? ¿Todavía amaba a su madre? Eran tantas las cosas que podía preguntarle que se sintió avergonzado de saber tan poco de él: sí, había sido un imbécil incapaz del primer paso. Recordó la tarde en que había golpeado a la puerta cerrada de su despacho, y una voz quebrada le preguntó qué quería, y él dijo que si le podía dar algunos pesos para el cine, y la voz respondió que sí, por supuesto que sí, y cuando se abrió la puerta Jorge vio un rostro de inconsolable tristeza, pero al rato sintió las monedas en su mano y se despidió. Nunca más, hasta ahora, había vuelto a recordar aquel rostro.

La desolación era excesiva en Natchez Trace: uno que otro auto de rato en rato, una que otra ardilla. A los bordes del camino, en extraña y fascinante combinación, árboles secos color polvo, dignos del otoño, alternaban con el esplendor primaveral de árboles pródigos en verde. Jorge se hallaba cansado de manejar. Volvió a mirar a su padre que, en silencio, fumaba y contemplaba el paisaje. Pensó que si de algo estaba seguro era de no haber sido él el culpable del distanciamiento. Recordó el encuentro en el aeropuerto, el abrazo frugal, las escasas palabras; recordó los dos días siguientes hasta el día de hoy, el retorno de esa sensación de la inminencia de una comunicación que siempre tenía cuando se encontraba con su padre: comunicación que muy pocas veces se realizaba: en general, la elusividad los regía, las palabras no eran pronunciadas, los sentimientos no eran expresados. Él no lo hacía porque esperaba que su padre tomara la iniciativa. Y su padre, ¿por qué no lo hacía? Al venir hasta acá, ¿no lo había hecho? Ésa había sido la primera conclusión, pero ahora Jorge no podía menos que pensar que su padre había decidido asistir a la graduación porque acaso creía que estaba obligado a estar presente en ella.

Y aquí estaban, pensó Jorge, alejados del país y sin intercambiar entre ellos nada más que lo necesario, acaso contando los minutos para que la ceremonia de graduación concluyera y ambos pudieran retomar sus vidas. Pensó increparlo, preguntarle qué cuernos le sucedía, si pensaba quedarse callado hasta el día de su entierro. Pero no, sabía que no lo haría: era incapaz de esos desbordes temperamentales. En ese instante, una idea lo estremeció: al reprimirse, ¿no ponía en movimiento una cualidad heredada de su padre? ¿No se parecía a él más de lo que se hallaba dispuesto a aceptar? ¿No se hallaban unidos por medio de una compleja relación especular? Y Jorge se imaginó a sí mismo dentro de veinte años, sentado en silencio y fumando al lado de su hijo, mientras éste manejaba un Chevrolet Cavalier rojo en dirección a Oxford.

—Hace años que no leo a Faulkner —dijo su padre—. Tengo muy buenos recuerdos de él. Un tiempo fue mi gran pasión.

—¿De veras? —dijo Jorge. Un Mazda los sobrepasó a gran velocidad; pudo distinguir que una mujer lo conducía.

—Fue en mis días de exiliado, cuando vivía en una pensión de quinta. Tú tuviste suerte. Yo no tenía un centavo para extras y mi compañero de cuarto era un cordobés que se la pasaba leyendo. Yo leía sus libros. Recuerdo un montón de novelas de Perry Mason y otro tanto de Faulkner, qué combinación. Perry Mason me gustaba mucho: lo leía y punto, todo se acababa ahí. Faulkner era otra cosa, difícil de entender, pero magnífico, magnífico. Y, ¿lo creerías?, hay frases e imágenes que jamás pude olvidar. Recuerdo, sobre todo, un personaje: Bayard Sartoris. Nunca olvidaré su melancolía, sus alocados viajes en auto, en caballo, en aeroplano... También recuerdo a Temple Drake, así creo que se llamaba, ¿no? Y el cuento de la mujer que dormía con el cadáver de su novio. Y ese otro, el del establo que se incendió y el chiquillo que no sabía si ser fiel a su padre, al llamado de la sangre de la familia, o a sí mismo.

Hizo una pausa.

—Oh sí, Faulkner, el gran Faulkner —continuó—. ¿Sabías que por unos días quise ser escritor? Sí, estoy hablando en serio, el prosaico ingeniero que tú ves aquí quiso un día ser escritor... Pero claro, lo único que hacía era remedar torpemente a Faulkner. Después de unos meses de hacer el ridículo, renuncié. Y, lo que es la vida, al año el cordobés se fue y nunca más volví a leer a Faulkner. Pensé hacerlo varias veces, pero nunca lo hice. Y ya ves, treinta años pasaron como si nada y jamás lo hice.

Jorge quiso decir algo. No supo qué.

—Tu pasión por Faulkner me hizo recordar mucho esos días —continuó su padre, que hablaba sin dejar de mirar hacia el horizonte—. Nunca me mostraste tus escritos, pero confío en que tú no renunciarás. Confío en que lo tuyo no es pasajero, y en que escribirás las cosas que yo no pude escribir. Y volverás a decir a todos, porque es necesario volverlo a decir de tiempo en tiempo, que entre el dolor y la nada es necesario elegir el dolor. Que amor y dolor son una misma cosa y quien paga barato por el amor se está engañando. Que no hay mejor cosa que estar vivos, aunque sea por el poco tiempo en que se nos ha prestado el aliento.

Jorge se desvió del camino y apagó el motor.

—Papá... —dijo—. ¿Me puedes mirar?

El padre, lentamente, giró el cuello y enfrentó sus ojos cafés a los ojos cafés de Jorge.

—Nuestra relación no ha sido precisamente ejemplar, ¿no?

—No tenía por qué haberlo sido. ¿Conoces alguna?

—Pero podía haber sido mejor.

—Podía.

—¿Ya es tarde?

—Hay cosas de las que es mejor no hablar.

—Te quiero mucho, papá. Muchísimo.

—Ya lo sé —dijo el padre, y le tomó el hombro derecho con la mano izquierda. Fue una caricia suave, fugaz—. Ahora vuelve a manejar.

—Me gustaría charlar un rato.

—Podemos charlar mientras manejas.

Jorge hizo una mueca de disgusto, encendió el motor y reanudó la marcha.

El disgusto, sin embargo, no duró mucho. Al rato, pensó que las cosas se habían dado de esa manera y que de nada valía lamentarse por lo no sucedido. No valía la pena amargarse por todas las palabras no pronunciadas y todos los sentimientos no expresados. Más bien, todo ello le daba más fuerza y significado a los escasos encuentros que se daban entre ellos. Habrá más Faulkners, se dijo. Es cuestión de excavar.

Enfrentando con la mirada la excesiva, intimidatoria belleza que los cercaba, Jorge dijo en voz alta que el día era muy hermoso.

—Sí —dijo su padre—. Muy hermoso.

Y Jorge esbozó una sonrisa ambigua, acaso sincera, acaso irónica.

Flores

Mario Bellatín

Existe una antigua técnica japonesa, que para muchos es el antecedente de las naturalezas muertas, que permite la construcción de complicadas estructuras narrativas basándose sólo en la suma de determinados objetos que juntos conforman un todo. Es de este modo como he tratado de conformar este relato. La intención inicial es que cada capítulo pueda leerse por separado, como si de la contemplación de una flor se tratara.

Ave del paraíso

Un juez norteamericano condenó a cadena perpetua a un padre que inoculó el virus del sida a su propio hijo. En el momento de dictaminar su sentencia proclamó que mientras el niño iba a gozar para siempre de las bondades del cielo, el padre se consumiría en las llamas eternas del infierno. Brian y Marjorie se conocieron en una discoteca en las afueras de Misuri a finales de los años ochenta. Marjorie había salido esa noche acompañada por dos amigas que trabajaban con ella en un salón de belleza. Las tres eran manicuristas. Cuando apareció Brian, un hombre fornido de cabello rojizo, estaban a punto de irse a sus casas. Era más de las dos de la mañana. Habían planeado realizar al día siguiente un paseo hasta los lagos situados detrás de las colinas. Dormirían hasta el mediodía y partirían a la una de la tarde. Irían en el coche de Marjorie, un Rabbit convertible que había comprado un año antes. Ninguna tenía novio en ese momento. Aquél había sido un año desastroso para sus relaciones amorosas, pues las tres habían terminado sus romances de modo abrupto. Marjorie incluso temía que su antiguo pretendiente la agrediera si se la encontraba en la calle. Pero esa noche, día de pago, habían decidido olvidar el pasado. Escogieron una discoteca algo alejada de la ciudad. «Dance with Crocodiles» se leía en un gran letrero de neón colocado a un lado de la carretera que une Misuri con los desiertos del sur. Como medida de precaución bebieron alcohol en cantidades moderadas. Aparte del manejo de vuelta debían estar alerta por si aparecía alguno de los antiguos novios. Cada una se limitó a tomar un par de cervezas. En uno de sus regresos del baño, Marjorie encontró que Brian había ocupado su puesto. Conversaba con sus amigas. Al verla llegar a la mesa, se levantó y la invitó a bailar. La tomó de la mano y la llevó a la otra sección de la discoteca. Media hora después se acercaron a la barra. Marjorie aceptó un vodka con tónica. Antes de besarla Brian le dijo que era enfermero. Marjorie contestó que no advertía la diferencia con los demás hombres con los que había bailado esa noche. Las amigas debieron pedir un taxi para regresar a sus casas. El paseo del día siguiente fue cancelado. Horas después quedó sellada la unión entre el enfermero y la manicurista.

Gardenias

Las amigas del salón de belleza fueron invitadas un año después a la boda de Marjorie y Brian. Se trató de una ceremonia sencilla. La disfrutaron sobre todo las estilistas y los compañeros de Brian del hospital. Se llevó a cabo en un jardín que se rentaba para esa clase de eventos. Estaba sembrado con gardenias de todos los colores. Marjorie fue especialmente cuidadosa con los arreglos florales. Había flores de todo tipo, aves del paraíso, rosas gigantes y retamas de un intenso amarillo. Habían sido colocadas en varios jarrones puestos en el perímetro del atrio donde se llevaría a cabo la ceremonia. Al final de la tarde los novios estaban un poco bebidos. Se retiraron temprano. Hubo algunos escarceos entre las estilistas y los empleados del hospital, quienes se quedaron en el jardín hasta que el frío los obligó a retirarse. Dos meses después Marjorie quedó encinta. A partir de entonces comenzaron los problemas para la pareja. Desde un comienzo Brian no había querido niños en casa, al menos no por el momento. Su bajo sueldo y su deseo de buscar mejores oportunidades anulaban cualquier instinto de paternidad. Primero quería dejar el área de oncología en la que estaba asignado. Era difícil lograrlo. Todos los días se ponía por obligación el mandil morado que identificaba a los enfermeros de aquella unidad. Marjorie por su parte no estaba de acuerdo con la decisión de su marido y le mintió con respecto a las píldoras anticonceptivas. Cuando vio la reacción de Brian, se arrepintió del engaño. La furia que mostró el esposo al enterarse del embarazo hizo que quedaran hecho añicos los adornos de la sala y la pantalla del televisor. Marjorie se salvó de una paliza porque en el preciso momento en que Brian levantó el brazo para golpearla, una vecina tocó el timbre alarmada. No se le volvió a ver sino hasta un mes después del parto. Ante un pedido de Marjorie fue citado por la policía para que se sometiera a una prueba de ADN que comprobase su paternidad. Sólo en ese momento la pareja se vio de nuevo. Durante el tiempo que duró su embarazo Marjorie no había querido acercarse a su esposo. Hubiera podido ir a la unidad de oncología del hospital donde trabajaba pero temía por el niño que estaba por nacer. Sus amigas del salón de belleza estuvieron atentas a su bienestar. Cuando nació la criatura, a Marjorie le comenzó a preocupar que su hijo careciera de padre. Después de todo era posible que Brian hubiese recapacitado. No fue así. Brian acudió a la citación de la policía sólo para evitar ir a la cárcel. Marjorie fue aconsejada por sus amigas para que presentara también una demanda judicial. Al principio se resistió a hacerlo. No era que aún amara al marido, tenía hacia él un sentimiento indefinido que no era de amor pero tampoco de odio. Además, sucediera lo que sucediese, no dejaba de ser el padre de su hijo. En todo caso le inspiraba cierta lástima la situación de Brian. Pese a su resistencia lograron convencerla usando el argumento de que ese dinero podía contribuir a hacer realidad el deseo de instalar un salón de belleza propio, idea que les había estado dando vueltas a las tres amigas desde que se conocieron. Cuando el recién nacido cumplió dos meses comenzó a presentar problemas respiratorios. Todo comenzó con un resfrío que se transformó en influenza. Al final de ese proceso se le diagnosticó un cuadro asmático. Mientras la demanda de la madre seguía su curso, el niño debió pasar algunas temporadas dentro de una carpa de oxígeno. Para evitar cualquier encuentro desagradable, Marjorie no lo internaba en el hospital donde trabajaba su marido. Cuando se dictó la sentencia señalando la cantidad que se debía abonar, Brian pidió una apelación. Presentó varios documentos probatorios de su verdadera situación económica. Trató de rebajar la suma impuesta en la corte. El dinero que debía depositar cada mes significaba más del sesenta por ciento de su sueldo. Llamó a Marjorie un par de veces. Quiso ser amable, le explicó cuál era la verdadera situación económica de un enfermero. Marjorie intentó ser comprensiva.

Hubiera querido bajar la cantidad pero las amigas la convencieron de lo contrario. Antes que nada debía pensar en el futuro del niño, recalcaron. Poco después de abandonar a Marjorie, Brian consiguió una nueva mujer que lo dejó apenas comenzaron los asuntos legales. Se trataba de una vecina. Brian había rentado una habitación en un edificio multifamiliar pintado de celeste. En la parte trasera había una piscina para uso de los inquilinos. La conoció allí una tarde de verano. Se quedaron hablando hasta muy tarde en la noche. Sobre el agua podían verse reflejadas las luces del edificio. Brian pensó que esa mujer podría salvarlo de sus noches solitarias. Cuando le tuvo más confianza le dijo que no podía soportar el engaño al que Marjorie lo había sometido. Bajo ninguna circunstancia aceptaría a la criatura. Se aferró a esa mujer principalmente porque necesitaba a alguien a su lado que de algún modo lo compensara del desagrado que le producía su profesión. En otra área del hospital quizá las cosas serían diferentes. Lo que más le exasperaba era constatar el estado de putrefacción al cual podían llegar los cuerpos de los pacientes. Esa misma tarde lo había perseguido el recuerdo de los espasmos de una anciana que la semana anterior había muerto en sus brazos. Después de salir del hospital fue directamente a la habitación que alquilaba en el edificio de paredes celestes. Destapó una lata de cerveza y tomó asiento delante de la televisión. Al instante se quedó dormido.

Retamas

Luego de dictada la sentencia Brian pagó sólo en un par de ocasiones la mensualidad que se le exigía. Pudo hacerlo gracias a unos ahorros que había logrado juntar el año anterior, antes de conocer a la mujer de la piscina. Cuando dejó de depositar el dinero fue detenido por la policía. Además de tenerlo preso unos días se le embargó el auto, un Maverick modelo 1974. Después de aquel trance algo pareció cambiar en la actitud de Brian. Trató de acercarse a su hijo lo más posible. Comenzó a visitar la casa de Marjorie los fines de semana. A veces llevaba un ramo de flores amarillas. Marjorie preparaba té y galletas. Se sentaban los tres juntos en el porche. Ni Marjorie ni Brian sentían ya nada el uno por el otro. Durante una de esas tardes Brian le habló a Marjorie de la mujer que había conocido al borde de la piscina. Le contó de la tristeza que le causó su abandono. Era imposible, dijo por fin, que con su sueldo y la sentencia pudiera llevar nuevamente una vida normal. Estaba condenado a no pedir el cambio a ningún otro departamento del hospital. No podía arriesgarse a pedirlo, pues era posible que perdiera el empleo si sus superiores advertían que no estaba satisfecho con su labor. Su vida se iba a circunscribir a tratar diariamente a aquellos cuerpos atacados por el cáncer. Aquel olor lo acompañaría noche y día. Brian empezó a preocuparse también por la salud del niño. Hizo que Marjorie lo llevara a una serie de médicos que atendían en su hospital. Era el sanatorio más grande del condado. En sus ocho pisos se trataban diferentes especialidades médicas. A pesar de las explicaciones, Marjorie no entendía por qué Brian estaba incapacitado para pedir un cambio a un área menos deprimente. El hospital contaba con un edificio aledaño pintado de blanco donde estaba situada la zona de pediatría. Cuando cumplió su primer año de vida, el niño tuvo un ataque de asma realmente severo. Marjorie llamó a Brian muy angustiada, pues no sabía cómo afrontar sola la emergencia. Brian hizo rápidos arreglos y una ambulancia pasó por la casa minutos después. En el hospital estaba todo preparado para la llegada del niño. Los médicos señalaron que debía permanecer en una carpa de oxígeno. La noche fatal, aquella en la que Brian entró a la sala de niños llevando una jeringa en la mano, Marjorie debió retirarse a su casa. Brian había dispuesto las cosas de tal modo que en la habitación de su hijo no hubiera una cama para acompañantes. Marjorie quiso reclamar pero Brian la instó a que no dijera nada. Usó como argumento que había conseguido que no les cobrasen ni un centavo por la hospitalización. Si reclamaba podía echar las cosas a perder. Marjorie esa noche no se quedó tampoco sentada en una silla de metal pintada de verde en la cual durmió el primer día del internamiento del niño, porque al día siguiente era el aniversario del salón de belleza. Por ese motivo iban a ofrecer los servicios a mitad de precio, lo que iba a propiciar un número desusado de clientes. El acto de Brian hubiera pasado inadvertido de no ser porque en el preciso instante en que inyectaba a su hijo una enfermera apareció en la sala. Brian trató de inventar una excusa. Sin embargo la presencia de la jeringa era bastante evidente. Hubo una especie de forcejeo entre ambos. La enfermera gritó. Brian trató de huir pero el resto del personal se lo impidió. Actualmente el niño se alimenta con una sonda insertada en su estómago y ha perdido buena parte del oído. Marjorie ha vuelto a casarse. Brian sabe que tarde o temprano será asesinado en el penal.

Todas las mujeres son galgos

Sergio Galarza

Sin expectativas de por medio, ni ganas de crearme alguna, entré al baño de la estación cargando mi equipaje: una bolsa de tela que parecía un saco de arena para boxear, donde llevaba mi poca ropa (toda sucia) y unos cuantos libros que ya no me interesaba leer.

Pensé en lo deprimente de mi situación mientras meaba. No tenía más que mi pasaje de bus, diez dólares y unas cuantas monedas para combatir el hambre hasta Chicago, mi destino. Antes, cuando entraba a cualquier sitio, lo hacía con la firme determinación y esperanza de hacerle frente a la fortuna de la mejor manera, pues creía que ella me estaría aguardando. Pero tal creencia se ha ido desvaneciendo, como el aliento que soplamos en el espejo, a través de mis dos últimos años como ilegal en este país de mierda. País que nada bueno me ha dado, aparte de un carro que mi novia se llevó, amigos que se perdieron cuando mi mala suerte comenzó a alcanzarlos y un perro que regalé a una pandilla de niños negros.

Suspiré cuando tuve la vejiga vacía. Había ido tomando todo el camino con un ex policía que había dejado el uniforme y tirado su pistola a un basurero, para convertirse en un hippy gordo y barbón. Me dirigí al lavatorio para quitarme el sueño de la cara. El agua cayó helada sobre mis manos juntas, pero mi atención se distrajo y las separé dejando correr el agua. A mi mano derecha un gringo alto y fornido sonreía como idiota. Un negro lo acompañaba. Parecía como si le acabaran de contar un chiste muy bueno al gringo. Un chiste que, de seguro, no le había agradado mucho al negro, por la cara de pocos amigos y frustración que dibujaban sus labios abultados como trompeta y sus ojos perdidos en la intensidad de un pensamiento muy duro de olvidar. Además, de haberle gustado el chiste y haber querido aplaudir, las cadenas que unían sus muñecas se lo hubieran impedido.

Los miré desconcertado, me froté la cara con agua una sola vez, cuando siempre lo hago cinco o seis veces, y salí del baño.

Entré al Burger que había dentro de la estación. Pedí la combinación más barata: una hamburguesa simple, una porción de papas fritas y una gaseosa. Imaginé cuál sería la historia del negro y el policía en el baño. Una historia perfecta para Ford. Podía tratarse de un asesino fugitivo, con varios crímenes mafiosos en su haber y la debilidad por violar ancianas parapléjicas. O, simplemente, de un carterista. Le di un sorbo a mi gaseosa. Al fondo, en la esquina izquierda, una pareja de vagabundos discutía. Estaban sucios, peor que mis medias, llevaban el pelo largo y tenían las miradas más malditas que jamás había visto. La mujer abría la boca muy grande cuando gritaba sus «*fuck*» y sus «*damned*», de manera que uno podía verle la dentadura arruinada por el paso de tantas desgracias y peleas. A pesar de la pinta de alcohólicos y malditos que tenían, aquella pareja me pareció muy tierna. Sobre todo, cuando se besaron luego de haberse gritado los peores insultos. Lo cual no quiere decir que les perdiera el miedo. Al pasar por su costado, él me miró sin mover una sola facción de su rostro arrugado, y yo deposité, sobre su mesa, la bolsa con la mitad de mi combinación que pensaba comer más tarde.

Subí al bus y me senté casi al fondo, al costado de la ventana. Acababa de estar en la estación de Atlanta, lo cual no me importaba, y en realidad me hubiera gustado no haberlo sabido. Me había prometido a mí mismo no fijarme en los nombres de las estaciones para engañar al tiempo y al hambre. Pero esto es imposible cuando tienes que hacer cambio de bus.

El último pasajero en subir fue una chica. Una *blondie*, como dicen los negros. Caminó por todo el pasadizo como buscando el asiento más cómodo, aunque ninguno era diferente. El chofer le dijo que se sentara, que no estaba en un desfile de modas. Maldito negro. Si no hubiera sido porque la mayoría de pasajeros eran sus hermanos, lo habría callado. La chica se veía indefensa como una perrita bajo la lluvia. Se sentó a mi costado por coincidencia. La miré y me sonrió. Al menos aquella parte del camino iba a divertirme.

Durante la siguiente hora no dejé de conversar con ella. Le conté mi historia. La suya resultó parecida. Su novio la había dejado, al igual que sus amigos, y el psicólogo estaba harto de sus quejas. Había intentado suicidarse dos veces. Yo dije que también lo había intentado una vez, para aumentar el grado de simpatía que estaba logrando en ella. Se llamaba Tracy y bordeaba los veinte.

—¿Tienes frío? —me preguntó.

—No, ¿por qué? —examiné mi casaca, una Tommy que me había robado del perchero de un restaurante mexicano.

—Yo sí.

Me quité la casaca y se la presté. Tracy llevaba puesta tan sólo una camisa a cuadros verde, que ni siquiera era de franela, y debajo de ésta un *top* azul. Sentí como si acabara de poseerla, como si ella se hubiera metido bajo mi piel. Suena absurdo, pero cuando no tienes a nadie en varios kilómetros a la redonda... En fin.

Apoyó su cabeza sobre mi hombro. Le pregunté en qué estación bajaba. Ella me devolvió la pregunta. Dije que en Chicago. Entonces tenemos un buen rato para estar juntos, me dijo. Respiré una sensación de alivio muy profunda. Mi soledad amainó, cediendo lugar a la más disparatada historia de amor fugitivo que se me ocurría en mucho tiempo. Por lo general, tiendo a magnificar las cosas. Recuerdo que una vez me enamoré de una chica cuando estaba en el colegio sólo porque me llamó por teléfono una noche, sin razón alguna. Comencé a asediarla en forma constante desde aquella maldita llamada. Hasta que explotó y me dijo que dejara de joder. En medio de mi desconcierto, le pregunté por qué me había llamado aquella noche, entonces. Dijo que lo había olvidado, pero me volvió a exigir que la dejara de joder. Luego me deprimí mucho y tuvo que pasar otra chica por ahí para colgar mis penas en el clóset.

Tracy durmió cerca de dos horas. Yo aproveché para leer por quinta vez *Rock Springs*. No me aburría de leerlo, como sí lo hacía a veces con Bukowski. Aunque pienso que nunca me habría aburrido de ser uno de sus personajes.

Al despertar Tracy, hicimos una parada para que el chofer recogiera unos paquetes. Era de madrugada y hacía un frío helado en las calles. Bajamos junto a otros pasajeros para fumar un cigarrillo. Apenas le dimos unas cuantas pitadas. El chofer no demoró mucho. Así era en todas las paradas, cortas o largas, nunca había tiempo para un buen cigarrillo. Pero sí lo había, por ejemplo, para un polvo al paso, como esa pareja de negros que se metió al baño en Birmingham sin importarles que hubiera gente meando o lavándose. Subimos al bus entre los reclamos de unos árabes que se quejaban en cada parada. Iban muy apurados y apestaban peor que animales muertos. El chofer amenazó con bajarlos si volvían a quejarse. El bus partió. Yo con mi nena al costado. De nuevo en el camino.

Tracy volvió a dormirse apoyada en mi hombro. La besé en la boca para ver si se despertaba. No lo hizo. Volví a besarla percatándome de que nadie estuviera observándome, como un chiquillo que comete una travesura y teme ser castigado. Luego comencé a sobarle los senos y el culo. Rápido, lento. Rápido, lento. Como si se tratara de una muñeca de plástico. Me excitaba saber que ella estaba tan sola como yo. Que era débil. Y que podía abusarla, con la seguridad de que nadie saldría en su defensa. Porque en este país de locos nadie es más importante que uno mismo, y tienes que caminar cuidándote de las balas perdidas.

Tenía la pinga dura como el asta de la bandera que clavaron los gringos en la Luna. Mis sentidos me pedían más. Yo sólo atinaba a sobarle el culo a Tracy. Estrellaba mis besos contra sus pequeños montes. Mientras la aceleración de mis latidos retumbaba como un tambor indio. En un acto desesperado, audaz, intenté abrirle la bragueta. «Hum», dijo ella y me abrazó. Seguía dormida. No escarmenté y continué intentando hasta conseguir mi objetivo. Tracy no se afeitaba. Escarbé entre su selva de pelos crecidos y enredados. Olía fuerte. Estaba húmedo y caliente ahí abajo, como pudieron comprobarlo mis dedos, antes de verse descubiertos. Comencé a sudar frío, como cada vez que el viejo se sacaba la correa para pegarme.

—¿Qué diablos crees que estabas haciendo? —me preguntó la indefensa rubia, que ahora me tenía del cuello.

Cerró la bragueta de sus *jeans* y se amarró el pelo. Yo aún no salía de mi terror.

—¿Por qué todos los hombres son iguales? Creen que pueden tenerlo todo así de fácil —Tracy chasqueó los dedos en mi cara—, nunca se detienen a preguntar.

Luego me la chupó.

Llegando a Jackson, otra estación que no me interesaba conocer, el chofer avisó que había tiempo para ir al baño y comer algo. Los árabes volvieron a quejarse. Le pregunté a Tracy si quería que le comprara una gaseosa. Me dijo que se le antojaba un *apple pie*. Qué joda. Puse mala cara, pero ella había sido tan buena conmigo durante el viaje, que no podía negarme a hacerle aquel favor. Me besó y me quedé pensando cuántas pingas habrían pasado por aquellos labios.

No hacía mucho frío afuera. Crucé la pista y entré en una tienda atendida por una negra gorda que me llamó «*honey*». Cogí un apple pie y una cajetilla de Winston para mí. Eran los más baratos. Cuando iba a pagar me di con la sorpresa de que no tenía mi billetera. Volví a cruzar la pista y subí al autobús. Tracy no estaba, así como tampoco mi saco de ropa. Bajé y la busqué. Nada por aquí, nada por allá.

Quizás, después de todo, la chica no era ninguna indefensa. Y yo que había pensado llevarla conmigo a la casa de mi tío en Chicago. Sin embargo, no sentí rencor alguno hacia ella. Lo habíamos pasado bien. Pienso que uno debe vivir sin arrepentirse de nada, sin mirar atrás. Así lo hago yo.

—¿Se le ha perdido algo, amigo? —me preguntó un negro vagabundo al verme desorientado.

—No —le dije, mientras buscaba una manera de engañar al hambre hasta Chicago.

South by Southwest

Esperando en el Lost and Found

Santiago Vaquera-Vázquez

«Si no fuera por las chavas, no sé qué haría», Arturo me dice. Le gusta esto de ser profesor porque le gusta conquistar a sus estudiantes.

No le contesto, sólo me quedo mirando la taza de café. Como un tonto. Nunca digo nada. Supongo que Arturo me aguanta porque le dejo decir sus pendejadas.

Monica me mira con sus ojos claros. Se pasa la mano por la cara para quitar un poco de cabello que le había caído a los ojos. Me gustaría decirle que no se preocupara, que me gustaba así, un fleco de cabello cubriendo un mínimo de su rostro. El misterio. La veo sentada en su escritorio cerca de la ventana. Estoy parado al frente de la clase, con el libro de texto en la mano.

Los lunes por la mañana nos encontrábamos para tomar café en la cafetería de la universidad. Siempre me contaba de sus conquistas. Me decía que le estaba antojando dar cursos a los undergraduate, porque esas chavillas de 18 años andaban de cachondas, bien hard bodies, bien tentadoras. Pero también le gustaba dar sus seminarios, siempre llenos con estudiantes graduadas que soñaban con una sesión privada con el profe. Porque es que también tenía su pegue. De eso nadie podía dudar.

A mí me hace reír el bato. No lo puedo tomar en serio, es como una caricatura. Es un mack daddy de aquéllos, verlo tirar el rol a una chava es una cosa impresionante. A mí siempre me sorprende que ellas mismas no se dan cuenta. Ese bato es un freak, pero también es un buen cuate.

Estamos en el Ruta Maya Café, me acaba de presentar a su nueva conquista, una chavilla rubia con el pelo largo. Tiene unas tetas grandes que se quieren salir de una camiseta negra. Sus pantalones están bien ajustados y delinean unas caderas espléndidas. Arturo le ha pedido que nos trajera nuestros cafés y lo ha hecho. Me dice, Wacha, eso. Desnuda es más impresionante. Sonrío, y la imagino tirándose a los brazos de él, su cabello suelto, su figura cortando el espacio. De repente veo la imagen de Monica, mirándome fijamente mientras empieza a desabrocharse la blusa. Quito la imagen de la mente y le pregunto dónde conoció a esta chava. Una sonrisa le llena la cara.

No sé cómo lo ha hecho para no tener problemas, especialmente en esta época del sexual harassment en las universidades. En cuanto me di cuenta de lo que se podría ver como acoso, modifiqué mi estilo de enseñanza. Aunque entre familia y amigos nos acercábamos mucho para hablar y siempre mostrábamos mucho afecto, tocar hombros, abrazos, besos en la mejilla, etcétera, dejé de hacer estas cosas con mis estudiantes. Pero Arturo no, como que se fue por el otro extremo. Ahora sólo lo justificaba como ejemplos de la cultura hispana y si querías conocer la cultura, baby, pues hay que saber de todo.

No es que sea pendejo, pero sí tengo escrúpulos. Bueno, también soy pendejo. Y pendejo de ésos, en mayúscula: PENDEJO. Acababa de terminar con mi chava de tres años y la espina aún no se me quitaba, aunque ella se había ido hace unos seis meses.

Habíamos vivido juntos por dos años que yo todavía pensaba felices. Ella lo negaría rotundamente. Claro. Así pasa. Antes de cerrar la puerta detrás de ella me había gritado y terminó diciendo que no podía creer cómo se había transformado conmigo. Me acusó de haber perdido su anterior seguridad. Ahora dudaba de todo, por mi culpa.

Por mi culpa, mi gran culpa. Me lo pasé caminando los próximos seis meses. A los cuatro meses de que se fue supe que había sido mentira, de que me ponía los cuernos con otro y sólo me dijo lo que me dijo para que ella pudiera salir con su conciencia limpia.

Por mi culpa, mi gran culpa. Descubrir la verdad sobre mi ex no me agradó nada.

Después de que se fue conseguí chamba como profesor en una universidad texana. ¡Texas! ¿Te vas para Texas? Mis cuates me decían. Hay puros cowboys por allí. Puro ranchero. Puro redneck. Te vas a tener que comprar un pickup, comprarte una escopeta, empezar a masticar tabaco. Mi mamá me decía, No es que no quiero que vayas, pero los tejanotes son distintos. Me lo decía, Te-Ja-No-Te, o sea, se creían los meros meros.

Pero ¿qué podía hacer? Empaqué lo que quedaba de mi corazón destrozado en el baúl de mi carro viejo. Puse allí algunas otras cosas, fragmentos de vida: fotos, familia, cuates; una caja de libros, mis ejemplares marcados de García Márquez, Fuentes, Sandra Cisneros, Paul Auster, Rolando Hinojosa, entre otros, para empezar a preparar mi oficina; una máscara de luchador que conseguí en un puesto en Oaxaca —creo era una de las de Mil Máscaras—; una botella de arena de una de las playas de Santa Bárbara; unos videocasetes de rock en español que había grabado; un molcajete que me había dado mi mamá; dos botellas de tequila Jimador que me había regalado un cuate —una casi vacía ya que lo habíamos empezado a tomar una noche después de que se había ido Alicia, la otra estaba llena. También llevaba una cuarta parte de mi colección de compacts y casetes; José Alfredo Jiménez, Antonio Solís, Café Tacuba, Elliot Smith, un mix de oldies, Caifanes, Lois, The Cure, XTC, Plugz, Mano Negra, Chavela Vargas, New Order, the Pixies.

Las clases no están mal; como es mi primer año el departamento me ha tratado bastante bien. No tengo que preparar tanto para los cursos, lo único es que sí tengo que calificar mucho pero mucho. Lo bueno es que sólo son dos clases, así que tengo mucho tiempo para trabajar en otras cosas. En una de las habitaciones de mi apartamento he puesto mi caballete, también puse más luces para que cuando pintara de noche tuviera suficiente iluminación. Oficialmente debo estar haciendo investigaciones para un libro académico, requisito para obtener el tan deseado tenure. Pero acababa de terminar la tesis un mes antes de salir para Austin y me he quedado burnt out, quemado, wasted. Con la ida de Alicia me dediqué por completo a la tesis, puro evasive action. Ahora estoy de luto, supongo.

Por fortuna, mi otra salida es la pintura, y al llegar mis muebles fue el estudio que puse segundo. Primero fue el estéreo, claro. Cuando desempaqué los lienzos que tenía preparados, puse el más grande sobre el caballete. Después saqué una de mis libretas para empezar a dibujar. El lienzo quedó en blanco más de un mes. Cada noche me puse con la libreta, llenaba páginas y páginas con imágenes. Antes no preparaba tanto para pintar, pero como había metido todo mi esfuerzo en escribir la tesis, había dejado de pintar por varios meses. Salía al balcón para ver las luces de la ciudad, llamaba a amigos, pasaba horas surfeando el Internet. A veces me llegaban e-mails con noticias de Alicia, que salía con un abogado que conoció en un singles party. Me decían los cuates, Es triste.

Algunas amigas hablaban mal de ella, Si la veo le voy a sacar sus lying eyes y tirarlos a los tiburones. Todos me preguntan si me había comprado botas de vaquero.

Una tarde, sentado en la mesa que puse en el balcón, estuve corrigiendo las composiciones de mis estudiantes de segundo año cuando uno en particular me hizo parar. Era una descripción de un prado que quedaba cerca del edificio de administración. La gramática no estaba muy bien, pero el sentimiento que se describía me afectaba. Hablaba del atardecer y de estar recostada sobre el pasto y mirar cómo el cielo cambiaba de color y cómo todo se volvía más silencioso. Vi el nombre de la estudiante, una chava llamada Monica Roura, sin acento. No pude situarla en la clase. Soy malo para los nombres y aún no me había memorizado los de los estudiantes. Al principio veía a todos mis estudiantes igual, no fue hasta hace unas semanas que empecé a distinguirlos. Monica no fue la primera que saltó ya que casi nunca hablaba en clase. Pero cuando le regresé su composición lo primero que noté fueron sus ojos.

Hay chavas de una belleza extraña, que son como personas diáfanas, que no parecen caminar por el mundo sino flotar. Monica, una chava de ascendencia venezolana, era una de ellas. A veces la encuentro en Book People, o en Waterloo Records. Me ve y sonríe y se ruboriza un poco. Tiene unos ojos entre verde y azul claros. No los he podido descifrar. Se mueve con la facilidad que uno tiene a los veinte años. Y no es la chava más impresionante de mi clase, en cuanto a lo físico. Pero tiene un aire extraño, algo así como tristeza, algo así como que está extraviada.

Los fines de semana me gusta caminar por South Congress. Hay como cinco tiendas juntas que venden nada más que cosas viejas, cosas usadas, cosas tiradas o cosas perdidas. Las llamo los Lost and Found. Pasaba horas pasando de tienda a tienda, mirando las multitudes de objetos extraviados y reencontrados. Casi nunca compraba, sólo me interesaba ver qué tipos de cosas la gente tiraba, pensaba en sus historias. Encontré unas fotos viejas, algunas eran postales de estrellas de Hollywood —Buster Keaton, Hedy Lamarr—, otras, de gente desconocida —una muchacha joven con un ramo de flores, una familia al lado de un lago—; vi varias cámaras viejas, pensaba en las sonrisas que habían sacado. También vi muchos platos finos, vasos de cristal, cubiertos de plata. Cuando me preguntaba

Arturo de mis fines de semana, contestaba, Ya sabes, just hanging out at the lost and found.

Llego temprano a la clase y Monica está acostada en el suelo enfrente de la puerta. Está leyendo, mientras me acerco la veo, un brazo extendido con el libro en el aire, el otro apoyando su cabeza. Sus piernas largas en pantalones de mezclilla, cruzadas. Me ve y baja el libro y me mira directamente a los ojos, una sonrisa en sus labios.

La pintura que empecé es un fragmento de un retrato. Sólo se ve de los hombros hasta un poco debajo de los ojos. Una mano toca un cachete. Es una cara delgada. En el fondo hay un campo verde y un cielo azul. Cuando Arturo ve el dibujo me dice que me faltó lienzo, que corté la cara. Me dice que qué bien que no fui fotógrafo.

Mando e-mails a los cuates, ¡Estoy pintando! Uno contesta, ¿Casas? Una amiga me felicita, sabe que después de todo es lo más importante en mi vida. Me dice que Alicia, después de hacer el singles party circuit de nuevo había empezado a preguntar por mí. Todos fingían demencia, que no sabían nada de mí. En su caso particular, le dijo a Alicia que me había ido tan triste que había cortado los lazos con todos los de Santa Bárbara, que me había ido jurando que jamás volvería y que para mí, Santa Bárbara fue una pesadilla.

Cuando camina por el campus parece que no está. Camina como si no fuera parte de esta geografía texana. Camina como si perteneciera a otra dimensión, una donde no hay ángulos, sólo curvas leves. Su cabello es largo y lacio. Es delgada. A veces nos encontramos en camino a la clase. Pero cuando camino a su lado me doy cuenta de lo mal que camino, que tengo una postura rara, que peleo contra el aire para seguir enfrente. Me veo gastado a su lado.

Alicia me llama. No sé dónde consiguió mi número. Pero afortunadamente no estoy cuando llama. Sólo me deja un mensaje. Hola… estuve pensando en ti… Llámame. Arturo escucha el mensaje y me dice que tiene una voz cachonda. Tengo ganas de romperle la cara.

Una noche la encontré en Sol y Luna. Estaba con unas amigas. Llevaba un vestido corto negro, sus piernas parecían una pregunta cuya respuesta era su cara. Por fortuna no estuve con Arturo sino con Luis Humberto, quien estaba de visita. No se veía muy contenta. Sus amigas querían salir y la sacaron, aunque tenía trabajo que hacer.

Entre ello, terminar las revisiones en una composición para mi clase y estudiar para un pequeño examen. Cuando me vio, se le fue todo el color de la cara. Después me comentó Luis Humberto que él no podría ser profesor, que él se lo pasaría enamorándose de las estudiantes. Le contesté que eso es un problema en el principio pero que después pasa. No le dije que tenía a Monica on my mind en ese momento.

Un día, ella está allí. La encuentro sentada enfrente de mi oficina. Esperando. Alicia. No sé qué decirle. Tengo los cuadernos de mis estudiantes en los brazos. Me sonríe y se me acerca. Los reencuentros nunca son fáciles, pienso. ¿Qué le digo, qué le digo, qué le digo? ¿Qué le digo para que entienda cómo he pasado los últimos meses? ¿Cómo le explico de mi vida nueva? No sé. No sé. Está allí parada enfrente de la puerta de mi oficina y no sé qué decir, de repente mi vida se ha convertido en una película sin sonido.

Estaba en Austin para una entrevista en AMD. También tenía ganas de verme. Se estaba quedando en el Omni Hotel del centro, la compañía lo había pagado todo. Pero como tenía tiempo libre, decidió ir a la universidad para buscarme. Me dijo todo esto mientras inspeccionaba mi oficina. No notó que no tenía ninguna foto de ella, o si lo notaba, lo disimulaba. Me preguntó por unas botellas vacías que tenía en un estante. Le contesté que las había conseguido en una de las tiendas de objetos usados que había cerca de mi apartamento. ¿Vives cerca de secondhand stores? Me miró. No, le contesté. Son objetos extraviados, lost and found, cosas para los que viven a la deriva. No me dijo nada.

Casi nunca habla en clase. Pero siempre está atenta. Tiene una postura perfecta y veo que aunque no capta todo, siempre me pone atención. No me puedo dirigir mucho a su parte de la clase, no quiero dar la impresión de que le pongo demasiada atención. Sus ojos me siguen mientras hablo. Los siento en mis labios.

Caminamos, Alicia y yo por el campus. De repente se acerca y me da un beso. Me quedo sorprendido. Estoy feliz, me dice. Creo que me puedo acostumbrar a esto, a tanto cielo. Tiene una sonrisa en la cara y me toma la mano. Miro a mi alrededor y veo a Monica enterrando su cabeza dentro un libro.

Salimos a cenar. La llevé al Bitter End, porque sabía que no le gustaría ir a Curra's o al Sol y Luna. ¿Qué me quieres decir con traerme a un lugar con este nombre? Me dice. No le contesto, yo sólo había pensado en que la comida es muy buena aunque sólo venden cerveza que hacen allí. Tenía ganas de beberme todo un barril de Shiner Bock. Arturo se juntó con nosotros allí, estuve muy contento de verlo. Se portó bastante bien durante la cena, pero también vi que la estaba estudiando. Contó chistes, habló de su juventud en Tucson, era como estar con otro. Nos reímos mucho.

Quiere que la lleve a mi apartamento, quiere ver dónde vivo. Arturo se tiene que ir, le dijo a Alicia que tenía que calificar y a mí me da una mirada que sé que tiene una sesión privada con alguna estudiante. El bato es un tiburón. Como en mi oficina, Alicia inspecciona todo. Se queda mucho rato enfrente de la pintura que casi tengo terminada. Me dice, no se parece a mí. Antes decía que todo lo que pintaba era un reflejo de ella. Le ofrezco un café que tomamos después en el balcón. ¿De veras estás contento aquí? ¿No extrañas el mar? Miro hacia las luces de downtown, le digo que sí estoy a gusto.

Y un día ella ya no estaba. La llevé al aeropuerto, no dijimos mucho en el viaje. Quería que le dijera algo, que todo saldría bien, que todo sería como antes. No lo pude decir. No pude. No quise. Alicia miraba por el cristal. En el aeropuerto la dejé en la aerolínea. Quería que me regresara con ella. No hice nada. Se me acercó y me dio un abrazo fuerte. Me dijo que pensaría en mí. Me dijo que me llamaría en cuanto llegara a casa.

Sabemos que no lo hará. Sabemos que ya no hay historia entre nosotros. Una semana después, Arturo me dice que Alicia lo había llamado, usando el pretexto que quería saber más de mi situación. Pero él sabía la verdad. Ella empezó a tirarle frases con doble sentido y él resistía, ella atacaba desde varios ángulos. Conozco a Alicia, cuando quiere algo, lo consigue.

Me imaginé el encuentro entre los dos, él intentando sacarla para que hablara en claro, ella circulando, buscándole ganar. Me imaginaba dos viejos tiburones. Al final ella lo invitó a Santa Bárbara. Pero él siguió resistiendo. Sé que lo había pensado mucho, y me impresionó que me lo había dicho. De mí estaba buscando alguna aprobación, me sorprendió su devoción a nuestra amistad. Le dije, Knock yourself out, vete a Santa Bárbara, a mí no me molesta. Pero al decirlo, sabía que él no iría a Santa Bárbara, es territorio de Alicia.

Le iba a proponer una zona neutral. No sabía qué esperaba de ellos, si uno devorara al otro, o que los dos se cancelaran, se volvieran un cero. Y me di cuenta en ese momento que la verdad era que no me molestaba que los dos se encontraran. A mí ya no me importaba que había amado a Alicia, o que había sufrido con su ida. La veía más allá, más lejos del olvido: era alguien que antes conocía. Lo que pasaría entre ella y Arturo sería sólo otra anécdota para contar en algún lugar de Austin.

Un domingo soleado. Arturo está en California, creo en San Francisco. Salgo a caminar, tomo un café en Jo's. Subo hacia los Lost and Found. Monica y yo nos encontramos en el Tin Horn. Se ve que está triste. Tiene la mirada bajada. Intenta mostrar que todo está bien cuando me ve, pero no puede disimular. Estoy parado frente a ella. Me siento a su lado. No le digo nada. ¿Qué diría? Ella quiere decir algo. Pero no sabe cómo. Ni yo lo sé. Pienso en los objetos que nos rodean, los monitos de madera, las cámaras viejas, los vasos de cristal, los letreros antiguos. Me gustaría decir algo, pero no debo. Estamos allí, los dos, esperando en el lost and found.

Santa Fe

Alejandra Costamagna

La ojerosa y la triste están exhaustas. Son pasajeras en tránsito en Albuquerque. Han viajado más de doce horas: han subido a un avión y bajado del mismo y subido a otro y otra vez bajado y tomado un taxi y se han mal encarado con el idioma y les ha costado una enormidad comunicarse con el mundo (las clases intensivas de inglés no han servido para nada) y ahora esperan abordar un autobús que las llevará hasta Santa Fe. Por fin han tomado vacaciones. Es primera vez que cruzan la cordillera y salen de Chile. Es primera vez que vuelan, también. A la triste le ha dado vértigo el viaje y permanentemente ha tenido la idea de que es un ángel. Se lo ha dicho a la ojerosa, pero ésta la ha mirado con expresión desatenta y ha preguntado qué es lo que dices. La triste no ha respondido, no ha querido interrumpir el transitorio regocijo de la ojerosa y ha dejado que el vuelo siga su vaivén, manso, regular, con destino a Albuquerque.

Pero todo eso ha ocurrido en la mañana. Ahora es mediodía, ya están en Albuquerque y un guardia les informa que los boletos no se compran ahí, sino en la otra estación, la de los buses Greyhound, a dos cuadras de ésta. Como sus maletas son muy pesadas, las mujeres deciden que una se quede y la otra vaya por los pasajes. La triste se queda. Mira a su alrededor: qué feo le parece este lugar, qué desilusionada está del extranjero. Se sienta en una banqueta, es lo primero que encuentra. Está aburrida. Vuelve a mirar a su alrededor. Intenta leer los carteles publicitarios, pero no comprende cabalmente sus contenidos. A los dos minutos ya conversa (intenta conversar, más bien) con un hombre que se ha sentado en el mismo sitio. Su inglés es sinceramente lamentable. Escúchenla. Quiere encender un cigarrillo y dice could you give me fire, please? Lo dice con tono de película mexicana. El hombre comprende que la triste es extranjera y eso lo alegra. Of course, responde con excesiva amabilidad. Where are you from?, se preguntan ambos. De Chile, dice ella; de México, dice él. ¡Salud, amiga!, exclama él en perfecto español, mientras enciende su cigarrillo. Salud, lo sigue forzadamente festiva la triste y vuelve la vista hacia el lado. Entonces lo observa bien: el hombre no está solo. Lo acompañan un chico desastrado que no deja de llorar y una mujer de mirada perdida. Alrededor de ellos hay muchos bultos. La mayoría son bolsas plásticas; no hay ni una sola maleta. La triste está segura de que son muy pobres. El hombre le cuenta que regresan a Tijuana después de ocho meses duros, que no han hecho buena fortuna en los Estados Unidos, que en realidad no han hecho buena fortuna en la vida y que el vehículo que los llevará de vuelta a México recién pasa a las siete de la tarde. Ahora son las doce y media. Están fatigados y afligidos. El chico se comería un caballo, por eso llora tanto, le explica. El hombre desearía ir a comprar comida, pero tiene un problema: su mujer es ciega y no puede dejarla sola con los bultos. ¿Tiene dinero?, indaga la triste. Pues un poquititito, responde escueto el hombre. Y luego bromea: a little little bit. La triste no entiende la expresión, pero algo, no sabe exactamente qué, la conmueve. De pronto le da mucha pena, cree que va a llorar. Tan lastimera es la triste. Pero se contiene y se muestra moderada y le dice al hombre no se preocupe, vaya rápido mientras yo cuido a su mujer y sus bultos. El hombre le agradece, la llama ángel caído del cielo; la triste se emociona, se avergüenza, se sonroja incluso. Pero él ya corre hacia la calle con el chico tomado de una mano.

La triste y la ciega están solas. A su alrededor se escuchan múltiples diálogos, diálogos que resultan incomprensibles para ambas. La triste le habla a la ciega en español, le pregunta si le gusta este país. La ciega dice que, como no puede verlo, no sabe si le gusta o no, pero que en principio lo detesta. Ah, dice la triste, y zanja el tema. Está aburrida la triste. Enciende otro cigarrillo y fuma con la ansiedad de un recluso. Ahora es la ciega quien habla. ¿Y a usted?, pregunta. ¿Y a mí qué?, responde la triste. ¿Le gusta este país? La triste no sabe qué responder. Sólo lleva unas horas en territorio extranjero. Es demasiado poco para formular cualquier respuesta, piensa. Va a improvisar algo cuando divisa a la ojerosa acercándose con paso apurado. A los pocos segundos está frente a ellas. Deben irse de inmediato, le informa la ojerosa, de lo contrario perderán el único autobús a Santa Fe. La triste le explica la situación a la ojerosa, la ojerosa le pregunta con socarronería si quiere pasar su primera noche de vacaciones en esta ciudad, la triste accede. Las mujeres le explican ahora la situación a la ciega y ésta se larga a llorar con desesperación. Le da pánico quedarse sola ahí. Teme que le roben el equipaje sin que ella lo pueda advertir. Entre sollozos se escucha —las mujeres la escuchan— una frase velada: detesto este lugar, detesto, detesto. Durante los cuatro minutos siguientes las mujeres consuelan a la ciega y, aunque con dificultad, logran tranquilizarla. A la ojerosa se le ocurre una idea: amarra todas las bolsas con un mismo cordel y en un extremo incorpora las llaves de sus maletas. Se asegura de que, al chocar, las llaves suenen igual que campanillas. Entonces le entregan el cordel a la ciega para que lo sostenga como si fueran las riendas de un caballo y se alejan con marcha rápida. La ciega sonríe y solloza al mismo tiempo. Las mujeres no saben si está afligida o sorprendida. Tampoco se detienen a averiguarlo.

Apenas salen de la estación, la triste distingue al hombre en la puerta de una taberna. Sostiene un cartucho de papas fritas y las devora como perro hambriento, mientras el chico ensucia su cara con el chocolate derramado de un barquillo doble. La triste siente que sus lagrimales se aflojan. Pero la ojerosa le pide que no se detengan, que aceleren el paso. Si no corren perderán el autobús que las llevará, al fin, a Santa Fe. A la triste le parece escuchar el sonido reiterado de una campanilla. Cómo la perturba ese sonido. No sabe si es su triste imaginación o la ciega pidiendo ayuda. No, no puede ser la ciega, intenta convencerse. Pero el ruido persiste. Para no seguir oyéndolo, comienza a tararear una monótona canción, un bolero o, mejor, un tango, hasta que consigue borrarlo. Ya están en el terminal de los Greyhound. La triste quisiera que éste fuera un aeropuerto y que estuvieran por subir a un avión. La triste se siente repentinamente como un ángel caído del cielo. Va a decirlo en voz alta, pero mira a la ojerosa y la ve tan exhausta, tan marcadas sus ojeras, que mejor no interrumpe el precario silencio y se calla, benévola, muy prudente, un poco triste.

Nostalgia de la bomba

Mauricio Montiel Figueiras

El silencio que cubre el desierto de Nevada en esta rojiza tarde de 1951 sólo puede ser calificado de geológico. Capas de añeja quietud se han ido acumulando como estratos minerales para construir la cordillera de desolación que atraviesa esta tierra de nadie. Aun el cielo tiene algo de mineral: las delgadas y escasas nubes que lo surcan hacen pensar en vetas al fondo de un extraño yacimiento azul al que accede únicamente el sol con sus radiantes zapapicos. El aire posee cierta terrosa cualidad que hiere los ojos y obliga a emprender un frenético ritual de parpadeos; ritual que Doug Ferguson practica desde 1947, luego de haber cruzado por primera vez la anónima puerta de los Lookout Mountain Studios y firmado el contrato que, a cambio de un buen sueldo, exigía silencio absoluto. Más que absoluto, *pétreo,* se dice el cineasta de veintinueve años mientras barre con mirada llorosa el paisaje salido al parecer de una fotografía de Ansel Adams. No se le escapa —incluso, debe admitirlo, ha llegado a fascinarle— el filón paradójico de la empresa para la que trabaja: fundados por el gobierno federal estadounidense en las colinas de Hollywood, los Lookout Mountain Studios han reclutado a doscientas cincuenta personas para filmar en el más riguroso secreto las pruebas nucleares efectuadas por el Pentágono y la Comisión de la Energía Atómica en Nevada y los atolones del Pacífico. Pocas contradicciones tan flagrantes como apelar al sigilo en la capital mundial de la imprudencia, reino de la insidia y el rumor, feudo de tabloides y *paparazzi* que matarían por conseguir la exclusiva de la actriz de moda implantando el último grito del adulterio en la limpidez estival de una piscina.

Siempre que es enviado a una nueva filmación, Ferguson no puede evitar sentir una desesperada suerte de nostalgia por sus sueños de oropel, fantasías salpicadas de champaña y envueltas en un tenue humo de *cannabis* que a partir de *El cartero siempre llama dos veces* habían sido protagonizadas por Lana Turner. El cartero, sin embargo, había timbrado una sola vez en el departamento de Ferguson a las afueras de Los Ángeles para entregarle un lacónico mensaje que lo conminaba a prestar sus servicios cinematográficos a la nación; mensaje que, al fin y al cabo, había logrado llenar sus ensoñaciones de humo, aunque no precisamente de mariguana. La silueta de la Turner se desvaneció tras la primera nube en forma de hongo, tan portentosa como la del escándalo que cubriría a la diva el 4 de abril de 1958, luego de que su amante Johnny Stompanato, ex guardaespaldas del mafioso Mickey Cohen, fuera apuñalado por su hija Cheryl Turner con un cuchillo de cocina de nueve pulgadas. A siete años de distancia, de pie en medio de la tarde carmesí, Doug Ferguson ignora todo esto; ignora, aún más, que Stompanato será parte del telón de fondo que James Ellroy empleará para urdir su novela *L. A. Confidential,* y que su cadáver brillará tanto que ocultará al de la madre del propio escritor, estrangulada en junio de 1958 y resucitada en *My Dark Places,* la magnífica y desgarradora autobiografía donde Ellroy ajusta cuentas con sus fantasmas angelinos.

El zumbido de insecto de una caravana de *jeeps* militares rompe el silencio geológico. Ferguson arroja al suelo el cigarro que acaba de encender y lo aplasta no sin cierto nerviosismo; por alguna razón que todavía se le escapa, está prohibido fumar antes, durante y después de las pruebas nucleares, otra brutal paradoja impuesta por los Lookout Mountain Studios. ¿Cómo comparar el daño de la nicotina con los más que probables posos de radiación en el cuerpo? Pese a que los empleados son regularmente sometidos a chequeos médicos, Ferguson no confía en las radiografías optimistas ni en los resultados negativos de los exámenes de orina. Una pesadilla recurrente así lo demuestra: vestido con una pequeña bata de un azul semejante al de los cielos de Nevada, Doug arrastra los pies por los asépticos y desolados corredores de un laberinto que algo tiene de hospital y de estudio cinematográfico. Una puerta se abre de golpe y él entra a un minúsculo consultorio ocupado sólo por un aparato de rayos X que irradia un fulgor diríase alienígena en la penumbra. Luego de colocarse tras la máquina, Ferguson descubre que hay alguien más en el cubículo; se trata de Lana Turner, su palidez facial acentuada por un inmaculado uniforme de enfermera. La actriz mueve la boca rápidamente, emitiendo palabras que él no puede

captar; todo lo que escucha es el crujiente dialecto de un radio prendido en algún rincón de la estancia, una transmisión militar en clave como las que cada noche atiende el veterano de guerra interpretado
por Jon Voight en *Desert Bloom,* obra maestra del delirio atómico.
La Turner pulsa botones e interruptores y, justo cuando el rumor
telúrico que había estado siempre en segundo plano alcanza su into-
lerable cúspide, Doug despierta. La imagen que flota en esos líqui-
dos, primeros momentos de la vigilia, es una radiografía de sus
pulmones: bronquios y alveolos han sido suplantados por un hongo
nuclear que se expande intentando consumir por completo la cavi-
dad torácica.

Los *jeeps* se detienen con una sacudida que envuelve en un
capullo de polvo a Ferguson y su reducido equipo. El militar de más
alto rango, un brusco coronel cuyos lentes polarizados esconden —se
dice que nadie nunca los ha visto— unos ojos de acero azulado que
remitirían al Paul Newman de *Fat Man and Little Boy*, desciende del
vehículo que encabeza la caravana con una solemnidad un tanto
démodé. Seguido por dos soldados que no logran disimular su temor
—desnudas, sus miradas obligan a pensar en animales adentrándose
en territorio enemigo—, se acerca a grandes pasos al grupo de los
Lookout Mountain Studios: un camarógrafo y su asistente aparte
de Ferguson, que ha optado por prescindir de sonidista —inútil por
lo demás— luego de que el anterior, al cabo de atestiguar su primera
prueba atómica, asegurara durante una junta que no podía deshacerse
del ruido de fondo que precede a toda explosión, ese temblor *in
crescendo* que ahora oía por doquier: al abrir el refrigerador en busca
de una cerveza o al calentar el Oldsmobile temprano por la mañana,
en la radio tras las canciones de Doris Day y Bing Crosby, brotando
de las bocinas del supermercado y las tiendas departamentales,
filtrándose a los gemidos de su esposa y al llanto nocturno de su
hijo, añadiendo a sus más profundos sueños una inquietud sonora
que eliminaba cualquier registro visual. Un síndrome semejante al de
las víctimas de guerra, que cristaliza en la anciana sobreviviente
de Nagasaki de *Rapsodia en agosto*.

Al hallarse frente a Ferguson, el coronel, que según dicen las
malas lenguas palia las infidelidades de su mujer —uno la imaginaría
como la Jessica Lange de *Cielo azul*— con una inquebrantable rigidez
marcial, hace chocar los tacones de sus relucientes zapatos de charol

y gruñe dos únicas palabras: cinco minutos. A las que agrega, después de un casi imperceptible titubeo, otras dos: ¿estamos listos? Doug asiente desviando la mirada hacia el camarógrafo y su ayudante, que lo observan con una mezcla de euforia y ansiedad. Cuando vuelve los ojos hacia el coronel, éste ha levantado el brazo derecho. Es la señal que esperaba el resto de la comitiva para abandonar los *jeeps:* soldados, militares de variada jerarquía y cuatro hombres vestidos de negro con lentes oscuros. Extrayendo del bolsillo de la camisa las gafas protectoras con un anodino logotipo grabado en caracteres plateados, Ferguson se dirige a la cámara que ahí, en medio del desierto, montada sobre su trípode, parece más que nunca un espécimen caído del espacio exterior. El camarógrafo y su asistente se calan también las gafas, desatando una coreografía de ahumados destellos entre el grupo de uniformes que se aproxima. Mientras hace unos mínimos ajustes al encuadre, Ferguson recuerda el ocaso de su primera prueba nuclear, la abismal impresión que le causó ver el epílogo del estallido: un cráter de dimensiones surrealistas como el que descubren los atónitos miembros de la Brigada del Sombrero en *Abuso de poder.* Pero ahora allí está el coronel, ajeno a todo mecanismo proustiano, ladrando y atendiendo instrucciones esotéricas a través de un enorme receptor cuya antena oscila obscenamente en el aire enrojecido de la tarde. Allí está el séquito militar cruzando las manos por la espalda, el camarógrafo y su ayudante tomando sus posiciones frente al trípode, la cuenta regresiva que comienza entre un borbotón de estática: un minuto. Allí está el cosquilleo que Ferguson siente trepar de golpe por su tobillo izquierdo, el rubio alacrán que se desliza con no demasiada cautela hacia la pantorrilla y el pánico que detona en un brusco zarandeo, la pierna que se mueve con un frenesí al que el resto de la comitiva hace caso omiso, los dedos que buscan y sacuden y la cabeza que se inclina y las gafas protectoras que salen volando y caen dentro de una grieta seguidas por el alacrán. Allí está el rumor que ha ocupado siempre un segundo plano onírico, fracturando ahora la quietud mineral de Nevada, reclamando el centro del paisaje que empieza a estremecerse hasta sus últimas nubes. Y allí está Doug, incorporándose con una súbita explosión de incredulidad en los ojos que atina a cubrirse con las manos justo cuando la luz más cegadora del mundo revienta el aire, la tarde, el horizonte, el desierto entero.

Cuarenta y seis años después, en 1997, al cabo de que un especialista en efectos especiales devele la existencia de los Lookout Mountain Studios y la cifra de películas filmadas por ellos —seis mil quinientas— entre 1947 y 1969, Doug Ferguson recordará ante la grabadora de un reportero del *Los Angeles Times* que el fulgor del estallido «era tal que podía ver mis huesos a través de la piel». También recordará —la grabadora, sin embargo, ya habrá sido apagada por unos dedos manchados de nicotina— que su nostalgia se ha negado a renunciar a esa imagen: la exacta radiografía de unas manos por la que crece, marcando sabrá Dios el principio y fin de qué, el más bello de los hongos atómicos.

El silbido

Rosina Conde

—Todo sea por sacarte de ésta —dijo Sammy disgustado al echar las últimas paletadas de tierra—. No sé por qué tenías que tronarlo.

—¡El imbécil me quería echar de cabeza! —respondió Beto molesto.

—¡Cómo sabes!

—¿Y tú cómo no?

—Lo que pasa es que le tenías tirria y nomás esperabas un pretexto.

Beto no contestó y echó otra paletada.

—Ya termina y vámonos —dijo Sammy, y agarró la pala para retirarse.

—Todavía falta que le échemos más —argumentó Beto.

—Es suficiente. ¡Qué tarda en pasar el helicóptero de la migra!

—¿Y si lo descubren? —preguntó Beto, viéndolo preocupado.

—¿Ya qué que lo descubran…? Tons vamos a estar del otro laredo. Demás, ya está oscuro.

—¿Tas seguro que aquí no lo van a ver?

Sammy puso cara de enfado.

—Ora ni modo que lo sáquemos. ¡Ya me veo cargándolo de vuelta a Tijuana!

—¿Pero si…?

Sammy lo cortó en seco.

—¡Preocúpate por llegar al otro lado de la línea, cabrón!

Fatigado, Beto se apoyó en la pala.

—¡Vámonos, güey! —apuró Sammy, quien volteaba hacia todos lados.

—Deja me jumo un cigarrito —respondió jadeante Beto, mientras sacaba de su camisa el paquete de Delicados, y luego, comentó justificándose—. ¡Pa' jalar aigre!

—Sí, güey, ¡seguro aquí los esperamos «jumando»! —contestó Sammy, mientras tomaba la vereda rumbo a tierras mexicanas—. ¡Pícale, cabrón!

Beto encendió el cigarro y corrió tras él.

—¡Cálmate!

—Creo que mejor las dejamos —comentó Sammy refiriéndose a las palas.

—Nel, bato, que así más fácil nos hallan.

—Es más bronca correr con ellas —insistió Sammy.

—¡Tan retecaras! —refunfuñó Beto—. Ta cabrón comprar otras así namás porque sí.

—Con la feria que le transaste al Moquillo antes de tronártelo, bien te puedes comprar cien.

—Nel, carnal, me costó mucho trabajo conseguir esa lana pa' tirarla en unas recochinas palas.

Los dos guardaron silencio. Corrían con pasos cortos, tratando de ocultarse tras las pequeñas matas que rodeaban el «campo de futbol». De pronto, Sammy se agachó y se aventó bajo un matorral.

—¡Guacha, carnal!

Beto aventó la pala y se fue tras él.

—¡¿Qué?! —le susurró gritando.

Sammy contestó en el mismo tono.

—¡Oi': el helicóptero!

En efecto, a lo lejos se oía venir el helicóptero que se aproximaba con su gran faro y alumbraba casi medio cerro. Sammy y Beto trataron de hacerse invisibles bajo del matorral. El primero alcanzó a vislumbrar la pala a cierta distancia de la mata, justo a un lado de ellos.

—¡No mames, güey! ¿Desde cuándo te dije que las dejáramos? —reclamó.

—Se me cayó, carnal —susurró Beto, justificándose.

—¡¿Y ora la tiras pa' que nos tuerzan?!

—No lo hice aldrede.

El helicóptero llegó con su luz danzante. Sammy y Beto contuvieron la respiración. Ambos le rogaron a Dios que cambiara la dirección del faro.

—No te muevas —dijo Sammy.

Beto se quedó quieto.

Al acercarse, el helicóptero descubrió la pala. Lentamente, empezó a girar alrededor de ella para enfocarla y alumbrar los matorrales. La tierra empezó a arremolinarse conforme el helicóptero descendía, y el matorral, a acamarse. Beto y Sammy temieron que los viera, se encogieron aún más y contuvieron la respiración. Las pequeñas hojas de la planta se aferraron a sus tallos para no salir disparadas con la ráfaga de viento. Al creerse descubierto, Beto quiso salir del escondite. Sammy lo detuvo, hundiéndolo en la apisonada tierra.

—¡Déjame, que ya nos vieron!

—Todavía no, pendejo; ya nos habría dicho que saliésemos.

—Yo me pelo, cabrón.

—¿Qué no puedes hacer nada bien? —dijo Sammy encabronado.

—No me voy a quedar aquí esperando que vengan a por nosotros —respondió Beto con tono chillón, decidido a salir del matorral.

Sammy intentó jalarlo por las piernas; pero Beto le dio una patada en el rostro. Sammy sintió cómo la nariz se le movió de sitio, y lo soltó para detener la sangre que empezó a salirle a borbotones.

—Gracias por venir a ayudarme, carnal —dijo Beto apresurado, y echó a correr.

Sammy sintió que el pecho se le inflamaba de angustia.

—Sí, «carnal»... —se dijo Sammy enfurecido; contuvo el dolor y trató de cubrirse la cara con un brazo para que la tierra no le picara los ojos.

Beto no había dado ni diez pasos cuando lo descubrió el helicóptero.

—¡*Quédeise ahí*! —dijo el altavoz con acento pocho al vislumbrarlo—. ¡*No se mueva*!

—¡Pendejo! —dijo Sammy con un grito de frustración y un puñetazo en la tierra.

Sin embargo, Beto siguió corriendo por el cerro en dirección a la frontera.

—¡*Está ruoudiado*! —continuó el altavoz.

Beto huía desaforadamente. Se tapaba nariz y boca con un paliacate para defenderse del polvo que danzaba a su alrededor. Recordó la pistola. A ciegas, soltó el disparo. El helicóptero empezó a torearlo con su cauda de luz y viento. A cierta distancia, se escucharon las sirenas. Dos vagonetas de la migra se acercaban bordeando la línea. Le cerraron el paso. Beto echó a correr en otra dirección. Hacia el oeste de Otay Mesa se hallaba el acceso al cañón Zapata. Por allí podría cruzar y caminar hasta la colonia Libertad; una vez dentro de la zona del cañón, las vagonetas no podrían alcanzarlo. Sin embargo, por más que trataba de ocultarse tras las matas, éstas se escapaban a su paso en dirección al remolino producido por el helicóptero.

El viento, el viento, el maldito viento. Y la tierra, picándole los ojos.

Dos remolinos lo envolvieron ahora. Un segundo helicóptero le alumbró la espalda. A pesar de la molestia que lo cegaba, Beto trató inútilmente de disparar contra el piloto que asomaba por la puerta de la enorme libélula. Abandonó su plan de dirigirse al oeste, y echó a correr de nuevo en dirección al sur para cruzar a México. El helicóptero continuó su vuelo cegándolo e impidiéndole el paso.

Un silbido rasgó el viento. Beto cayó como costal de arena. Las dos vagonetas de la migra se detuvieron a cierta distancia con precaución. Los agentes bajaron en guardia con las pistolas en alto, cubriéndose tras los autos. Los helicópteros siguieron dando vueltas alrededor de Beto. Minutos después, los agentes recogían su cuerpo inerme para subirlo en una de las Ramblers. El primer helicóptero descendió lo más que pudo, y les señaló hacia el matorral de Sammy.

Una de las Ramblers se dirigió hacia él. ¿Estaba ahí la pala? Nunca se supo. Sammy ya había cruzado la frontera. Ahora caminaba rumbo a la Libertad. Pese a los coágulos en la boca, al sentir que se hallaba totalmente a salvo, respiró tranquilo. Miró con ironía la pistola en su mano, caliente aún.

—¡A tu salud!, «carnal» —le dijo con una mueca de burla en el rostro, y se la guardó en la chaqueta.

California Dreamin'

Más estrellas que en el cielo
[Cortometraje]

Alberto Fuguet

Escena uno, toma uno. Cafetería Denny´s
Interior/Noche. Gran plano general (GPG)

Es de noche y la luz que nos rodea fluctúa entre un púrpura Agfa y un índigo Fuji. Hay algo irreal en el cielo, casi como si todo fuera una puesta y la noche fuera americana. De alguna manera lo es. Americana, digo. Día por noche. *Day for night.* Filmar de día para que parezca noche. Pero se nota, siempre se nota. Eso es lo malo de los trucos, de mentir. La luna no proyecta sombras así, el mar nunca refleja tanta luz. O quizás. Esta noche es una prueba. La luna está llena, amarilla Kodak, con acné y pus, y yo veo sombras. Mis sombras. Las veo por todas partes. Me siguen para todos lados.

Una chica que volaba mucho una vez me dijo: «A Los Ángeles hay que llegar de noche». Nosotros llegamos de día, por tierra, desde el desierto. Uno entra a Los Ángeles y, tres horas después, aún no ha llegado.

Durante la ceremonia llovió, pero ahora el cielo está despejado y tiene más estrellas que las que brillan en la tierra. Por toda la ciudad hay focos que iluminan el firmamento. Es como el logo de la Twentieth Century Fox. Idéntico. Calcado. Un inmenso valle cae y se abre más abajo de esta colina. Todo huele a jacarandás y magnolias, creo, algo intenso y tropical y exótico, como bailar con una chica sudada que estuvo estrujando mangos.

Miro a través del inmenso cristal: el tráfico está detenido, pero pulsa y respira como un sacerdote que acaba de tomar éxtasis.

Elei, Los Ángeles, California.

Escena dos, toma tres. Cafetería Denny´s
Interior/Noche. Plano general (PG)

Estamos en un Denny's con pretensiones estéticas. Edward Hopper meets David Hockney con un twist de Tim Burton para darle sabor. Los dos estamos apoyados en esta barra, sentados sobre unos barstools de cromo. Denny's es un family coffee shop, vestigio de la época en que aún había familias. Las fotos de los platos que ofrecen están impresas en unos menús de plástico pegoteados con el sirope de los panqueques. Mucha whipped cream, patatas fritas, racimos de perejil, vasos de hielo con agua.

En los Denny's no sirven alcohol sino café. Café *à la* american-white-trash. Jugo de paraguas decaf. Nada de Starbucks, skim milk cappuccinos, espresso con fucking panna. Nada de sofisticación europeizante, please. Denny's es Denny's, no importa que sea el Denny's de la demasiado-in, todo-pasando, mira-quien-chucha-está-ahí Sunset Strip. Aquí ofrecen desayuno Grand Slam las 24 horas del day. Denny´s, además, es el único antro barato en toda la colina. Talk is cheap, love is not. Me queda más que claro.

—Can I have a refill? —le pide Gregory a la mesera, una chica morena-canela, crespa, caderuda, excesiva, que limpia el trizado mesón de fórmica color margarina diet.

El inglés de Gregorio, alias Gregory, a.k.a. Greg de la Calle, es muy British school, colegio privado, corbata a rayas. Gregory lo ha perfeccionado estancándose en la saturada Nueva Yol. El inglés de Gregory of the Street es muy PBS, canal cultural, Charlie Rose, la belleza de pensar. Su español, en cambio, ha caído al nivel de Univisión. Yo soy más «Yo quiero Taco Bell». Cute accent, pero acento al fin y al cabo.

—Quieres más café, brode?

—No —le digo—. Paso.

Acá en el Norte siempre me preguntan: where are you from, man? ¿De dónde eres? Buena pregunta: ¿de dónde soy? Nunca preguntan, ¿qué haces? Nada, realmente. Nada que me gusta. ¿A qué colegio fuiste? A uno como el pico. ¿Conoces a la Paula Pueyrredón? ¿Cómo no la voy a conocer? ¿Por qué crees que estoy aquí? ¿Por las tiendas? ¿Por los cines? ¿Por la calefacción central?

Rosie Pérez rellena los azucareros. Parece no escuchar. Miro sus zapatos. Son como de enfermera. Planos. Crema. Michael Caine en *Vestida para matar*. Exactos. ¿Qué le pasó a De-Palma? ¿En qué momento pisó el palito? ¿En qué momento lo pisé yo? Putas, cómo quise a ese hombre, cómo acababa con sus planos secuencias. Cuando llegué a los States hablaba como Tony Montana, me acuerdo. *Scarface*. Pacino. Not anymore, carnal. Si me preguntan cuál es mi película favorita de Brian DePalma responderÍa, sin pensarlo, sin pestañear, *Blow Out: Estallido mortal.* Cine Las Condes, 22 horas, mi cumpleaños, Paula Pueyrredón a mi lado.

—Can I get another refill? —insiste el latero de Gregory.

—Las veces que tú quieras, honey. All you can drink.

—Thanks —le responde molesto, seco, duro-de-matar.

Coloco el tocino debajo de los dos huevos y, con un trozo de tostada, intento armar una cara que sonría, pero el mono me queda triste, dubitativo, colesteroso.

—¿Cómo supo, macho?

—¿Cómo supo qué?

—En New York siempre me preguntan si soy francés, italiano. A lo más español. ¿Te parezco hispano? ¿Tú crees que estos rasgos son de latino?

—Banana republic.

—Cuidado. No olvides con quién estás hablando. No porque cambié de país, cambié de status.

—Uno es lo que uno es —le digo sin creérmelo.

Luego pienso: uno es lo que termina siendo. Eso es lo malo. Eso es lo bueno.

—Banana republic —repite Gregory—. ¿Te crees muy divertido? You think you're funny?

—Antes era más.

—Just for the record: me visto ahí, no vengo de una.

Sorbo un poco del café. Está tibio, muerto. Miro los inmensos letreros de Sunset. KROQ, Classic Rock. Absolut Hollywood. Salma Hayeck usa Revlon.

—No soy un immigrante cualquiera. No estoy aquí por hambre.

—¿Estás seguro?

Escena tres, toma dos. Cafetería Denny´s Interior/Noche. Plano americano (PA)

Las limusinas en fila forman una suerte de tren que atocha toda Sunset. Sunset Boulevard. The Sunset Strip. Veo los restoranes hinchados de celebridades, los clubes, los focos de la televisión. Veo, más allá, fuera de foco, la disquería Tower, el hotel Chateau, el Whisky-a-Go-Go. Fuera de cuadro, en la playa-mediterránea de estacionamiento hay un Jaguar convertible key-lime-pie, un Bentley acero, mi destartalado Mustang cubierto con el polvo on-the-road del viaje y tres limusinas eternas con los vidrios polarizados.

Son las cuatro de la mañana y hay limusinas en todas partes.

Ingresa un panameño a vender la edición extra del *Hollywood Reporter*. Ya sé quiénes ganaron, le digo al Rubén Blades. Estuve ahí. Detrás del escenario, brode, tomando fotos. Cerca, you know, pero no lo suficiente.

Mi frac lo arrendé en Rent-a-Tux, un local armenio de Los Feliz. The Happys. Lo devolveré más tarde, cuando amanezca y maneje devuelta a Atlanta. Dos días de camino. Hay mucho continente entre California y Georgia. Gregory, por suerte, se quedará acá. Por un tiempo. Quiere darle una oportunidad a la ciudad puesto que Nueva York, hasta ahora, no le ha brindado ninguna. El no piensa eso, pero ésa es, al menos, su decisión. La decisión de Gregorio.

El frac no me sienta como le sentó esta noche a Lázaro Santander. Lázaro Santander fue compañero nuestro en la Escuela. Amigo-conocido-enemigo. Lázaro perdió el Oscar al mejor documental corto. Lázaro tuvo que pagarse el pasaje desde Santiago. La Academia le consiguió un solo asiento, en platea alta, por lo que tuvo que ir alone. Tampoco tenía con quién ir. Aún así, es el primero de nosotros en lograr algo así. El primero y, lo más probable, el único.

Gregory compró su frac en una liquidación en Manhattan. Es, me informa, de un diseñador muy trendy. Gregory dice que es una inversión, que el tuxedo lo podrá usar más adelante cuando le toque asistir a galas y festivales. Gregory me dice que uno no puede intentar vivir un tiempo en Los Ángeles y no tener frac.

—Me siento disfrazado —le confieso.

—Es porque no te lo crees. No te quieres lo suficiente.

—No me quiero lo suficiente. Interesante. Estás mirando mucho a Oprah, veo.

—¿Puedo seguir? Te estoy tratando de ayudar, de darte un consejo y...

—Sigue.

—Sientes que no mereces andar de frac por la vida.

—De frac por la vida. Buena frase.

—Tú, brode, le temes al éxito. You got loser spelled out all over your face.

—I´m a loser, baby, así que por qué no me matas.

—Así es. Y ésa, perdona si te duele, es la gran diferencia entre vos y Lázaro Oscar-nominated Cárdenas.

—¿Y entre tú y él? ¿Se puede saber?

Gregory bebe un poco de agua. Una gota cae sobra su tela negra y se queda ahí, como una chinita transparente.

—Se nota que nunca antes usó un frac.

—¿Tú sí?

—Mentalmente. Desde chico.

Escena cuatro, toma cuatro. Cafetería Denny´s Interior/Noche. Plano medio (PM)

—Si algún día te ganaras el Oscar, macho. ¿Qué dirías?

—¿Cómo?

El pelo de Gregory está peinado hacia atrás. Sus entradas entran mucho más allá de lo que él se da cuenta.

—¿En qué pensabas?

—En ellas —y las señalo.

Al otro lado de la barra hay dos chicas menudas, japanimation, Shonen-Knife, con carteritas de plástico y cámaras digitales. Nos miran. Cuchichean como calcetineras. Al lado, sentadas, succionando malteadas, descansan tres gringas, menores de edad, PG-13, material Aaron Spelling, 90210. Nos miran fijos. No están nada de mal. Nada de mal.

—Yo no nombraría Chile —sentencia Gregory—. Ni cagando.

¿Yo qué diría? ¿A quién le agradecería?

«Quisiera rendir tributo a todos los grandes cinematógrafos hispanos que han iluminado las historias de Hollywood con otro filtro. Este Oscar también es de Nestor Almendros, Gabriel Figueroa, Juan Ruiz-Anchía…»

Las Sailor Moon, me fijo, comienzan a fotografiarnos.

—Deben creer que somos famosos, macho. Hice bien en peinarme con gel.

Una de las Beverly Hills le susurra algo a la otra y luego me muestra su lengua teñida de azul.

—Si me ganara uno, macho —insiste Gregory—, me subiría a mi limo y una de estas chicas sashimi, que estaría como loca, mojada, me bajaría el cierre y comenzaría a chuparme tanto el cabezón como mi primer Oscar. ¿Qué tal, macho? Linda idea, ¿no?

—Linda idea. Eres todo un romántico.

Escena cinco, toma dos. Cafetería Denny´s
Interior/Noche. Primer plano (PP)

El corto de Lázaro es sobre Víctor Jara. Capturó en digital (ampliado a 35 mm) a todos los que lo conocieron. Se centró en un tipo marginal que nació la misma semana que asesinaron a Jara. La familia del tipo lo bautizó Víctor Jara Carrasco. Santander se contactó con Eduardo Galeano y éste le hizo la narración en off. Pocas películas-políticamente-correctas-extranjeras han sido nominadas en esa categoría. Eso es indesmentible. Lázaro Santander se anotó un gol de media cancha.

El documental corto que ganó fue de un kosovoamericano de Berkeley. Lázaro participó en una mesa redonda en la sede de la Academia a la que asistió poca gente. Nosotros fuimos. Luego almorzamos con él en un local de la playa de Santa Mónica. Lázaro nos puso al día rápido: se juntó con productores, hizo mucho network, intercambió e-mails. Lázaro tiene serias posibilidades que le financien un guión. Gregory insiste en llamarlo «Querida, secuestré a los niños», pero no se lo dijo, se quedó callado. La historia es de dos chicos, hijos de un militar, que descubren, de adolescentes, que sus padres fueron activistas asesinados durante la guerra sucia.

—Mírale las gomas a la gringuita, macho. Vas a tener que serle infiel a tu cubana. Esto viene duro. Durísimo.

Gregory estudió cine en la Escuela conmigo y el resto del grupo. Junto a Lázaro y al Danko filmamos un corto que participó en La Habana. Gregory y Lázaro completaron uno gore que llegó a Avoriaz. Gregory luego se fue a NYU a seguir estudiando cine. Ahora vive en Brooklyn, Williamsburg. Es corresponsal para un par de publicaciones sudamericanas on-line. Trabaja en Kim's, un videoclub alternativo. Asiste a cursos. Escribe guiones malos que nadie lee. Acepta los depósitos de su familia.

Yo me fui a Miami, nada de South Beach, donde Don Francisco, de productor de segmentos. Soporté dos años. Luego me ofrecieron editar notas para CNN en Español. En Atlanta. Ahí estoy, bien, no me quejo.

No me quejo.

Lázaro se quedó en Chile. Hizo más cortos, documentales, puteó con la publicidad. Filmó «Víctor Dos». Fue nominado a un Oscar.

Por los parlantes de Denny's suena música disco.

That's the way, a-ha, a-ha, I like it...

—Esta noche es como disco —le comento a Gregory antes de sorber mi agua con demasiado hielo.

El agua ahora tiene gin. El gin de la botella azul que se robó de una de las tantas fiestas a las que no pudimos entrar. Lázaro nos dijo que iba a tratar de ponernos en la lista de la fiesta de Miramax en Spago's. No fue así. Gregory luego intentó colarnos a la de *Vanity Fair*. Fuimos expulsados por un guardia del Hotel Mondrian. Drew Barrymore nos quedó mirando, atónita, apenada.

—Sí, macho, muy boogie nights, muy last dance.

—¿Se puede tomar gin acá?

—It's Oscar night. Todo se puede, todo se debe.

Escena seis, toma uno. Cafetería Denny's
Interior/Noche. Primerísimo primer plano (PPP)
Jennifer López nos recoge los platos.

—¿Desean algo más?

Su mirada delata sueño, pero también algo de coquetería. A lo mejor es mi imaginación.

—Some more coffee would be nice —le dice Gregory, irónico.

Un anciano se sienta junto a nosotros. Le tiembla la mano. Huele a quesillo. Es muy blanco, transparente. Usa botas de vaquero.

—Yo deseo un jugo de arándano —le digo a la mujer.

—¿De qué?

—Cranberry.

El anciano saca un libro de historietas pornográficas. Sin que pida, la mesera le sirve un café y un bol con avena. Por los parlantes que crujen ahora suena Tom Petty:

I don't wanna end up
in a room all alone.
Don't wanna end up someone
that I don't even know.

—Gran frase —comento.

—¿Qué?

—Nada.

Tom Petty está a cargo del soundtrack de este viaje. Lo escucho aquí, lo escuchamos en Tejas, en Tulsa, cruzando el Monument Valley de John Ford, en medio de la asquerosa Las Vegas. Tom Petty en todas partes.

—*I'm tired of screwin' up, tired of going down* —recito al son de la música.

—No tienes voz.

—Pero tengo razón. En lugares como éstos, uno entiende mejor ciertas letras, ciertos libros.

—Kim Basinger salía en el video, ¿no?

—*Tired of myself, tired of this town.*

—¿Ya te quieres ir de Elei?

—No —le digo—. A veces me quiero ir de este país.

—¿De este país?

—Sí, huevón. No quiero terminar como este pobre viejo botado.

Ambos miramos al anciano. Restos de avena se acumulan en la manga de su camisa.

—Una vez más, te equivocas.

—Una vez más. Puede ser.

—Las oportunidades están acá.

Pienso en Lázaro, en las oportunidades que obtuvo quedándose.

—Ni intentes regresar, macho.

—Ya no puedo. Por ahora. Renové contrato con Turner, conseguí green card, Mayra quiere que compremos una casa. Juntamos el down. Me quedo.

—Haces bien. Chile es como la criptonita. Te acercas y pierdes todas tus fuerzas. Te destroza.

Las Princesas Mononoke comparten un plato de waffles. Las tres ángeles de Charlie nos siguen mirando. Una de ellas nos guiña. Los dos le respondemos.

—Viene para acá, macho. Mira cómo se le mueven.

Su T-shirt dice «Lost in Place». Masca chicle. Se toca el pelo.

—Can I, like, ask you guys something?

—Sure —le dice Gregory—. What's your name?

—Kelly.

—Nice name.

—Are you guys like driving somebody famous?

Gregory no le responde. Le quita la mirada. Se funde.

Yo, no sé por qué, observo la cuchara del viejo. Tirita. Salta. Ondula.

—¿Si somos los choferes de alguien famoso?

—Yeah.

La chica insiste: ustedes manejan esas limusinas, ¿no? ¿Quién está adentro? Who's inside? ¿Es posible conocerlos? Estaríamos dispuestas a cualquier cosa, aclara. Cualquier cosa. Anything. Everything.

La otra amiga se acerca.

—No —le responde Gregory apenas—. We are with the Chilean delegation.

—The what?

—La delegación chilena —interrumpo—. Lázaro Santander, Best Film in Another Language. Does it ring a bell?

—No —le responde Kelly—. Was he on TV?

—With Susan Sarandon.

—I love her —exclama Farrah.

—I'm Lázaro Santander —le dice Gregory—. I directed the movie.

—A short movie —agrego—. A short documentary.

—Wow! Nice to meet you. Hi. This here is Heather. And over there, that's Jackie.

La mesera se acerca. Nos mira. Nos rellena los cafés. No me sirve el jugo de arándano. Pienso en Chile, en lo lejos que está, en la criptonita, en la calle Seminario, en Atlanta, en Mayra mirando televisión, en el aire acondicionado que suena y no deja dormir. Pienso que ser fotógrafo no es lo mismo que tomar fotos. Pienso que, a veces, sin querer, surgen historias de la nada y uno se olvida de filmarlas.

Sorbo el café: mediocre, aguado, terminal.

Un salvadoreño/hondureño bajito comienza a trapear el piso. Las japonesitas ya no están.

Pienso en el verdadero Lázaro Santander, el que se quedó en Santiago mientras nosotros partimos huyendo. ¿Dónde estará ahora? ¿Con quién habrá conversado esta noche? ¿Qué direcciones electrónicas tendrá que nosotros nunca lograremos tener?

Afuera está comenzando a aclarar. Ya no hay más estrellas en el cielo, me fijo. Tampoco limusinas. Sólo buses, un par de taxis, esos camiones que reparten pan, que reparten leche.

Fin.

The end.

Nosotros hubiéramos querido que ella fuera eterna

Iván Thays

Aún no había cumplido veinticinco años cuando viajé a Estados Unidos, por primera vez, en busca de datos sobre Frances Farmer. Proyectaba entonces escribir una biografía sobre la actriz. Un amigo en Lima, viejo cinéfilo y el más dedicado coleccionista de fotogramas que conozco, me contactó con un antiguo empleado de la Paramount quien aseguró haberla conocido. Durante tres meses intercambié correspondencia con aquel anciano amable pero ermitaño hasta que, finalmente, aceptó recibirme en su pequeña casa en el centro de Los Ángeles. Viajaría primero a visitarlo y luego iría a Seattle, el lugar donde nació Frances, para completar la historia con informantes de primera mano y poder darme una idea clara del ambiente donde se desarrolló su adolescencia. Durante el largo y pesado viaje en avión, y dentro del taxi que tomé directamente del aeropuerto a la casa del viejo, pensaba en cómo abordar a una persona que, según había podido deducir por sus cartas, era muy correcta y conservadora, y qué datos específicos eran los que él podría proporcionarme para contrastarlos con el millón de chismes ridículos, lo único que sobre Frances había logrado recopilar en mis navegaciones por revistas de la época. Llegué a su casa relamiéndome los labios de sólo pensar en la riqueza de anécdotas que saborearía pronto. El anciano se llamaba Bruce y lo encontré dormitando sobre una hamaca, cubriéndose el rostro del sol con un diario amarillento. Lo desperté y se levantó, me temo, de mal humor. Mientras me conducía al interior de su casa, típica casa incómoda y antiséptica de jubilado, me contó que era sólo un muchacho cuando trabajó en los Estudios. Recordaba muy bien a Frances aunque nunca intercambió palabras con ella. Me habló largamente de su belleza y recordó con mal disimulada nostalgia varias anécdotas de la actriz, gran parte de las cuales parecía haberlas leído en las mismas chismografías que yo y no haberlas presenciado realmente. Bruce charlaba sin apuro, sin fijarse en el tiempo y enfatizando con regusto algunos detalles. La situación duró hasta que cayó la tarde. El crepúsculo transformó a mi hasta entonces buen anfitrión en una persona muy anciana y lacónica. Bordeando las cinco horas de conversación, después de recriminarme que recogiese tan pocas de sus anécdotas y frases en el cuaderno de notas que tenía abierto y vacío sobre mis rodillas, prefirió callarse y se dedicó por completo a la contemplación de una botella dorada de whisky que le había traído de regalo y que fue mermando súbitamente. Le pregunté si podía utilizar su baño. Extendió su brazo derecho mostrándome una puerta cerrada (su mano se aferraba como una zarpa a un vaso casi vacío de whisky). Cuando regresé del baño —uno de los baños más descuidados que he visto en mi vida— decidí exigirle, aunque sin mayores esperanzas, datos más precisos sobre Frances o al menos que me dijese si conocía un lugar donde hallar esos datos. Me encontré con un tipo detestable y ebrio que bailaba en la sala, tropezando con todos los muebles y, finalmente, conmigo. El breve golpe contra mi pecho lo detuvo y se paró, frente a mí, observándome con detenimiento por primera vez desde mi llegada. Él estaba tan decepcionado de la reunión como yo; decepcionado de mí y del poco entusiasmo que me despertaban sus historias de viejo chocho. Sin pedirme disculpas por el golpe, se arrastró hasta su sofá y se arrojó en él, hundiéndose. Luego murmuró un profundo «váyase».

—Lamento haberlo molestado —dije— sólo pensé que podría ayudarme con mi trabajo sobre Frances Farmer. Evidentemente, eso es imposible.

—¿Farmer? —dijo, como si acabase de oír por primera vez en toda la noche ese nombre—. Ah, sí, Frances, claro. El viejo Archer, tanto tiempo...

No dijo más y me acompañó hasta la puerta (gesto que aún me sorprende dada la borrachera que tenía). Le pregunté varias veces sobre el tal Archer pero Bruce sólo me contestaba con una sonrisa babosa. «El viejo Archer...», decía y sonreía. Finalmente se animó, estando en el umbral de la casa, a decirme que Archer era un viejo amigo suyo —otro palurdo ebrio, quizá— que era el insólito presidente de un insólito club de admiradores de Frances Farmer. Desde luego, desestimé de tajo la existencia de un club como ése (del que, en todo caso, yo hubiese tenido ya bastantes noticias) y se lo hice saber llamándolo mentiroso y fraudulento. «Qué tontería», replicó ofendido y, cerrándome la puerta sin modales, agregó con tono socarrón: «Pero si todas *esas* mujercitas tienen una banda de admiradores tras ellas, ¿o no?».

Bruce tenía razón y sí existía en Los Ángeles un club de admiradores dedicado a Frances Farmer. Encontré su dirección y teléfono en una guía del hotel donde estaba hospedado. Hubiese podido llamarlos desde el hotel para concertar una cita, pero preferí no advertirles de mis intenciones y sorprenderlos al día siguiente a primera hora. Para mi suerte, la dirección del club no quedaba muy distante a la de mi hotel. Esa noche cené en un restaurante lujoso que me aconsejaron en la recepción, tomé vino blanco para acompañar una deliciosa dieta de pescado y vegetales —debía tratar bien a mi estómago por esos días— en una noche también deliciosa. Cuando salí del lugar, inspirado por la atmósfera y la buena cena, decidí caminar hasta el club antes de volver al hotel. Caminé unas calles en el sentido inverso al que debía y llegué al club. No había buena iluminación pero por el olor supuse que no era una de las mejores zonas de la ciudad. Observé entre las penumbras el lugar y ubiqué el edificio. En el quinto piso, el piso en el que quedaba el club, estaba encendida una breve luz ceniciento, casi apagada, contrastando con la absoluta oscuridad de la calle.

Al día siguiente, el barrio parecía menos sórdido pero más sucio y pobre bajo la luz de la mañana. El edificio resultó ser gris, con una polvosa puerta de vidrio que precedía una escalera, también gris. Rodeado de callejones donde un grupo de niños se disparaban con ferocidad en una guerra imaginaria, armando un barullo insoportable —uno cayó muerto a mi lado y casi lo piso—, el edificio me pareció de repente el peor insulto (el último insulto que yo estaba dispuesto a aceptar, en todo caso) a la memoria de la Farmer. Subí deprimido los cinco pisos, no había ascensor, y acerté de inmediato con la puerta del club, la más ennegrecida. Estaba entreabierta y en su interior dominaba la misma luz triste de la noche anterior. Entré con algo de sigilo en la habitación. Temí no encontrar a nadie tan temprano por la mañana, pero me hallé frente a una docena de ancianos alrededor de una mesa donde cuatro de ellos jugaban póquer. En las esquinas, algunos leían revistas, dormían sobre sofás o echaban distraídas miradas a un televisor colocado en la parte alta de un armario despintado. A ninguno de ellos pareció interesarle mi presencia no prevista en medio de la sala. Tuve que recurrir al nombre de Archer, dicho en voz alta, para que todos, en un gesto idéntico, voltearan a verme. Señalaron con el dedo a uno de los viejos que estaba tumbado en un sofá de dos cuerpos. Archer dormía con la boca abierta y el ceño fruncido. ¿Es que acaso no había en Los Ángeles un hombre mayor de sesenta años que no hibernase? Me acerqué hasta él y me presenté. No parecía muy sorprendido de mi visita (aunque, creo yo, era imposible que Bruce le hubiese advertido de mí) y cuando le dije mi tema de investigación se levantó y me condujo en silencio hasta un cuarto muy pequeño y de una tristeza exagerada para un lugar con tan poca personalidad como ese sitio. El mobiliario de esa oficina se reducía a un escritorio de caoba, de cajones desordenados, lleno de sobres amarillos, papeles en blanco y tazas de café —muchas tazas de café con los conchos sedimentados en el fondo— y, al lado del escritorio, un anaquel de acero casi vacío del que Archer iba extrayendo cajas con documentos escritos a máquina y fotografías.

—No creo que le sean de mucha utilidad —dijo dándole una ojeada a cada documento antes de entregármelo.

Archer, finalmente, me entregó todo el paquete: sólo formularios legales que demandaban a diversos periódicos y revistas por difamación contra la actriz, algunas invitaciones para documentales, sobre todo uno muy curioso llamado *Glorias fatales de Hollywood*, una serie innumerable de actas de homenajes, recortes amarillentos sobre la actriz —todos los había fichado ya— o sobre las actividades sociales del club. Las fotografías tampoco valían mucho: las mismas seis o siete fotos famosas de la Farmer —su carrera y su juicio— y una infinidad de fotos a color sobre la fundación del club, las reuniones, los homenajes, las actividades. Nada que dijese nada sobre nada, ninguna pista, ningún dato sobre ella; inútil, inútil.

La situación colmó mi paciencia —había hecho un viaje pesado y perdido un par de días en algo que, hasta el momento, resultaba improductivo— cuando me percaté de que entre las fotografías se guardaban algunos fotogramas de Jessica Lange interpretando a la Farmer en *Frances*. Eso fue suficiente para mí. No quise ocultar un gesto de infinito desprecio mientras devolvía el material a Archer.

—¿Esto es todo? —pregunté tratando de ser aún más ofensivo.

—Supongo que para usted son cosas sin importancia —dijo mientras devolvía las cajas al anaquel—, sólo somos un grupo de chicos tranquilos que se reúne de vez en cuando para conversar.

Quise recriminarle el hecho de usar el nombre de Frances en algo tan intrascendente pero no pude hacerlo; era imposible recriminar algo a un anciano cómico con restos de leche en la comisura de los labios que se calificaba a sí mismo, y a su lamentable grupo de vejetes, como «chicos tranquilos». Le di la mano —sentí su mano flácida de mantequilla derritiéndose entre mis dedos— para despedirme. Entonces noté una pequeña fotografía sobre la puerta de la oficina de la que no me había percatado cuando entré de espaldas ni mientras hacía el apresurado inventario de la biblioteca. Frances descansaba su cabeza en el hombro izquierdo y miraba dulcemente, casi sonriendo, a la cámara, y desde ahí al vacío. Yo conocía ese retrato, lo había visto mil veces y contaba con él entre los documentos para mi libro. Pero me sorprendió verlo ahí, presidiendo ese lugar anónimo, como la única atención —más bien, el único gesto de aquiescencia— que el delicado espíritu de Frances concedía a estos «chicos tranquilos».

Mientras tanto, en la sala, Archer le pedía a un joven llamado Albert, quien tendría aproximadamente mi edad, que me acompañara hasta la puerta. Archer esperó que Albert me recogiera y fue a tomar asiento en uno de los sofás de donde lo había sacado, con un gesto impreciso que yo llamaría estúpido. Albert, con timidez y en voz baja, se ofreció a acompañarme hasta el primer piso. Una vez que abandonamos el departamento que ocupaba el club, Albert se adelantó un par de pasos y dejó que lo siguiera de cerca, bajando monótonamente las escaleras sin mirar las gradas. Cuando llegamos al piso de abajo vi que Albert se había ensimismado en la observación del sol de California que golpeaba las aceras sucias y el polvo. También levanté mi vista hacia el cielo. Debo reconocer que era un agradable espectáculo ver la aparición del sol entre las nubes, verlo iluminar con certeza los tristes objetos de esa calle. Admiré la escena junto a Albert, sin intercambiar palabras, durante un par de minutos. Luego, me cogió del brazo en un gesto repentino de confianza.

—Lamento que no hayan podido serte de mucha ayuda —dijo.

—No, no de mucha ayuda en realidad —acepté.

—Lo siento —se disculpó sinceramente sin soltarme del brazo—. Debes comprenderlos, están muy viejos y este club es un buen lugar para ellos, para contarse sus achaques y pasar el rato. Incluso, sospecho que algunos ya no recuerdan a Frances o que incluso nunca la conocieron.

—¿Y cuál es tu interés en este club? Después de todo eres muy joven.

—Oh, sí, pero yo no soy miembro del club —replicó, dejando mi brazo libre pero dando unos pasos conmigo— sólo ayudo un poco aquí, con la limpieza y esas cosas. Es mi trabajo.

Seguimos avanzando mientras él me preguntaba sobre mi proyecto, sobre el Perú, sobre la literatura peruana. Estaba muy interesado en esos temas y de vez en cuando traía a la conversación un par de nombres de autores latinoamericanos, o citaba frases en castellano. Me contó que había estado un año en México pero que no conocía el Perú ni ningún país de Sudamérica, aunque esperaba visitarlos todos algún día. No le pregunté el porqué de su interés por Latinoamérica pues estaba más intrigado por su personalidad.

—Todo un espectáculo ¿no? —dije señalando el cielo en un gesto de complicidad que Albert no comprendió de inmediato—. El sol, digo.

—Sí —aceptó con discreción—, tú también parecías muy interesado.

—Es agradable.

—Quizá lo único hermoso de este lugar de mierda —dijo con cierta melancolía—, ¿sabes? Yo no soy de aquí, soy de Texas. Vine a California hace dos años para trabajar.

—Y seguro que tienes que mantener a toda una familia ¿verdad?

—¿Familia? —preguntó.

Sonrió extrañamente, con la sombra de los árboles sobre los ojos y extendiéndome la mano para despedirse y sin contestarme. Entendí que no quería extender más la conversación y me despedí también.

—Oye —me llamó cuando me disponía a cruzar la pista—. Si realmente te interesa Frances Farmer te recomiendo que te des una vuelta por el club pasado mañana, por la tarde.

—¿Habrá algo?

—No mucho —respondió Albert—. Lo de siempre, películas y eso. Pero quizá te lleves una sorpresa.

Prometí pasar por ahí y traerle algunos libros que pudieran interesarle y me despedí. No sé si en algún momento pensé en, efectivamente, volver al club. Lo que sí es cierto es que a medida que me alejaba del lugar mi ánimo por regresar se fue extinguiendo hasta tal punto que, una vez dentro del vestíbulo de mi hotel, sólo podía pensar en salir del país lo más pronto posible, convencido de que los Estados Unidos no tenían nada que ofrecerme. Ni a mí, ni a mi proyecto, ni a la pobre Frances.

Me presenté puntualísimo a la reunión. Albert alcanzó a verme apenas había ingresado al club, y aún dudaba en internarme o dar media vuelta y salir de ahí, y me cogió del brazo. Amablemente, me llevó hasta una silla plegable instalada en la segunda fila, frente a un tabladillo de madera y un ecran. Me rogó que lo esperase un minuto y partió de prisa por un pasadizo. Al minuto, en efecto, volvió con un vaso de agua mineral en la mano y dos rollos de película bajo el brazo.

—Primero pasaremos un corto sobre las actividades del club en el semestre pasado, y luego *Among the Living* —dijo acercándose a mi oído y hablando en voz baja—. Espero que no te disguste el agua mineral pero es lo único para tomar que hay por aquí.

—Por mí está bien —contesté recibiendo el vaso.

Albert fue a colocarse detrás del proyector y pasó la voz, con mucha cortesía, del inicio de la función a los socios que daban vueltas por el departamento. Todos tomaron, poco a poco, asiento. Pude reconocer al viejo Archer en la primera fila pero él no se percató de mí. El sopor de las últimas horas de la tarde empezaba a sofocarme y me sentí indispuesto. Sabía que en ese estado no iba a poder soportar las risas ni los comentarios divertidos de los ancianos al verse en la pantalla. No pasaron ni diez minutos cuando me levanté y fui a otra habitación a esperar el comienzo de *Among the Living*. Albert no dejaba de mirarme preocupado por mi evidente fastidio. Me hizo una señal para indicarme que había terminado el corto de los ancianos y ya iba a empezar la película. Volví a mi sitio con desgano y, una vez ahí, volteé para ver a Albert, quien se esforzaba en colocar el rollo en el proyector estando a oscuras. El silencio y las tinieblas, sumado a la expectativa de los socios por lo que iba a venir, me dio la impresión de estar en los inicios del cine. Había una reverencia insólita mientras todos miraban hacia delante, esperando que Albert corriera la cinta. Entendí que la «gran sorpresa» que él me había prometido era aquella proyección. La película era una de las más extravagantes de las que grabó Frances y ciertamente era difícil de conseguir. De ahí, quizá, la gran expectativa entre los viejos. Pero yo, lamentablemente, había visto esa cinta más de cien veces pues la tenía en mi colección. Las primeras escenas me causaron unos breves bostezos. Podía describir cada salida de Frances y ya tenía un juicio formado sobre su actuación en ese film, así que no esperaba revelaciones. Pero lo que me extrañaba realmente era el comportamiento de los viejos. Comentaban en voz baja, en un silencio apenas interrumpido por tímidos aplausos en la primera aparición de Frances. Parecían desconocer la película, se sorprendían con su desarrollo como si fuera la primera vez que la vieran. Sólo después de algunas frases de la actriz volvían los murmullos y los aplausos (uno podía prever las manos sudorosas y blandas golpeándose bajo la penumbra) que acompañaba el sonido ronco de la respiración. La película concluyó sin problemas y, después de todo, fue divertido para mí verla por primera vez junto a un auditorio y no solo, en mi cuarto, lápiz en mano. Pensé que se encenderían las luces y nos levantaríamos, pero no sucedió. No hubo movimientos ni murmullos, ni siquiera los aplausos acolchados de antes, cuando terminó la película. Súbitamente, cuando la proyección terminó la oscuridad se hizo densa y total. Bajo esa oscuridad el silencio se hizo solemne e inquietante. Escuché a alguien arrastrando una silla y colocándola a mi costado. Era Albert, quien posó una mano sobre mi hombro y me dijo algo en secreto, que no pude descifrar. Un haz de luz muy fino salió del techo y encendió débilmente el ecran. Detrás de la pantalla se recortaba la silueta difusa de una mujer delgada y alta vestida con un traje largo. Alrededor de ella todo parecía esfumarse, existir sin contorno: ella aparecía y desaparecía mientras la luz —que se encendía y se apagaba— permitía descubrir por ratos que la mujer bailaba detrás de la pantalla. Lentamente, salió de su escondite. Pude sentir de inmediato un olor dulce. Un reflector se encendió de golpe y vi el rostro de la mujer. Era una muchacha rubia, hermosa, que no cantaba sino susurraba una canción nostálgica. La muchacha cantaba aquello con una voz tan tierna y necesitada de afecto que no tuve más remedio que cerrar los ojos y aceptar el milagro: ella estaba aquí. Frances Farmer había resucitado. Yo la había reconocido… pero ¿y ellos?, ¿y Albert? Abrí los ojos y busqué una señal de complicidad entre los rostros ancianos. Todos tenían una expresión plácida y confidente pero ninguno parecía sorprenderse. Como si fuera un secreto que ya conocían. Frances recitaba un fragmento de *La quinta columna* con timidez y ardor. Salía de la sombra y se deslizaba entre las sillas con el rostro serio y la mirada extraviada, quizá apenas una lágrima cayendo de los ojos violetas cuando su personaje se dejaba llevar por la emoción. Cerré los ojos y me dejé llevar por la voz y el olor de Frances. Decidí compartir el secreto sin preguntas, disfrutando de aquella complicidad en silencio, mientras todo en mí se deslizaba hacia una nueva necesidad: la necesidad de un cambio de corazón.

Desiertos tan amargos

Ignacio Padilla

Un hombre gris camina por la calle de niebla.
No lo sospecha nadie, es un cuerpo vacío.
Vacío como pampa, como mar, como viento.
Desiertos tan amargos bajo un cielo implacable.

LUIS CERNUDA

Nadie mejor que ellos para jurar entre dientes que esta vida es un asco. Cuanto hay de tópico en esa frase de cantina adquiría en los arrabales de Boyle Heights la contundencia de lo inédito, un no sé qué de zozobra recién estrenada que sólo en la boca de aquellos tres hombres parecía legítima, casi necesaria. Es verdad que, en ocasiones, también ellos lo decían a la sombra del alcohol, navegando sin destino entre dos bares de East Los Angeles, nunca los mismos; pero aun en esos casos sus palabras encajaban en el crepúsculo angelino un inapelable olor a naufragio. Sus voces mínimas, sus gestos, la fantasmal torpeza de sus cuerpos al trasponer la puerta de un tugurio, sembraban en el aire una tristeza paquidérmica, como si ahí, en el fondo, ni siquiera ellos fuesen capaces de sobrellevar el peso con que habían cruzado la frontera para cubrir los puestos de trabajo que la guerra iba dejando en California. Acaso entonces una mujer les miraba desde la barra buscando en sus ojos la urgencia del deseo. Nada: en esos rostros ya no había lugar para otra cosa que no fuese la melancolía, el peso insostenible de una fatalidad secreta. Así secos, así asfixiados por su desgracia compartida, los hombres se sentaban en un rincón cualquiera, bebían y, callados, se dejaban mecer por el vaivén de un blues de consola. Después de un rato uno de ellos se ponía de pie, dejaba un dólar sobre la mesa y caminaba pausado hacia la puerta. Luego, seguido de los otros dos, se alejaba por 4th Street con la prisa de quien ha provocado un desastre irreparable que sólo se hará notar dentro de unos minutos, cuando ya no importe.

A veces, sin embargo, aplazaban su huida del tugurio, no porque éste les pareciese agradable, sino porque la sola idea de abismarse nuevamente en la ciudad les provocaba un terror infinito. Quizá entonces un amable paisano les invitaba una cerveza o les retaba a una partida de dominó que ellos, no obstante, aceptaban siempre con cierta indolencia. Mientras el huésped improvisado pedía fichas en la barra, los tres hombres aguardaban sin musitar palabra, buscaban un momento de distracción general para alzar sus copas con ambas manos, apurarlas como un cáliz y devolverlas luego a su sitio con exasperante lentitud. Sabían, con todo, que la morosidad de aquel gesto no impediría que el recipiente se quebrase de inmediato, a veces con una fisura necia y serpenteante, apenas perceptible, pero casi siempre en una larga cuarteadura que se extendía sobre el vidrio hasta que terminaba por partirlo en dos mitades irregulares, como un fruto acuchillado por un epiléptico. Sobre la mesa quedaba entonces la partida huérfana e interminable. Frente a ella, sólo tres sillas vacías que hasta hace unos instantes parecían menos estropeadas.

Afuera, al acecho junto al torrente flaco del río, los recibía sin falta una oleada de comida china y sudor que por momentos los dejaba clavados en la acera. De no ser por los jadeos que entonces les nacían de la garganta, se diría que los tres habían decidido quedarse así para siempre: secos frente a la glorieta río Los Ángeles, estatuarios, aguardando la irrupción de una máquina monstruosa y prehistórica que los demoliese, eximiéndoles así de ser más bien ellos los secretos demoledores de la ciudad. No que esperasen un milagro. Hacía años que la idea de morir o salvarse en la propia destrucción había sido desterrada de sus sueños. No, simplemente les gustaba matar el tiempo imaginando para sí mismos una suerte distinta, cualquier cosa menos atroz que aquel andar al garete por las calles y las avenidas de la ciudad, dejando en todas partes un rastro de desolación, rompiéndolo todo con el solo roce de sus pies o de sus manos retraídas, enguantadas siempre como si eso pudiese atenuar un poco el estrago que provocaban. Cualquier cosa que los librase de recordar mil veces el tiempo y el modo en que se habían conocido: primero, dos pares de ojos grises que cierta tarde se habían cruzado en la oficina de inmigración mientras todos aguardaban que alguien revisara sus papeles; luego, el reconocimiento de un rumor de pasos cansados sobre Brooklyn Avenue, pasos idénticos a los propios, que también dejaban grietas en las aceras; y finalmente, todas las restantes huellas de su ruina espiritual, fuese un botón siempre a punto de caer de la solapa de sus trajes de *zoot suiters*, fuesen las gafas que uno de ellos tenía que reparar constantemente con cinta adhesiva, fuese, en fin, la materialización de esa tristeza inconfundible y mayúscula que caracteriza a quienes se saben depositarios de un don exactamente opuesto al de las hadas, portadores de muerte que en otro lugar, en el país que habían soñado y deseado antes de partir, habrían sido quizá emisarios de la luz.

En punto de las nueve, resignados a que su máquina imaginaria jamás vendría a demolerlos, decidían que era mejor desplazarse un poco hacia las afueras. Desde luego, evitaban en lo posible viajar en autobús, pues más de una vez la fatalidad los había sorprendido con una avería en mitad de la calle más oscura, recordándoles así la ceguera total de un mundo que se negaba a funcionar con ellos a cuestas.

Caminando, entonces, llegaban hasta Hollenbeck Park, y allí comenzaban a vagar entre los árboles como un trío de sonámbulos entregados al torrente de una cloaca. Aborrecían la noche, pero quizá era mejor así: a esas horas hacían menos daño, y la penumbra les permitía distraer por un instante la vista de todos aquellos objetos destartalados que les recordaban su irrecusable maldición. Sólo así y sólo entonces se permitían el olvido, una breve suspensión de la melancolía que, por desgracia, duraba muy poco: de repente la ruina de East LA les anudaba la boca del estómago, y la luna les devolvía a la claridad de sus miserias. Y así, vencidos por la desesperación, se dejaban arrastrar por una rabia sin rumbo que a la postre los dejaría exhaustos en un rincón cualquiera después de haberlo tocado todo con la vehemencia propia de un abejorro insaciable e infernal. Aquí uno de ellos habría acariciado una cabina telefónica para que mañana nadie pudiese utilizarla. Acá uno más habría pasado la punta del índice sobre el cofre indefenso de un automóvil cuyo dueño, al día siguiente, se quedaría varado y huérfano en mitad de Boyle Avenue, esperando en vano que alguien se detuviese a ayudarlo. Y acullá el tercero, seguramente el más triste y resentido de todos, palparía las columnas de un edificio del gobierno que tarde o temprano, en el próximo terremoto, sepultaría de inmediato a sus habitantes. Adiós, pues, a sus ciudadanos decorosos y murmuradores. Adiós a la abominable prole urbana que se atrevía sin más a echar pestes de los «chucos», la compañía de teléfonos, los perros callejeros. Adiós a esa multitud ignorante que nunca se culparía a sí misma del desastre universal, pero que tampoco los culparía a ellos, los putrefactos, los auténticos causantes de la ruina de la ciudad.

Poco antes del amanecer los infestaba un sueño amargo y resacoso. El tiempo se distendía sobre las baldosas, se reflejaba en los charcos de aceite y trepaba despacio por sus cuerpos. Ése era el momento más difícil para ellos, pues tenían que buscarse pronto un motel de mala muerte al final de la ciudad, un sitio lo bastante lóbrego, lo bastante malparado para que nadie, tras su partida, les objetase la descompostura inexplicable del grifo de agua caliente o la pata rota de una cama o las sábanas de pronto invadidas por una polilla invisible. Allí los tres respiraban un poco, se dejaban caer en el suelo imaginando que el peso de sus miembros desgastaba la piedra poco a poco. Tal vez hablaban un poco, intercambiando frases vacuas, lamentos, suspiros. Luego, llevados por el deseo irreprimible de construir algo por una vez en la vida, se despojaban ansiosos de sus ropas raídas, abrazaban sus cuerpos irónicamente perfectos y se acariciaban en una orgía de vacuidades que, al menos por un momento, les brindaba el inmenso placer de sentirse ajenos a la urbe que, gracias a ellos y a sus caricias, se desmoronaba día tras día a sus espaldas.

La manera correcta de citar

Pablo Brescia

1. Introducción necesaria

Digamos que soy alguien que vive (mal) de la literatura. O sea, no me gano la vida («ganar la vida», curiosa frase) escribiendo, sino enseñando. En este país esa labor le saca a cualquiera los ánimos de leer y escribir. Digamos que profeso específicamente en el sur de California, la broma más cruel que Dios le ha hecho a la especie humana; aquí se disfraza el infierno como si fuera el paraíso (atención: mucho sol puede ser malo para sus neuronas). Y digamos que este relato no es autobiográfico. Es la historia de una pérdida.

2. Triángulo

Yo (sí, adelante), Juan (que también escribe) y Jason (el que lee). Tal vez nuestra amistad sea un azaroso resultado de la aliteración, aunque me parece que no, Jason nunca pudo con la «j» y siempre dice «One». Nos reuníamos todas las tardes a simular una tertulia en un café que se llamaba Sartre y que ahora cambió de nombre: Starbooks. Era una maniobra empresarial ingeniosa, pero nunca alcanzó para olvidar los precios. El lugar parecía como tantos otros, aun en su diferencia: una réplica de un cuadro de Frida Kahlo al lado del letrero de Budweiser, la música de jazz o blues como mueble (muchachos, acuérdense de Cortázar), el hombre barbudo con su perro, la chica de anteojos de marco negro que lee a Nietzsche y cree entender, el chico gigantón con la camiseta del Che Guevara que lee el *Wall Street Journal* y, definitivamente, entiende.

El caso es que soy uno de esos autodenominados intelectuales latinoamericanos (Latinoamérica, esa ficción). Estoy más o menos a salvo de la ignorancia exasperante de la clase media gracias a las burbujas universitarias norteamericanas (Canadá, lo sabemos, no existe). Juan hace mucho que llegó aquí; es un espécimen pasado por agua, aculturado, asimilado, tamizado por el sistema yanqui. Tiene buen discurso y se cree posmoderno o poseverything, como dice él. Y Jason… Bueno, Jason es un tipo especial: un gringo que ama equivocadamente nuestros mitos culturales y que nos habla siempre con citas literarias. Eso se llama vivir para la literatura.

3. Llegar

—A veces admiro mi capacidad de resignación. Venir a parar acá, a Yanquilandia, tierra de los autos veloces y las personas invisibles, tierra de los shopping centers al por mayor y de las plazas al por menor…

—Empezamos con el canto del burgués sufrido. ¿De qué te quejas? Aquí estás trabajando bien, vives de lo que te gusta. Te sientes cómodo hasta para hacer tu crítica.

—Veo que a Juanito le sale enseguida el Tío Sam del bolsillo. America, land of the free y todo eso… Acá nada es gratis, hermano. Todo cuesta. Y lo peor es que cuesta vida y emoción. Uno se va secando de a poco…

—Pobrecito. Imagino que prefieres volverte al hellhole de donde viniste para respirar el aire tan sublimemente contaminado de tu ciudad y poder decir: «¡Esto es lo mío!». La insensatez sí es democrática, la verdad.

> *Eres los Estados Unidos,*
> *eres el futuro invasor*
> *de la América ingenua que tiene sangre indígena,*
> *que aún reza a Jesucristo y aún habla en español.*

—Noooo, Jason, ¿cuándo vas a aprender? No me vengas con Darío ahora, ese extranjerizante que lo único que hizo fue hablar de púberes canéforas. Además, en otros poemas elogiaba a nuestros primos del Norte. Hay que pensar un poco: Estados Unidos ya invadió. Sí, los tuyos. Pronto Latinoamérica rezará a la hamburguesa y no hablaremos español. Así no hay diferencias, ni choque de culturas. Imagínense: un continente, bajo Internet, indivisible, con libertad y justicia para los invasores… quiero decir, inversores.

4. Vivir

—Lo que pasa es que te convertiste, por leer sin existir me parece, en uno de esos marxistas trasnochados que todavía se llenan la boca con la revolución. ¿No oíste hablar del fin de las ideologías? The dream is over, man.

—Qué sensibilidad la tuya… El fin de las ideologías es otra ideología. Te quieren convencer de eso para que no veas y no denuncies la injusticia, para que no sueñes. ¿No te das cuenta de que estamos en una dictadura perfecta, la de los medios?…

—Bullshit, estás hablando como esos latinoamericanos que convierten la queja en el deporte nacional. Si hasta te pudiste exiliar tranquilo aquí; tendrías que estar agradecido por las oportunidades que encontraste.

—America, love it or leave it. ¿Agradecido? ¿Agradecido al gobierno que tanto admiras por haber causado mi expulsión, mi desgarramiento? No sabes lo que es el exilio, voluntario o involuntario. No conoces la cicatriz…

Hay golpes en la vida, tan fuertes… ¡Yo no sé!
Golpes como del odio de Dios; como si ante ellos,
la resaca de todo lo sufrido
se empozara en el alma… ¡Yo no sé!

—¿Qué estás diciendo, Jason? Vallejo no me sirve. Citas a un poeta que se quiso morir miserablemente en París y murió así y allí. Escribía en un lenguaje incomprensible. Esos experimentos con las palabras que cumplen el rito sagrado de pasarse la mano por el propio lomo… Yo estoy en contra de eso. La literatura no es para flagelos ni silicios; tiene que ser agente de cambio y para eso debe comunicar.

5. Sentir

—Y aparte, las mujeres acá, hermano. Yo creí que iba a ser una fiesta, ¡cómo iba a coger!, pensaba. Resulta que si te acercas a las gringas, se alejan como si tuvieras la peste. Se creen liberadas y son más puritanas que Calvino (el del siglo XVI). Con ellas, no siento nada…

—Tenía que salir el machito latinoamericano, ¿no? Porque en tu país no hay mujeres que son histéricas o posesivas o peligrosas… Por favor. Las relaciones aquí se entablan entre adultos, se las trabaja, se las construye todos los días. Son amores maduros.

—Se caen de maduros. Tanto que las formas del diálogo pasan por los manuales para entretener al cónyuge en la cama sin lastimarse o por el jacuzzi que se compró el vecino. The american dream…

—El maestro del lugar común. Ahora te vas a lanzar a pregonar la superioridad de nuestras familias y el mito de la hembra latinoamericana.

Me gustas cuando callas porque estás como ausente,
y me oyes desde lejos, y mi voz no te toca.
Parece que los ojos se te hubieran volado
y parece que un beso te cerrara la boca.

—Jason, Jason… ¿Cómo vas a decir eso? Si te escuchan, tenemos que salir corriendo. Silenciar a la mujer no era parte del proyecto literario de Neruda, pero acá te cambian todo con el asunto de la libertad de interpretación. Hay que apaciguar a las fieras, decirles que sí, que todo muy bien, que usted también puede. Me vas a poner en aprietos con los/las alumnos/as…

6. Escribir

—Creo que está claro, ¿no? Se acabó el misterio del escritor. La literatura es un producto disponible en el mercado y nosotros tenemos que ocupar el lugar que nos corresponde. Por ejemplo, el relato que estás escribiendo, muy actual, lleno de marcas y temas reconocibles para el lector, sin aspiración de trascendencia. Habría que conseguirte un buen agente.

—Tu cinismo me estimula, la verdad. Lo que quieres decir es que ocupemos un lugar convenientemente etiquetado. Caber dentro de esas palabras que usan para amontonar personas que poco tienen que ver una con otra, para decirnos que comamos tacos, bailemos salsa y escribamos sobre nuestra experiencia campesina o sobre esa vez que el Santo Niño de Atocha se apareció en el medio del camino… ¿Por qué no Mercurio, eh? ¿Por qué no Mercurio, digo yo?

—No me refiero a eso. Creo que durante demasiado tiempo estuvimos silenciados y ahora hay que recuperar nuestro lenguaje, nuestra gente, nuestro ser. Y debe hacerse siendo fieles a esa forma híbrida, a ese melting pot que somos los que vivimos acá.

—Qué bien, qué bien… Con qué facilidad asumes la voz plural, tendrías que escribir un libro de autoayuda. Híbrido. Antes se metía inglés en el español para estar a la vanguardia. Y ahora, colmo de la paradoja, aparece el español en la literatura en inglés, para imprimirle un sello cultural que me causa mucha gracia, en el peor sentido del término: «And I told him: M'hijo, don't speak with your mouth full», o alguna otra tontería por el estilo.

Todo lenguaje es un alfabeto de símbolos cuyo ejercicio presupone un pasado que los interlocutores comparten; ¿cómo transmitir a los otros el infinito Aleph, que mi temerosa memoria apenas abarca?

—¿Borges? ¿Borges, Jason? Me extraña. Borges no puede ser modelo de escritura ya. Literatura de literatura, juegos oximorónicos, potencialidades semánticas infinitas… ¿Y el ansia de cambio, de lo nuevo? La vida de la escritura pasa por la libertad del riesgo. Leer y escribir tienen que ser como la aventura de un trompo giratorio, no como una esfera perfecta y distante.

7. Morir

—¿Y los cementerios acá? La muerte escondida, imperceptible. Nadie se muere. Hay que mantener el ritual oculto, aparentar que los muertos no resisten. Se olvidaron de Woody: las únicas cosas seguras en esta vida son los impuestos y la muerte…

—Ah, claro, porque en tu país estaríamos a salvo de las guerrillas o los atentados terroristas o la inseguridad en la calle. La muerte, por fortuna para todos allá, habita la cotidianidad y está bien visible.

—Prefiero guerrillas que son reflejo de los debates ideológicos críticos y no bandas psicóticas con códigos absurdos o esos dementes disfrazados de ciudadanos apacibles que se meten a un edificio de correos y empiezan a dispararle a cualquiera…

—Claro, habría que mandarlos a todos a pudrirse a las cárceles como presos políticos, así estarían a salvo.

—Lo tuyo es de una cobardía y de una ceguera…

—Y lo tuyo muestra el resentimiento del trasplantado.

Habían subido los tonos (casi siempre pasaba). Me encrespé y levanté los puños (casi nunca pasaba). Juan se cubrió la cara y se tiró para atrás. La tensión cortaba el aire como un leve cachetazo.

¡Mierda!

Juan y yo nos miramos lentamente, en principio sorprendidos, luego con una sonrisa. García Márquez. Fuera de contexto y, sin embargo, apropiado para el momento. Era lo que necesitábamos. Porque nuestras discusiones eran una mierda, Latinoamérica era una mierda, Estados Unidos era una mierda... Había sido algo natural, sin resabios mecánicos. La manera correcta de citar.

Recordamos por mucho tiempo aquella tarde. Coincidimos en que la emoción no nos dejó darnos cuartel de que Jason, mientras pronunciaba aquella palabra, tenía los ojos húmedos. Se había puesto las manos en los bolsillos de aquellos pantalones tan grandes y, girando en dos movimientos, se había ido, despacito, arrastrando un poco los pies.

8. La clase

Una vez lo volví a ver. Tenía el pelo rubio largo y hacía surf. Si bien podía respirarse una cierta incomodidad, hablamos un rato, amablemente. En inglés, claro. Ahora Jason sólo usa el español para pedir cervezas en Baja California.

Me despedí rápido de él porque tenía que ir a mi clase y Juan venía de invitado. Un curso sobre la identidad en los Estados Unidos a través de la literatura. O sea: un curso sobre Juan y yo... y Jason.

Central Standard Time

El pasado

Martín Rejtman

Cuando todavía estaba casado con mi ex mujer, llevaba una vida más burguesa. Trabajaba en computadora y casi no tenía problemas. Recordar hoy esa época me produce una sensación extraña: yo no estoy ahí, el protagonista es otro. Sin embargo, los recuerdos están tan presentes como el presente: recibíamos dos diarios todas las mañanas y de vez en cuando salíamos con matrimonios amigos, entre otras cosas. Un día la mucama se deprimió y con la excusa de que encontró un gorrión muerto en el balcón no quiso trabajar más. Durante tres semanas la situación siguió igual; la mucama encerrada en el cuarto de servicio y mi ex mujer en el dormitorio. Al principio de la cuarta semana hice la valija y cambié de vida.

Soy escritor pero no hablo desde el futuro; vivo en un mundo miserable lleno de camiones de basura y casas destruidas. Judith, mi actual mujer, es la empleada del lavadero automático de la cuadra. Mi nuevo barrio está en transformación constante. Ayer abrieron un supermercado coreano; hoy se roban la parada del colectivo. Cada día cierra un local y abre otro. Lo que más abunda son las cerrajerías. Vivimos bajo el signo del cambio hacia cualquier cosa.

Nuestro departamento queda en un edificio de artistas de poco dinero. Esto es una casualidad; Judith ya vivía ahí cuando nos conocimos, y el artista soy yo.

Ni Judith ni yo solemos pagar las cuentas a tiempo, y hace dos días nos cortaron el teléfono. Ahora subo a la terraza, desde donde intercepto las líneas de otros y escucho conversaciones ajenas que me provocan repulsión. La gente no se fija en lo que dice cuando cree que nadie la escucha.

Estos días, en mi literatura, estoy desarrollando el concepto de *underwriting*, que significa, según me dicen, «subescritura». La novela que quiero escribir con este método se llama *Vida de un miserable*.

Hasta ahora tengo cuatro capítulos escritos:

1. Mercado de capitales
2. Mispricing
3. Underwriter
4. Panfletos

Hace meses que no puedo empezar el capítulo cinco, que creo que va a cerrar la novela. La causa es Judith. Durante el día no puedo concentrarme por el calor, y a la noche está siempre ella en casa. Varias veces le sugerí que saliera por su cuenta, pero me dice que no tiene amigas. Se queda sentada en silencio sobre la cama, pero es obviamente su presencia lo que me impide concentrarme.

Conseguí una habitación en el barrio coreano, a dos cuadras de la villa. Todavía vivo con Judith, pero paso las noches en mi estudio, escribiendo. La dueña de casa me advierte contra los bolivianos que trabajan para ella; dice que son peligrosos. En la calle, los bolivianos me advierten contra los coreanos.

Hace más de un mes que no veo a Judith. Ella trabaja de día y yo de noche. De a poco fui sacando todas mis cosas de su casa y las acumulé en este cuartito que ahora es mucho más que mi estudio.

El capítulo cinco avanza, pero igual hay noches en las que la humedad y las altas temperaturas hacen que no pueda concentrarme, y la vida nocturna de la calle Carabobo no es muy intensa. Hay miles de restaurantes pero ningún bar, y cuando quiero un vaso de vino que no sea de arroz tengo que internarme en la villa.

Ayer me encontré con Judith, la del lavadero automático. Me dijo que a su casa llegó una carta para mí. Tomamos juntos el premetro y fui a su casa a buscarla; era de mi hermana, que vive en Chicago. Me invita a visitarla, me manda un pasaje y un *money order* por dos mil dólares a cobrar en el correo de Chicago. Mi hermana y yo nunca nos llevamos bien, nunca soporté su compasión por el artista pobre que no despegó. No pienso ceder ante su presión y visitarla; sería reconocer un cierto tipo de fracaso.

Pero el *money order* me vendría muy bien. Intento primero cambiarlo sin éxito en las financieras del centro, donde me darían más; después con *dealers* locales de Korea Town. «¿Chicago?», me preguntan, y todos niegan con la cabeza.

Encerrado en mi cuarto miro el ventilador de pie y reflexiono, agobiado por la ola de calor. Mi vida es demasiado austera: huevos fritos, bifes a la plancha, y arroz con una mezcla de algas y sésamo, un condimento que conseguí en mi nuevo barrio.

Tomo una decisión: viajar, cobrar el dinero, y volver a Buenos Aires en el vuelo siguiente. No llevo equipaje y al salir de mi cuarto pego en la puerta un cartelito que dice: «Vuelvo enseguida».

En el avión me toca sentarme al lado de un futuro estudiante de sociología. Parece entusiasmado. Converso un rato con él, y después duermo de un tirón hasta que aterrizamos al amanecer.

En Chicago la temperatura es de ochenta y nueve grados Fahrenheit. No sé lo que significa pero igual transpiro. Me despido del estudiante de sociología, salgo del edificio impersonal, y paro un taxi.

—*To the central post office* —le digo al conductor. Mi inglés es prácticamente inexistente.

Le pido al taxista que espere en la puerta del correo, cobro el dinero, le pago, y decido caminar por el barrio. Con el entusiasmo de los dos mil dólares del *money order* no me di cuenta de marcar la vuelta en el pasaje, así que decido buscar una agencia de viajes. Quiero volverme en el primer vuelo. No soporto la idea de gastar parte de mi dinero en un país extranjero y las tentaciones en Chicago parecen enormes.

La empleada de United me explica que mi pasaje requiere un mínimo de quince días de estadía. Es una portorriqueña que todavía habla un poco de español; tiene un prendedor con su nombre: Lupita Menéndez. Dice que se solidariza conmigo pero no puede hacer nada. Me ofrece venderme otro pasaje a Buenos Aires; en eso se me iría la mayoría del dinero y mi viaje perdería sentido. Hago una reserva para la primera fecha posible y, un poco triste, salgo a la calle, apabullado por el aire caliente y la humedad.

Como no tengo equipaje ni planes me dedico a hacer observaciones: el tipo de gente que camina por las avenidas, las construcciones, los lugares de comidas, tan diferentes de los nuestros, las costumbres en la calle, el paso rápido, mis zapatos que se quedan pegados en el cemento derretido de las veredas, los ricos, los pobres.

Entro en un hotel que no parece muy caro. Se llama Chicago Regency. En la recepción nadie habla mi idioma pero hay un letrero con los precios: la habitación más económica cuesta noventa y cinco dólares. Multiplico por quince y vuelvo a salir a la calle.

Paro un taxi. Le pregunto al conductor por un hotel barato.

—¿Barato? —me dice él en inglés.

—El más barato de la ciudad.

—*Address?* —pregunta sonriendo.

Decido cambiar de estrategia.

—*Latin quarter* —le digo. Supongo que ahí por lo menos alguien me va a entender.

El taxista me lleva a una parte devastada de la ciudad. Es como si de pronto todo el pasado hubiera vuelto: la guerra, el hambre, los bombardeos. Un barrio pobre de hispanos y drogadictos.

No camino ni dos cuadras y encuentro un edificio con un cartel enorme que dice «Hotel Men Only». No parece ser un lugar muy caro.

Mi cuarto da directamente a la calle. Abro la ventana. El calor sigue siendo insoportable. Escucho salsa sin parar y el olor a frito y picante sube por las escaleras de incendio. El paisaje, al menos, no me resulta familiar.

Me desvisto, me doy una ducha, y me vuelvo a vestir. Me tiro sobre la cama y duermo una siesta. No sé qué hora es cuando me despierto, pero bajo a la calle y compro un diario. Camino hasta la avenida y en una librería compro un cuaderno. Quiero aprovechar el paréntesis para seguir con mi novela. Después tomo un taxi y, como no sé qué hacer, le leo al taxista la dirección de mi hermana.

La casa queda en los suburbios; estudio mentalmente el camino. Sin bajarme le pido al conductor que vuelva a llevarme al hotel. Ceno *chicken wings* en un bar oscuro; hay tan poca luz que no puedo darme cuenta si el lugar es caro o barato. Vuelvo al hotel; me duermo hasta el día siguiente.

Alquilo un Ford en Avis. Me decido porque no puedo creer lo absurdamente económico que resulta.

Durante unos días vigilo la casa de mi hermana desde mi coche nuevo. Ella saca la basura todas las mañanas y después se sube a un Mazda gris perla, que estaciona en el *parking* de la torre de la corporación en donde trabaja. Sé que está casada y con hijos, pero su familia no aparece. Hace casi veinte años que no la veía; de aspecto no cambió nada. Yo también debo estar igual.

Una mañana me decido finalmente a tocarle el timbre. Se queda helada al verme. Me da un abrazo frío; es como si me estuviera diciendo «*Nice to meet you*». Mi inglés mejoró bastante desde el día que llegué y además creo que maduré. La idea misma del viaje relámpago ahora me resulta infantil.

Me hace pasar a un living en el que hay cabezas de ciervos y alfombras de osos por todos lados. Conversamos sin hacernos preguntas, hasta que yo saco el tema de sus hijos. Ella me explica que se fueron de caza con el padre, que vive en Oregon. Le pregunto si están divorciados. Me dice que de ninguna manera; están juntos pero él vive en Oregon. «Oregon queda a miles de kilómetros de Chicago», le digo. Ella me contesta con una sonrisa que de kilómetros no entiende nada y da por terminada la conversación. Me sugiere, sin preguntármelo, que le gustaría saber adónde estoy parando. «En el hotel "Men Only"», le contesto. Me dice que no lo conoce pero no me invita a quedarme en su casa, a pesar de que yo sé que por lo menos un cuarto, el de mis sobrinos, está vacío.

Esa noche mi hermana me lleva a su restaurante preferido: un *oyster bar* para *yuppies* que queda en pleno *downtown*. Me resulta muy difícil verla tomar sopa de pescado; me doy cuenta de que lo que estoy viendo es su vida. No puedo engañarme. Tiene 38 años. Se nota que sabe que ya no está en tránsito hacia ninguna otra situación.

Mientras cenamos me cuenta cosas de Chicago. Desde hace menos de un mes los policías de la ciudad usan uniformes especialmente diseñados por Jean Paul Gaultier, y las agentes, carteras de Gian Franco Ferré. Mi hermana saluda a un par de conocidos. Me dice que son compañeros suyos de trabajo. Su castellano es perfecto, salvo cuando tiene que decir alguna palabra en inglés.

Nos despedimos en la puerta del restaurante; sé que no nos vamos a volver a ver. Son apenas las ocho y cuarto de la noche y como no tengo sueño decido ir al cine. Compro el *Chicago Daily News* y leo el resumen del argumento de una película norteamericana que acaban de estrenar en el Chicago Film Center: *Un cantante de tango retirado todavía sigue activo como agente secreto en una pequeña aldea de campesinos japoneses.* Los actores son superstars archiconocidos. Me sorprende que todavía existan campesinos japoneses. Y éste es mi último recuerdo de la noche: entro al cine, me acomodo en la butaca y se apagan las luces.

De la película no conservo ninguna imagen.

Me despierto en la cama junto a una desconocida. Enseguida me doy cuenta de que no estoy ni en mi casa ni en el hotel. Suena el teléfono. La chica no da señales de vida. Se enciende un contestador automático y escucho el mensaje: «*Lucy, this is Richard, your therapist. I hope you remember our date at the ICA Café. It's already 11:05 and you haven't got here yet.*»

Intento despertar a Lucy, pero sigue profundamente dormida. Estoy desnudo y busco mi ropa por toda la casa. Los placares están cerrados con llave. Sobre la alfombra hay unos zapatos de taco alto demasiado chicos para mí. Me asomo al balcón tapándome con la cortina. Hay una bandera norteamericana que cuelga de la baranda. Me ato la bandera a la cintura y vuelvo a sacudir a Lucy. Parece dopada. Busco dinero por toda la casa. Encuentro un frasco lleno de monedas sobre la mesada de la cocina.

La casa de Lucy está en un barrio pobre de latinos y drogadictos. Un barrio igual al mío, que no parece ser el mismo. En la vereda de enfrente hay un Army-Navy *store*. Entro y me compro un Levi's 501 talle W38, L32 y un paquete de tres remeras blancas Fruit of the Loom *extra large*. Me pongo la ropa en el probador y paro un taxi.

En el viaje a mi hotel le dedico diez minutos al pasado. Es un método que utilizo cada vez que mi mente se pone en blanco. Esta vez diez minutos resultan demasiado. No puedo acordarme ni dónde la conocí, ni cómo, ni de lo que hice en la casa. Mientras el taxi avanza siento que varias horas de mi vida van quedando atrás. Ni siquiera me fijé en qué calle queda la casa de Lucy. No tengo suficientes recuerdos de la noche anterior como para llenar diez minutos de tiempo. Miro el reloj: son las once y veinticinco.

—*To the ICA* —le digo al taxista.

No tengo nada mejor que hacer y quiero charlar con el terapeuta de Lucy. Necesito saber si puede decirme algo sobre mí. Todavía tengo la bandera norteamericana en la mano. Estoy descalzo.

Un hombre de anteojos está solo junto a la ventana del café del ICA. Lee un diario sensacionalista y decido que es él. Cada tanto levanta los ojos del diario y mira hacia afuera, como si esperara a otra persona. No me animo a hablarle directamente, y en un momento se levanta y se va. Lo sigo hasta el Botanical Garden. Se pasea a la sombra de los árboles y saca migas de pan de sus bolsillos para darle de comer a los gatos.

Lucy me está esperando en la puerta del hotel «Men Only». Me explica en un castellano trabajoso que el recepcionista no la quiso dejar pasar. Yo no me olvido que esta misma noche tengo el vuelo de vuelta a Buenos Aires, y Lucy insiste en acompañarme al aeropuerto.

En el taxi nuestra conversación es fluida. Tengo la impresión de conocer a Lucy desde hace muchos años. Adivino sus gustos y ella los míos y nos reímos de las mismas cosas. El taxista se da vuelta varias veces a mirarnos; sospecho que él también habla castellano.

Lucy y yo entramos al aeropuerto. Llegamos con dos horas de adelanto, como lo indican las instrucciones impresas en el pasaje. Recojo mi *boarding pass* del mostrador de United y nos sentamos en dos sillones contra un enorme ventanal. Le cuento a Lucy que estoy a punto de terminar el capítulo cinco de mi novela. «Es el último, ¿no?», me pregunta ella, y la miro sorprendido. A lo mejor hablamos de esto la noche anterior. Pero prefiero no hacerle ninguna pregunta. No por vergüenza ni miedo a lo desconocido, sino para no romper la intimidad que existe entre nosotros.

Chichicastenango Supermarket

Ricardo Armijo

Juan Guillén llegó a Chicago de Nicaragua. Consiguió trabajo de carnicero en el Chichicastenango Supermarket, en la intersección de la Diversey con la Sacramento. El dueño, don José Serrano, estaba contento con él porque era buen trabajador, cortés con los clientes y juicioso a la hora de pesar la carne. Era buen carnicero y siempre mantenía limpio su uniforme blanco porque trabajaba cuidadosamente. Y siempre estaba sonriendo, mostrando su diente de oro.

Luis Huete también trabajaba en el Chichicastenango Supermarket. Era el *stockboy*, el mejor que habían contratado según Mrs. Serrano, la patrona y hermosa mujer que trabajaba como cajera del establecimiento. Estaba feliz con él porque además de ser fuerte, era responsable y obediente. La cara de Luis era atractiva, con pocas arrugas y del color de la arcilla cocida. Mantenía bien recortados su pelo y bigote, y se los peinaba todo el tiempo, razón por la que don José y Juan le hacían burla constantemente.

Los dos trabajadores eran puntuales. Trabajaban duro y nunca se quejaban cuando tenían que quedarse hasta tarde. Y si era muy tarde y viernes, entonces Mr. y Mrs. Serrano los invitaban a comer y les permitían consumir de las cervezas almacenadas en los enormes frigoríficos de la parte trasera del supermercado. Mrs. Serrano y Luis nunca tocaban licor, pero a don José y a Juan les encantaba la cerveza bien helada. La jerarquía parecía desaparecer en esos viernes de convivio, aunque nadie nunca se faltó el respeto porque, después de todo, seguían siendo patrones y empleados.

El Chichicastenango Supermarket tenía escaparates a ambos lados de la esquina, y cada lunes por la mañana los Serrano pegaban sobre ellos enormes carteles anunciando las ofertas de la semana. Era una intersección de mucho tráfico y a Luis, cada vez que salía a tirar cajas vacías o fruta podrida, le gustaba ver desde el callejón los carros que pasaban o se detenían en el semáforo. Notaba cómo las banderitas hondureñas o mexicanas colgaban orgullosamente de los retrovisores, y el sabor con que los conductores se insultaban unos a otros lo hacían desear tener su propio carro, pero para llegar a eso le hacía falta ahorrar un poco más de dinero. El tráfico era tan caótico en ese lado de Chicago que no había tanta diferencia con su añorado D.F., y verlo así le causaba menos nostalgia.

A veces, cuando regresaba del callejón al supermercado, Luis se detenía a conversar un rato con Juan. Hablaba poco, pero le gustaba escuchar las opiniones del carnicero sobre el negocio o sobre la calidad de la carne, o sobre lo hermosa que Mrs. Serrano estaba y lo mucho que necesitaba un poco de compañía femenina. Luis también notaba la hermosura de Mrs. Serrano, y la manera tan extraña con que a veces ella lo quedaba mirando, como con ganas de contarle algo importante. Él también necesitaba la compañía de una mujer, pero no decía nada al respecto porque no le gustaba discutir así de fácil cosas tan personales. Juan seguía la conversación mientras cortaba la carne y atendía a la clientela. Consideraba que Luis era un poco raro, por callado y por ser tan cuidadoso con su pelo y bigote, pero era buen compañero de trabajo y peor era no tener a nadie con quien platicar.

Mr. y Mrs. Serrano tenían muchas amistades que los invitaban a matrimonios, bautismos y cumpleaños. Salían con frecuencia y donde llegaran eran motivo de agasajo porque formaban una pareja ejemplar, trabajadora y exitosa. Por eso esperaban que sus empleados fueran tan emprendedores como ellos. Pero también eran patrones generosos: con el fin de recompensar a Luis y a Juan, los invitaron al matrimonio de un familiar en Washington, D.C.

Habían decidido viajar en Greyhound pero, súbitamente, Mrs. Serrano dijo que prefería quedarse porque el viaje era muy largo y pesado, y porque alguien tenía que supervisar el negocio. Suponiendo que necesitaría a alguien de confianza que la ayudara, Luis también ofreció quedarse. Aprovechó la oportunidad porque sabía que no se sentiría a gusto con los dos hombres solos, que de seguro iban a beber sin parar y entonces el viaje se transformaría en una serie de imprudencias provocadas por el licor. Don José accedió sin reclamar porque vislumbró un poco de tiempo para sí solo. Además, no había nada de malo si Luis se quedaba con su señora, sobradas veces había demostrado su lealtad. Así que compró dos boletos de avión, uno para él y el otro para Juan. Juan estaba loco de la emoción, y en los días anteriores al viaje estuvo más cortés y chistoso que de costumbre con los clientes.

El supermercado parecía otro sin las carcajadas de los viajeros. Iban a quedarse en Washington sólo tres días, pero a todos les pareció más tiempo. En esos tres días, el Chichicastenango Supermarket casi no tuvo negocio. Mientras limpiaban estantes o enceraban el piso o rotaban el inventario, Mrs. Serrano y Luis entablaron largas conversaciones. Faltaban los buenos brazos de los ausentes, pero si mezclaban el trabajo con las conversaciones, los minutos no pasaban con tanta precisión. En esos tres días, Luis notó que ella lo miraba con más insistencia que la acostumbrada, como que con esos ojos tan intensos y extraños quería decirle algo que no podía expresar con palabras. Hasta que en una ocasión logró contarle lo que había estado pasando desde hacía mucho tiempo entre ella y don José.

—Y ya estoy cansada, Luisito —le dijo, casi llorando.

Luis no supo qué contestarle. No habló el resto del día porque estaba pensando y tratando de decidir qué hacer al respecto.

La noche antes de que los hombres regresaran, patrona y empleado se quedaron hasta tarde arreglando unas cajas en la bodega. Mientras trabajaban, Luis observaba a Mrs. Serrano y esperaba el momento propicio. Observó y esperó por largo rato. Cuando vio su oportunidad, se le acercó por detrás. Ella sintió su respiración agitada, el cuerpo tenso. Cuando las palmas tibias de las manos de Luis le buscaron el vientre y las caderas, la cabeza le dio vueltas y ella se sintió hermosa, deseada. Luis no estaba nervioso; quería hacerlo y sabía que Mrs. Serrano también, el resto no importaba: iban a terminar haciéndolo, y eso era todo. Trató de besarla en la boca pero ella, sintiéndose sucia, volteó la cara para el otro lado. Entonces Luis le acarició los pechos, los apretó como toronjas maduras y sintió los dos pezones endurecerse entre sus dedos. Una corriente de escalofríos le recorrió todo el cuerpo a Mrs. Serrano. Después se relajó porque una nube tibia la envolvió suavemente, y ella pareció pasar a otra dimensión.

—Vamos al callejón —dijo Luis, con voz cavernosa.

No hacía mucho frío y la lámpara del poste bañaba el callejón de luz amarillenta. La mano de Luis recorrió la cintura de Mrs. Serrano y se deslizó por debajo de la falda. Ella rió como niña traviesa y jugó a no dejarse. Él la puso contra la pared y le alzó una pierna y ella lo abrazó para montarlo y por fin se besaron en la boca. Fue un beso largo, de serpientes. Un viento comenzó a soplar desde el lago. Acarreaba a la calle el olor a fruta podrida y pan viejo de los basureros, así como los gemidos que Mrs. Serrano hacía de espaldas a la pared de concreto.

Don José y Juan regresaron del viaje con los ojos rojos y licor en el aliento. Traían regalos dentro de una maleta nueva, que pusieron orgullosamente sobre el mostrador. Juan tenía un collar de oro nuevo que armonizaba con los destellos de su diente. Para su esposa, don José había comprado un vestido de raso azul con escote atrevido. Cuando ella aprobó su gusto, él sonrió complacido. Mrs. Serrano se lo probó encima del vestido que llevaba puesto, modeló frente a los tres hombres y bajó la mirada cuando Luis también aprobó el gusto de Mr. Serrano. Juan y don José le habían comprado a Luis un peine de carey. Se lo habían comprado de broma pero a Luis le gustó mucho, verdaderamente era un buen peine, con el lado de dientes finos para el bigote y el de dientes gruesos para el pelo. Mientras don José y Juan abrían unas cervezas y trataban de contener la risa, Luis fue al baño a peinarse. Mientras se peinaba frente al espejo, junto a su reflejo se imaginó a Mrs. Serrano esperando a que terminara la rutina del baño para pasarle la camisa planchada, como una pareja de casados que cualquier mañana se prepara para ir a trabajar. Cuando terminó y regresó a la cocina, Juan y don José ya estaban sentados a la mesa, y Mrs. Serrano le pidió que por favor le ayudara con la comida.

Los hombres siguieron bebiendo. Juan se sentía formidable. Le gustaba lo amargo de la cerveza y le gustaba más porque su vida iba por buen camino, tenía un buen trabajo y se llevaba regio con el patrón. Las cervezas y el recuerdo de la noviecita de Washington, D.C. que le regaló el collar de oro lo hacían sentirse magnífico. De pronto se fijó en Luis ayudando a Mrs. Serrano, y lo que vio le cambió el estado de ánimo. Le irritaba la manera tan servil con que Luis se afanaba en ayudar: lo único que le faltaba era el delantal, y los aretes. Él nunca podría rebajarse de esa manera porque era un hombre trabajador y merecía ser recompensado por su esfuerzo.

Don José también observaba a Luis y a su mujer, pero por razones completamente distintas. Trataba de ver si notaba algo distinto, si entre ellos algo, no importaba qué tan pequeño, había cambiado. Buscó atentamente en sus gestos y miradas, pero no encontró nada sospechoso. Eran dos muchachas afanadas en preparar su cena. Una era su empleado y la otra, su señora.

—Luisito —dijo Juan, bromista como siempre—. ¿Te gusta tu peine nuevo, chiquito?

Luis contestó sin darse vuelta. El sentido del humor de Juan le cayó en gracia.

—Sí, Juan —dijo—. Me gusta mucho. Muchas gracias. Y mil gracias a usted, don José.

Mrs. Serrano, complacida con su discreción, lo miró rápidamente.

—El gusto es mío, Luisito —dijo don José y alzó su cerveza—. Juan, brindemos por mi esposa y por Luisito, los mejores cocineros del mundo.

—Sí —respondió Juan, alzando la suya—. Un brindis por Luisa y Mrs. Serrano, las mejores cocineras del mundo.

Y brindaron y siguieron bromeando en esa atmósfera tan cordial.

Luis y Mrs. Serrano sirvieron la comida. Los comensales comieron con ánimo y acompañaron la carne con chimichurri a granel. Cuando terminaron, los hombres se bebieron una más mientras Luis y Mrs. Serrano lavaban la loza. Después Mrs. Serrano le dijo a don José que ya era hora de que se fueran a casa. Juan quedó encargado de cerrar el supermercado.

—Buenas noches, Juan —dijo Mrs. Serrano—. Buenas noches, Luisito.

—Buenas noches —contestaron al unísono los empleados.

—No te olvides de la puerta de enfrente, Juan —dijo don José.

Mientras Juan hacía sus rondas, Luis se sentó y fingió escuchar la radio. Pensaba en el pobre don José y en lo que había pasado entre él y Mrs. Serrano. Si las cosas seguían así, su futuro sería próspero. Satisfecho consigo mismo, se echó para atrás en la silla y sonrió como el hombre que lo tiene todo. Todavía no quería irse a la casa porque sabía que Juan iba a venir a decirle que se fueran juntos. Juan era un buen empleado y Luis escuchaba atentamente sus opiniones.

Cuando Juan terminó las rondas, regresó a la cocina. Tenía los ojos caídos y se tambaleaba un poco.

—Vámonos —dijo, con voz ronca.

—Vámonos —repitió Luis, y luego añadió con auténtico interés—: ¿Cerraste bien la puerta de enfrente, Juan? ¿Estás seguro de que quedó bien cerrada?

Seven veces siete

Francisco Piña

> *Comprender es perdonar. Como no*
> *comprendo tu libro no te lo perdono.*
> AUGUSTO MONTERROSO

dicen que un día a chicago llegó / un oriundo de aztlán / procedente
de san antonio / donde las muchachas lo seguían / ques' que porque
escribía / la oficina era el fin / traía jeans ajustados / camisa a cuadros
/ botas chatas y paliacate al cuello / caminaba sin titubear / se detuvo
ante el pizarrín / de eventos culturales y políticos / miró al fin de la
paré / en el reloj su mirada pausó / un diente de oro brilló / mientras
barba y melena se frotaba / conforme leía una sonrisa de su rostro
huía / las hojas de la mano escapaban / del piso las recogía / mientras
una mirada en la espalda sentía / con papeles en mano se levantó /
bufando y con pluma en mano al escritorio se encaminó

El recepcionisto aparentaba leer el *Tribune* desde que a la oficina
entró el sujeto de indumentaria trasnochada, «ha de ser un agente
de la CIA», pero lo descartó al seguir muy de cerca sus torpes
movimientos. Callado observó cómo se paseaba, de un lado a otro,
mirando los panfletos y la propaganda. En ningún momento dejó
de observar el mínimo detalle de esa persona que le parecía familiar
pero no podía recordar dónde lo había visto; esa vestimenta y la
melena salpicada de canas eran imposible de olvidarse. Sin hojear el
periódico continuó observándolo. Sonrió irónicamente al ver que
se le cayeron unas hojas de la mano y palideció al darse cuenta
que el tipo venía en su dirección.

—Good morning, bato!
    —Good morning! May I help you?
    —Oh! Yeah. Is this Mr. Bank's office?
    —No. It is not. Mr. Bank's office is in the twentieth floor.
    —¡Oh, bato! ¿Qué tienes ahí, sobre el desk? Estás leyendo a
mi buen amigo Willy López. It's goood! ¡Hommmbre! You must be
one of us. ¿Dónde lo conseguiste?
    —En la Kroch's and Brentano's.

—¡De veras! Increíiible que en esas bookstores tengan estos libros. Y que, ¿a poco tienen una sección de Hispanics en esa bookstore? Si nunca les ha importado nuestra raza, ése.

—No. Más bien es una sección de literatura en español y lo encontré entre López Velarde y Márquez, y arribita del Maromero Páez.

—Pero si ese libro no tiene más que un veinte por ciento en español; lo demás es inglés. ¡Mira que cabrones!, que no tengan una sección para nosotros en ese tipo de bookstore.

—¿Qué tiene de malo que pongan a Willy López entre los grandes escrito…

—Pos, ¿qué no te das cuenta que él no escribe en español? Él es chicano. Nosotros no somos mexicanos, pero tampoco somos anglos. We're a different culture. Estamos en transición hacia una nueva cultura: Aztlán.

—Si no me equivoco, Aztlán es un lugar mítico; lo que no, azteca mezcal quetzal tamal metate camote coyote sunsun sungo gocho guarache…

—I'm not kidding, ése. You know what I mean? Mira, bato, yo soy el que le publicó a Willy López. I'm a writer and publisher. Y lo hago para dar a conocer nuestra cultura, nuestra own raza; para que de una vez por todas entiendan que no somos de aquí, ni de allá y a la vez somos alguien con identidá propia. Sí, bato, we're Chicanos.

—Entonces yo también puedo ser chicano y no importa dónde haya nacido, lo importante es que vivo en Chicago. Aunque de Chicago a chicano hay una letra de diferencia.

—¡Hommmbre! ¿Qué pasó? Así no va la cosa. Listen to me. Es bien fácil, bato. ¿Sabes tú que Carlos Fuentes es el escritor chicano más conocido en el imperialismo yanqui? Yes, bato, he grew up here, but he was born in Panama, en un hospital a la orillita del canal, pero he speaks Spanish pretty well. Él escribió de México sin conocerlo, and besides that, él es el que más libros vende de todos nosotros.

—Parece confuso, pero creo entenderlo. Entonces podríamos decir que Jorge Luis Borges también es chicano. Aunque nació en Buenos Aires, estudió en Ginebra y se inició intelectualmente en España. Desde temprana edad leyó a los anglosajones; además fue amigo íntimo de Alfonso Reyes para sentirse mexicano y después emigrar a Estados Unidos; ¡claro!, no como fuerza de trabajo sino como intelectual y finalmente consagrarse como chicano escribiendo poemas en inglés. ¿O no fue así?

—¡Hasta me espantas, bato! In a few words, los chicanos escribimos del barrio, de los problemas de nuestra raza, de nuestra cultura, pero desde aquí adentro de los intestinos del monstruo cabrón, capitalista y colonialista. Tenemos que escribir de lo que pasa en Pilsen o en Little Village, nuestras calles, acerca de gangas, homelessness, poverty en nuestra raza, ¡caraajo!

—Bueno, yo digo que tenemos que escribir de todo, lo visceral: librito buche y nana; lo cotidiano: sexo sofistico y suchingadamadre; aunque también debemos leer de las otras culturas: xochimilca waldenburga vietnamita ucraniana romana polaca olmeca nipona mexica etiope dominica anglosajona y escribir en el dialecto o idioma con el cual nos identifiquemos. Ya ves el chileno Huidobro escribió en francés; Anaïs Nin comenzó a escribir sus renombrados diarios en francés y terminó escribiendo en inglés; James Joyce escribió en un dialecto irlandés; el egipcio Ungaretti en italiano; y B. Traven...

—Ya párale, bato, ¿y de Traven qué chingados me puedes decir?

—Pues no sé a ciencia cierta de donde fue él. Unos dicen que de aquí, otros que de allá. Y yo pues la verdad que en esas broncas no me meto, pero de lo que sí puedo decirte es que escribió en español su famosa *Canasta de cuentos mexicanos* y por eso no vamos a deducir que él es angloxicano.

—What about you? ¿A poco te sientes mexisajón?

—No. Pero tampoco soy chicano aunque viva en Chicago porque no hablo inglés del todo; en español se me lengua la traba; además no me gusta mixtear los dos idiomas. Ahora, según dicen algunos seudointelectualactivistas que trabajan en la comunidad mexicana y viven en los suburbios de Chicago, que el ismo de los chicanos fue un movimiento intelectual, de tal para cual. Pero, ¿qué serán todos los demás que no son mexicanos ni chicanos y hablan español? ¿Serán latinos o hispanos o norteamericanos o centroamericanos o sudamericanos o iberoamericanos o todo lo que termine en anos?

—I don't know, bato, but you're wrong. For how long have you been living here?

—Four years and two months and…

—¿De qué parte de México eres?

—De Tequisquiapan, una lomita adelante de San Juan del Río…

—North, south of Mexico City? ¿La capital? ¿Provincia?

—Dos horas y media en carro, al norte de la ciudad de México y siete días caminando como peregrino.

—Discúlpame mano. I'm sorry, but I don't know where it is. Yo sólo conozco los estados de la frontera: Durango, Monterrey, Nuevo León, Nuevo Laredo y Piedras Negras. And it's because I was born in Tejas. San Antonio. By the way, do you write?

—Yes, I do. I learned when I was in elementary school.

—No sea mamón, bato. I meant, poetry, short stories, novels…

—Oh! yes. I just published in an Spanish magazine.

—Hommmbre, you hafta write in English, ¡caray! Now you're here in this country, We hafta be read, We hafta be someone for those anglos hijos de puta. But We hafta read and write in English. Who's gonna read what you've written in Spanish!

—I agree, but…

—But nothing. I gotta go, y aquí tengo un flyer de un evento que vamos a tener. We're gonna read poetry. Viene un paisano tuyo and I look forward to see you there and your compañeros mexicanos que escriben en español. Nosotros los estamos esperando. I told ya, ustedes están en transición a una nueva cultura: la chicana. Sólo esperen siete años, seven años, siete years, seven years seven siete seven years más y se darán cuenta que no son de aquí ni de allá. Serán chicanos como nosotros. Don't forget it, bato.

—En fin. Ya Dios dirá.

—I'll see ya later because I'm late para una meeting que tengo upstairs.

El tiempo pasó…

¿Dónde me quedé?, ah, sí… al sur del continente americano, en Texas; recién adquirí un atlas hiperactualérrimo porque los otros que tenía en ningún sitio localicé Aztlán; posiblemente en éste sí lo encuentre. Me siento cansado de andar buscando. Parece que está oscureciendo o amaneciendo. No lo sé. Ni la más remota idea tengo de la hora; ¿todavía será el día de hoy o será mañana? Ultimadamente el tiempo no me importa, pero si no fuera por la esperanza que tengo, de que un día con otro reciba en el correo un diploma que me certifique como chicano, porque estoy ansioso de comenzar a mixtear el inglés con el Spanish, ya me hubiera vuelto medio loco.

Ángel de la guarda

Alfredo Sepúlveda

Para Maza, los años habían sido un sanguinario pero eficiente profesor. La última lección estaba fresca en su memoria; se sentía reprobado, confundido, triste. Deseó que el tiempo, además de conferirle canas, le hubiera enseñado a conducir con nieve, porque esa particular autopista yanqui era ya una serpiente difusa y blanca que se perdía en un horizonte imposible de ver.

Iba así Maza; flotaba. Le hacía bien, pero no le gustaba.

Letras blancas con el nombre del pueblo destellando sobre el fondo verde, el amarillo número de la salida que debía tomar, copos y copos cayendo como papel picado en una celebración nocturna, de inmediato la autopista quedó atrás y lo recibieron las débiles luces de la comunidad dormida e insignificante. Pasó a echar bencina. En la caja, compró un boleto de la suerte y lo raspó. No tuvo suerte. Luego le preguntó a la muchacha de la tienda por la calle que buscaba, pero ella no le entendió. Maza le escribió el nombre de la calle en un papel. Ella lo hizo comprar un mapa del pueblo y con un lápiz rojo le indicó cómo llegar desde donde estaban.

Avanzó lentamente. Era un pueblo como todos, pero también era, de alguna manera, Tierra Santa. Luego apareció la casa. Detuvo el motor y de inmediato sintió el frío punzante. Se bajó y caminó entre la nieve que Mitchell no había limpiado en todo el día. Costaba avanzar; además del esfuerzo físico, el contacto de sus piernas con el frío llevaba a su cabeza eléctricos impulsos. Golpeó. Entre el vidrio esmerilado, notó la pesada figura.

—Ah —dijo Mitchell como si le abriera la puerta a un vendedor—. Eres tú.

No se veían hacía diez años. Maza alargó unas botellas de vino chileno. Había olvidado quitarles el precio. Costaban seis dólares pero Mitchell no lo notó.

—Dejé de tomar vino —dijo Mitchell.

Maza se percató del esfuerzo que Mitchell hacía para hablar español. En Chile hablaba casi fluido, pero ahora el idioma prestado que Mitchell chapurreaba era un lento esfuerzo, como una respiración ayudada por un ventilador mecánico. Mitchell tomó los vinos. Caminó por el pasillo de la casa casi con tanta dificultad como hablaba el idioma extranjero. Luego, ignorando a Maza, desapareció en la cocina.

Maza se sacó la parka y la dejó sobre la baranda de la escalera. Observó la casa. Las paredes no tenían cuadros ni adornos. Una fila de libros reposaba ordenadamente en el suelo. La televisión estaba prendida pero en silencio, y el asiento donde hasta hace unos minutos Mitchell había estado guardaba la forma del voluminoso americano. Había unas flores al pie de un ficus que Maza supuso eran la única contribución de Diana a la decoración. Maza se asomó a la cocina. El resplandor de un foco callejero sobre la nieve era lo único que iluminaba a Mitchell, sentado frente al pequeño comedor de diario. Maza captó la brasa de su cigarro subir y bajar.

—Puedes ocupar el baño de arriba —le indicó Mitchell—. Diana dejó unas toallas rojas para ti. Y el cuarto está al lado. ¿Cuándo te vas?

Maza entró y encendió la luz. Mitchell se tapó la cara.

—Apaga, apaga —dijo.

—¿Qué te pasa?

—Me duele la cabeza.

Maza apagó. Se quedó apoyado en el dintel de la puerta, mirando subir y bajar la brasa.

—Vaya tormenta —dijo Maza para romper el silencio.

—Nadie sabe cuándo va a terminar. Los hombres del tiempo son unos pelotudos.

Maza acercó una silla y se sentó frente al refrigerador.

—¿Podemos hablar en inglés? —preguntó Mitchell.

—¿Por qué?

—Estoy cansado.

Maza se estiró y bostezó. No sabía hablar inglés.

—Yo también estoy cansado —dijo.

Luego abrió el refrigerador. Había un par de cervezas. Tomó una y la abrió.

—Ha nevado y nevado y nevado —dijo Mitchell—. Nada nuevo, ciertamente.

—Está así desde Nueva York —dijo Maza.

—Gracias por la información. Muy útil aquí en Illinois.

Maza bebió su cerveza lentamente. Mitchell se había quedado dormido en la silla. No lo despertó. Se levantó y subió la escalera. Entre las tinieblas, palpó la pared hasta que dio con el interruptor. Diana no se distinguía por hacer suyos los lugares que habitaba. Esa casa podía ser la casa de una profesora, de una bailarina exótica, de una física nuclear. Pero Felichito sí había hecho suyo su cuarto. Maza caminó hasta la puerta del muchacho y la abrió. La misma luz exterior que alumbraba la cocina dejaba ver la cama estirada, los posters de Pamela Anderson, los libros que, desordenados, llenaban todo el escritorio. Maza entró y se sentó en la cama. No iba a dormir ahí. Pero el sueño era mucho y la cama era mullida y tibia. Congelada en el tiempo, esa habitación, pensó Maza, pudo haber ocurrido en Chile y hubiera sido exactamente igual: el equipo de música, las tarjetas de cumpleaños, los posters de héroes deportivos, la ropa sucia hecha un montón a los pies de la cama.

Una camioneta frenó en la calle; la música del estéreo salía de los parlantes a todo volumen. Maza escuchó las risas, la voz familiar despidiéndose en inglés, la puerta al cerrarse. Se acercó a la ventana, y, entre las cortinas venecianas, espió. Un tipo joven, rubio, con una parka que no lo protegía del frío, reía y, con sus manos en el culo de Diana, la besaba. Ella rió, le dio un beso rápido y corrió hasta el porche. El tipo la siguió y la abrazó. Diana le dio un largo beso en la boca mientras él la acariciaba. Luego desaparecieron de su campo visual y Maza sintió el sonido de la llave abriendo la puerta y el de la camioneta alejándose.

Esperó. La escuchó decirle algo a Mitchell en inglés, pero Mitchell no respondió. Se echó en la cama de Felichito y cerró los ojos. Cambió de idea respecto a dormir en ese cuarto: lo haría, no tenía fuerzas ni para ir al baño. Mañana se sacaría la ropa, se lavaría los dientes y el pelo, se afeitaría. La tormenta lo había derrotado como pocos enemigos en su vida; estaba sencillamente rendido. Mañana, todo mañana. Después. «Después». Sólo pensar en la palabra lo aliviaba. ¿Pero y? ¿Después qué? No lo sabía. «Después» era un territorio de telenovelas, de libros, de funciones de cine a las cuatro de la tarde un día de semana. Se lo imaginaba así y no aspiraba a más. Siguió pendiente de Diana, escuchó algunos de sus pasos en la escalera, pero no pudo abrir los ojos, hasta que ella abrió la puerta.

Diana no dio crédito a sus ojos. En la penumbra, la insólita visión de alguien ocupando la pieza le provocó una sensación de alegría, pero la felicidad se esfumó en un relámpago, y luego hubo terror.

Diana gritó despavorida hasta que se dio cuenta de que era Maza.

Lo increpó: —¡Mierda, me asustaste, huevón!

Estaba furiosa. Por una fracción de segundo, Maza había sido un fantasma para ella. Maza abrió los ojos pero era como si siguieran cerrados. Algo le había pasado al farol de la calle y ahora una tiniebla envolvía a su ex mujer. A su modo, Diana también era un fantasma. Sin la luz cayendo sobre ella, generosa, cualquier luz, Diana desaparecía.

—Hola Diana —saludó Maza sin moverse.

—Éste no es el cuarto de invitados.

Maza bostezó.

—A mí me parece estupendo —respondió.

Diana corrió hasta la cama, tomó las piernas lacias de Maza y las arrojó al suelo. Maza se sorprendió, pero acató la orden. Luego Diana le dio una cachetada que lo hizo despertar de verdad.

—Mierda, Diana. No sabes la cantidad de kilómetros que llevo en el cuerpo…

Ella no lo oía. Frenética, había levantado la colcha de la cama de su hijo y la alisaba lo mejor que podía. Maza respiró hondo y sintió el olor de su ex mujer después del sexo. Después de todo, ella no era un fantasma.

—La pieza de invitados está al lado. Tiene sábanas nuevas. Te quedarás ahí.

Cuando Diana terminó de reordenar la cama, Maza aún se sobaba la mejilla. Ella lo empujó y salieron del cuarto. La pieza de invitados era como todo el resto de la casa, casi como un hotel. Diana le abrió la cama.

—Acá —le dijo a Maza, apuntando a las sábanas blancas—. Acá, acá, acá.

Luego hizo un gesto de desaprobación y salió dando un portazo.

Maza se sentó en la cama. Aún podía oler el sexo en el aire. No era un olor a hombre, el tipo de la camioneta no era quien dejaba su marca sobre Diana, a decir verdad, nadie la dejaba, pero era el olor, sabía, recordaba Maza, que acompañaba a Diana después del sexo; suyo, totalmente de Diana, de nadie más. Rodeado de ese olor, en la casa tan lejana y tan cercana a su historia, Maza se quedó mirando la pared blanca.

Maza no sabía si dormía o descansaba con la mente en blanco. El silencio de la casa lo hacía flotar. Pensó en Felichito. La última vez. ¿Tres, cuatro años de edad tenía? Era un niño silencioso y tímido al que Maza había visto crecer como quien adelanta un video para llegar a las partes importantes: un par de cumpleaños, un par de viajes a la playa. Así se despedía Felichito en el pequeño aeropuerto que entonces tenía Santiago de Chile; sin entender. Diana, en cambio, comprendía perfectamente. Armar una familia ya era difícil, pero Maza había armado dos y había elegido una de ellas. El aeropuerto simplemente prestaba la escenografía para la inútil despedida a los perdedores. Diana no lo odiaba. Se lo decía. «No te odio, no te odio». Tal vez no tenía por qué: Mitchell, el viejo compinche de Maza, se había enamorado de «la otra», de la amante, y se la llevaba a ella y a Felichito a Estados Unidos. Maza sabía que sólo el amor de Mitchell estaba involucrado en el viaje. Para Diana y Felichito era sólo un buen arreglo; la promesa de una vida distinta, quizás mejor. Para Maza también era un buen arreglo. Mitchell lo sabía pero no le importaba. Diana estaba rodeada de la felicidad que conlleva la derrota.

Maza se había dormido. Se dio cuenta porque despertó golpeándose la cabeza contra las rodillas. Decidió que era suficiente y se dispuso a dormir. Pero costaba tanto moverse, entrar en la cama. No había sonidos en la calle. La nieve era una lenta negación del sonido, copo tras copo cayendo en una confabulación de silencio y blancura. Entonces escuchó la puerta abrirse. Era Diana.

—No puedo dormir —le anunció.

—Yo tampoco —dijo Maza.

Diana se sentó al pie de la cama de Maza. El olor seguía ahí. Diana lo besó en la mejilla.

—Mitchell va a despertar —anunció Maza.

—Mitchell no despertará hasta mañana a las cinco de la tarde. Y si despierta, no va a decir nada. Algunos son felices tomando cerveza, otros somos felices culeando.

Maza besó a su ex mujer en la boca. La sintió estremecerse y luego se estremeció él.

—A veces —dijo ella— he soñado que hago el amor contigo. Que concebimos a Felichito de nuevo. En mi sueño no somos felices. Todo es igual a como fue. La misma mierda. Vives esas dos vidas paralelas de mierda, pero te decides finalmente por una, y soy yo la que pierde y me vengo a Estados Unidos. Pero Felichito está vivo y está dentro mío. Está la promesa de él. Tan fuerte.

Diana se limpió las lágrimas y Maza la ayudó. Recogió una con el dedo y la chupó. En Chile, de alguna manera beber lágrimas arreglaba las cosas, al menos por un par de semanas. Pero luego regresaba la culpa y el arrepentimiento y el desgarro.

Maza comenzó a sacarse la ropa. Los zapatos. Diana le desabotonaba lentamente la camisa. Felichito había muerto hacía dos años, quizás hacía un poco más. Maza se había enterado hacía poco y de una manera estúpida; recién le habían instalado Internet y trató, sólo porque no se le ocurrió una prueba mejor a la que someter la tecnología, de encontrar el número de teléfono de Diana en Estados Unidos. Un acto de coraje imbécil. Un par de clics después, Maza supo que el teléfono no estaba a nombre de Diana, pero sí a nombre de Mitchell. Dirección, número de teléfono, casilla electrónica. Estaba todo ahí. Escribió un mensaje y apretó sobre «Enviar». Cinco minutos después vino la breve respuesta de Mitchell, la historia. Habían pasado más de diez años desde la escena del aeropuerto. Felichito estaba muerto hacía dos, en un estúpido accidente de tránsito. «Best, Mitchell».

Diana bajó el cierre del pantalón de Maza, buscó su pene y comenzó a chupar. Siempre había sido así. Diana prefería el sexo a la desolación. Aun en los momentos más álgidos de la hijoputez de Maza con respecto a su familia bastarda, Diana se echaba encima de él y por un momento lograba ahogar la cobardía y las mentiras de Maza con sexo. Maza nunca se había opuesto. No lo hizo ahora.

Hicieron el amor en silencio y sin besarse. Luego Diana se recostó junto a él. El reloj destellaba en una luz verde la hora: las tres de la mañana.

—Dios, al final se parecía tanto a ti —dijo Diana—. Cuando te vi echado en su cama, realmente me cagué de miedo.

—¿Cómo era? —preguntó Maza—. ¿Qué le interesaba?

—No sé —dijo ella—. En los meses antes del accidente estuvo yendo a unas charlas de astronomía. Pero la verdad, no sé. Nunca hablábamos.

—Puta la huevada. Puta la reverenda huevada —y Maza suspiró.

Diana se incorporó y lo miró en la oscuridad. Le acarició la cara. Lo miró a los ojos.

—¿Estás cansado? —le preguntó.

—Sí. Pero no creo que pueda dormir. Ni siquiera tengo una foto de él.

—¿Quieres ir a verlo?

—¿Ir a verlo?

—Al cementerio. Cuando estoy insomne, tomo el auto y voy al cementerio. Me tranquiliza.

Maza bostezó. ¿Por qué no? ¿Qué significaba llegar tarde a algo? Con sus últimas fuerzas, se bajó de la cama y se volvió a vestir. Diana lo besó en la mejilla una vez más y salió del cuarto. Un minuto después regresó envuelta en una gruesa parka blanca.

Mitchell subía la escalera mientras ellos la bajaban. Tenía el pelo revuelto y olía a cerveza.

—¿Vas al lugar de siempre, querida? —preguntó.

—Al lugar de siempre —respondió ella sin mirarlo.

Desde la calle, las lápidas del cementerio sobresalían apenas entre la nieve, pero ellos iban abrigados dentro del auto; sobrevivientes de un naufragio en un océano blanco. La nieve sobre el motor del automóvil no alcanzó a derretirse y habían llegado. Las rejas estaban cerradas, pero Diana se bajó.

—Esto lo abro siempre «a la chilena» —dijo Diana, y sacó un alambrito de uno de sus bolsillos, lo enderezó entre los dientes, lo metió a la ranura del candado y abrió.

Entraron muy lentamente con el auto; llevaban las luces apagadas. La tormenta había borrado el camino entre las tumbas, pero Diana manejaba segura de sí misma, con una visión extraña que encontraba la ruta cualquiera fuesen las circunstancias. Maza miraba el lento desfile de tumbas enterradas.

—Quizás te embaracé esta noche —fantaseó Maza—. Quizás tu sueño se cumplió.

—No creo —dijo Diana—. Mira, aquí soy una especie de puta del pueblo. No puedo darme el lujo de quedar embarazada. No a esta edad, por lo menos.

—Aún eres joven —dijo Maza.

—Sí. Claro.

Diana se detuvo y bajó del auto. Maza la siguió. Caminaron entre la nieve; sus huellas eran automáticamente borradas por más nieve. Hacía más frío que cuando Maza golpeó la puerta de la casa y ahora él sentía ardor en sus mejillas y en la punta de sus dedos. Caminaron un buen trecho; Diana adelante, Maza detrás, hasta que llegaron a la lápida que buscaban. Diana se agachó y removió nieve con la mano hasta dar con la inscripción.

—Mierda —dijo—. Quema.

—No es necesario que limpies —dijo Maza—. Debimos haber traído pala, y en todo caso, va a seguir nevando.

Diana asintió y se incorporó. Se acercó a Maza y lo abrazó.

—Me arrepiento tanto —dijo ella—. No lo conocí. Lo perdí de vista. Es como estar frente a un sobrino lejano.

Maza le acarició la cabeza y luego se separó de ella.

—No sé qué decir.

—No esperaba que dijeras nada, Carlos.

Pasó un minuto. Mentalmente, Maza empezó un padre nuestro, pero al llegar a la mitad olvidó lo que seguía.

—Vamos —le dijo a Diana—. Hace frío.

Diana no respondió. Maza observó a la madre frente al hijo muerto y pensó que Felichito estaba a salvo de todo, en una burbuja protectora. Y la razón de esa seguridad, de esa tibia certeza, no era la muerte, el más allá, Dios, se dijo Maza, sino que de alguna manera sólo podemos proteger aquello que no amamos. Maza buscó en el fondo de su alma, como si fuera un cajón en el que ha metido papeles por años, un resplandor que lo hiciera sentir algo por el muchacho muerto. No había nada. Tal vez era un motivo de celebración. A salvo del amor de Maza, Felichito, cualquiera haya sido la breve vida que había tenido, estuvo y estaba a salvo de la cobardía y la traición de su padre.

Diana miró a Maza.

—¿Le ponemos un angelito de la guarda? —le preguntó Diana.

Maza no entendió. Simplemente vio cómo ella hacía ahora la cosa más curiosa. Diana se tendió de espaldas en la nieve y enfrentó la noche cerrada y los copos. Estiró sus brazos y, restregando la nieve, los movió hacia arriba y hacia abajo. Luego se incorporó. Padre y madre contemplaron el resultado. Un ángel en bajorrelieve custodiaba ahora la tumba. El señor Maza sintió una tranquila satisfacción, y tomando la mano de la puta del pueblo, de la madre desolada, de la mujer a la que temió amar, la condujo de vuelta al auto, caminando sobre las huellas que la tormenta ya había borrado.

We're Not in Kansas Anymore

Julio Villanueva Chang

Él había sido el elegido. Renán del Barco debía subir a un jeep que lo llevaría a un pueblo sepultado por un alud, pero pidió permiso porque su hija estaba a punto de nacer. Horas después sus compañeros del diario *Expreso de Lima* le dieron la noticia de que el reportero que había tomado su lugar estaba muerto: Jorge Cuba se había matado en un accidente cuando el jeep que los conducía a Ranrahirca —en quechua, cerro de piedras— se desbarrancó en una de esas curvas del Perú donde los viajeros acostumbran a morir. Nieto, el chofer, estaba muerto. El fotógrafo, Ángeles, tenía pronóstico reservado. «Al nacer salvé de la muerte a mi padre», me dice ahora Mandalit del Barco, con el rostro de quien cuenta un milagro y el acento de ciudadana de otra parte. Su madre, Dolores Villarreal, la llevó a los Estados Unidos cuando ella tenía año y medio. Desde entonces su castellano es el de una niña de cuatro años, edad a la que detuvo su aprendizaje del español en Kansas, la tierra de *The Wizard of Oz* y de su madre chicana.

La vi por primera vez en una fiesta que no se parece a las que suele ir entre Hollywood y Manhattan. «Se llama Mandalit del Barco y ha venido a hacer un documental sobre el Perú. Tienes que venir», me dijo una periodista de *Dow Jones News*, que era nuestra amiga en común. Alguien me había contado que en los Estados Unidos algunas fiestas son tan solemnes que fijan la hora exacta cuando todos los invitados deben marcharse a casa. Pero estábamos en Lima, donde el tiempo es de mentira y la invitación era una cena de bienvenida para una gringa latina que había vuelto a su país de origen. Tenía de Miami, Ayacucho, Macondo y Praga, pero ella no lo sabía. No había regresado desde los tiempos en que asesinaron a JFK, cuando ella andaba aún en los brazos de su padre. Fue una de esas veladas sospechosas de ser un té de tías, pero de las que uno se larga con un botón de menos y taquicardia. Entonces Mandalit se jactaba de ser la única ciento por ciento americana de la fiesta. Sus antepasados venían de las tres Américas, la del norte de los Estados Unidos, la del centro de México y la del sur del Perú. Era irrefutable.

A primera vista, Mandalit nada tenía de Blancanieves ni de Pocahontas: movía la cintura y los hombros con el barroquismo carnal de cualquier cubana o brasileña, sin que uno adivinara que había crecido en un pueblito de Kansas. Parecía haber repartido sus orígenes: sobre esos hombros caían unos bucles castaños, pero del epicentro de su rostro se quebraba una nariz rumbo a los Andes. Luego su elegancia en el vestir, y de vez en cuando un rictus de ironía neoyorquina, la delataban: no era sólo una *woman* latina. Era una chica *cosmopolitan*, con los pies entre Nueva York y Los Ángeles, donde en la última década había sido cronista para la National Public Radio, NPR. Era de las que cree que los Estados Unidos es un país con dos costas y casi nada en el centro. «Jamás podría existir fuera de una ciudad cinematográfica», me dice, frunciendo sus labios. A pesar de su humor hollywoodense, esa noche pude ver en el fondo tristón de sus ojos la resaca de una historia secreta.

La herencia de *The Wizard of Oz* hace que uno piense en Kansas como un pueblo de tornados ideal para escribir cuentos infantiles. Hace un siglo su reputación era otra: tenía en su seno a Dodge City, un pueblo donde los vaqueros se mataban a tiros, había *rewards*, *sheriffs* cobardes y cientos de litros de whisky. Pero fue en Pratt, en el corazón del Midwest de los Estados Unidos, donde nació Dolores Villarreal, una mexicoamericana cuyos antepasados habían vivido por siglos en las tierras que los Estados Unidos le arrebataron a México. A fines de la década del cincuenta, Dolores estudiaba antropología, quería una maestría de folklore y rendía exámenes para una beca. Por esos días un respetable enano llamado Truman Capote había abierto la página 39 del *New York Times* y leído la noticia del asesinato de una familia de apellido Clutter, residente en un lejano pueblo de Kansas, adonde este escritor viajó aún con el olor a sangre fresca. Quería investigar este crimen y escribir su historia verdadera con la misma fascinación de una novela. Al año siguiente, Dolores viajó a Ayacucho con subvención de la Fulbright.

Ahora Mandalit del Barco ha regresado al Perú con la misma beca materna y escribe sus memorias sobre esta vuelta novelesca. Ahora abre frente a mí una caja de cartón que en otros tiempos conservaban los polvos faciales de Graciela, su abuela paterna. Era toda una señora de Ayacucho, un pueblo de los Andes conocido por sus artesanos, iglesias y músicos, pero también por su miseria en el olvido. Ayacucho es, en quechua, rincón de los muertos. En Ayacucho, Sendero Luminoso la mató y aún es un crimen sin resolver. En Ayacucho se libró la última batalla por la independencia de América del Sur. En Ayacucho, tras el telón del Teatro de la Universidad de Huamanga, Dolores conoció a Renán del Barco, un director teatral que también era un periodista cautivante. Ambos tenían que actuar de marido y mujer en una improvisación escénica y se tomaron en serio el papel fuera de ella.

Años después tuvieron que viajar a Kansas, donde el padre de Dolores estaba al borde de la muerte. Desde entonces, en Ayacucho la abuela Graciela atesoró sus recuerdos: boletos ajados de avión, fotografías sepia, cartas amarillentas enviadas desde los Estados Unidos. Los fue guardando en esa caja de cartón que alguna vez conservó unos polvos contra su palidez y que ahora preservan los primeros mechones de cabello de su nieta. Cuando murió el abuelo Villarreal, los Del Barco se mudaron a Baldwin. Dolores ya tenía su segundo hijo y eran los únicos latinos de un pueblo donde nada sucedía. La primera noticia que recuerdan fue el asesinato de JFK. Renán del Barco había llegado a los Estados Unidos dos días antes de que su esposa diera a luz por segunda vez. Un mes después balearon a Kennedy en Dallas: Mandalit estaba en los brazos de su padre, con la televisión encendida y los gritos de la gente en un inglés que aún no entendía su papá. Su madre, que descansaba en su cama con el recién nacido Andy, tuvo que levantarse para darle la noticia.

Su primer viaje desde Lima también fue a Ayacucho. Tenía la misma beca de su madre y sus amigos de Los Ángeles le decían que también en los Andes iba a encontrar al hombre de su vida. Parecía estar repitiendo la historia de Dolores, pero Mandalit viajaba a Ayacucho con una deuda en nombre de su padre. Quería buscar las tumbas de su abuela, de su tía y de su prima asesinadas el mismo día por Sendero Luminoso. Contrató a un artesano de lápidas y les celebró una misa. El Día de los Muertos fue al cementerio con unos rezadores que lloraban en quechua. «Nunca habíamos podido regresar y era un homenaje pendiente», me dice. Volver ha sido para

Mandalit como pagar una deuda sentimental, pero también como volver a aprender a caminar. Pero esta vez el Perú debajo de sus pies no es el de las leyendas que le contaron sus padres. Ella ha encontrado un paisaje real maravilloso minado por el trauma de su conquista española, la resaca de Sendero y una pigmea autoestima histórica.

En cambio Kansas era el rectangular Sunflower State. Todos los niños eran rubios y era un pueblo bucólico y de otra época. Ellos eran traviesos y despreocupados, casi una versión moderna de *The Little Rascals*: se caía un árbol y los Del Barco lo convertían en un avión, Andy jugaba con muñecos de astronautas y el juguete consentido de Mandalit era una llama, un auquénido del Perú. Veían *Bugs Bunny, Sesame Street, Star Trek*. Ella recuerda aún el día que el hombre *walked on the Moon*. Mientras un astronauta escalaba hasta la Luna, a ella la devolvían a su casa por ir a su escuela en minifalda y a su hermano lo mandaban de vuelta por su pelo largo. Kansas nunca entendió a los *flower children*. Siempre fue el país de la cándida Dorothy, que vive en una chacra y sueña con viajar al otro lado del arco iris. Pero Mandalit tenía sus propias rutas para atravesarlo: a los siete años, escribió una obra de teatro que duraba tres minutos. El argumento era que ella y su hermano estaban en la selva amazónica enfrentándose a un jaguar y Renán del Barco entraba en escena para salvarlos. *The end*.

Al otro lado del arco iris estaba Perú. En *Thanksgiving*, en vez de pavo, los Del Barco comían papas a la huancaína, chupes de camarones y ceviches que salían de las manos de Renán. No era raro que llegaran estudiantes extranjeros que venían de lugares como Somalia, China y Costa Rica. Era una celebración políglota. Vivían en Baldwin en una casa de dos pisos, ladrillo y madera, como todas las de ese pueblo antiguo. Alrededor del estéreo había discos de huaynos ayacuchanos y música folklórica de otros países. De las paredes de la sala colgaba artesanía de los Andes, retablos, tapices y ponchos que no disimulaban la nostalgia. «Ya sabe contar hasta cinco en español, inglés y quechua», escribía en una carta Dolores sobre su hija. Mandalit se ve rodeada de jardines como si viviera dentro de un parque, jugando con su hermano frente a la puerta abierta de su casa. En Baldwin no había ladrones ni asesinos. Ellos vivían lejos de Garden City, lejos de Holcomb, el pueblo donde los Clutter fueron masacrados por un par de pobres diablos. Pero Kansas no era Garden City. Allí matar no era una costumbre.

Atrás habían quedado los rumores del crimen, y Capote esperaba a que los asesinos fueran llevados a la horca para publicar *In Cold Blood*. Este libro iba a fundar el Nuevo Periodismo, que Mandalit leería décadas más tarde en Columbia University. Sí, Baldwin quedaba lejos del inhóspito Holcomb, aunque el mismo hombre que les vendió a los Clutter una póliza de seguros de vida, sería también quien vendería años después a los Del Barco un seguro de automóvil. Baldwin era para ella como Mayberry, ese estereotipo de un utópico pueblo norteamericano que inventó Hollywood para una serie de la época. «Si Baldwin era Mayberry, entonces nosotros éramos la familia Addams», bromea su hermano. Era un pueblo de hijos obedientes. Pero como el resto del país, Kansas también estaba dividida por la guerra de Vietnam. Los Del Barco eran de otro mundo y junto a otros pacifistas iban con sus hijos a vigilias de protesta. Varias veces salieron a las calles a tocar cada puerta en contra de la reelección del presidente Nixon. Para ellos era un vulgar ladrón, alguien a quien le convenía perpetuar la guerra. Mandalit no sabía entonces que un par de décadas después iba a estar cara a cara con Nixon, que iba a reportar su entierro como periodista de NPR.

La verdad es que toda su vida se la pasó escribiendo. A los once años ya había escrito una canción sobre Watergate. Su madre obtuvo un empleo de maestra bilingüe en las escuelas públicas de Oakland, California. Era la patria de los Black Panthers, los revolucionarios del black pride. Era la guarida de la Symbionese Liberation Army, los terroristas que secuestraron a la nieta del Ciudadano Kane. Dolores se mudó con toda su familia al otro lado de la bahía de San Francisco. Y a pesar de que la primera semana les robaron sus bicicletas, estaban más cerca de los hippies, de Santana y de los revoltosos de Berkeley. Sus vecinos eran de Vietnam, México, Japón, pero sobre todo africano-americanos. Se matricularon en una escuela católica, donde ser rubio era casi una vergüenza. Mandalit se declaró chicana, izquierdista, *filled with latino pride*. Su madre la llevaba a Berkeley para escuchar a César Chávez, el Martin Luther King de los chicanos. Pero también era una chiquilla como todas: cuando Muhammad Ali se decía el Kissinger negro y bailoteaba sobre el ring, ella tarareaba canciones de Sonny and Cher.

No se habían mudado a otro lugar: se habían ido a otra época. A los 17 años Mandalit estudiaba antropología y retórica en UC Berkeley, érase una vez la cuna del movimiento por la libertad de expresión y ahora una ciudad renegada de ex *hippies*. Ella devoraba a periodistas literarios como la migrañosa Joan Didion, el escandaloso Hunter Thompson, el presumido de Tom Wolfe, periódicos izquierdistas de la calaña de *The Village Voice* y revistas desfachatadas como *Rolling Stone*. Se la veía caminando por Berkeley, entrevistando a personajes tan delirantes como una poeta coja que lanzaba burbujas de jabón en su protesta infinita contra Vietnam, una guerra que había terminado hacía diez años; infiltrándose en los clubes exclusivos de mujeres ricachonas, *sororities*, para contar sus vidas ridículas. Publicaba sus crónicas en *The Daily Californian*, un hermano menor del zurdo *The Village Voice*, y se iba a dormir a las tres de la mañana, afiebrada y feliz.

Parece que su vocación de periodista es genética: Mandalit es descendiente de Pedro del Barco, uno de los fundadores de la ciudad española del Cusco en el siglo XVI y uno de los perseguidores del rebelde Manco Inca. Su ilustre antepasado murió en la horca, con el triste privilegio de elegir la rama donde ejercer su pataleo, no sin antes dejar a sus hijos mestizos a la potestad del padre del mismísimo Inca Garcilaso de la Vega, el cronista de los *Comentarios reales*. También Mandalit es descendiente de Martín del Barco, un poeta español del mismo siglo, que escribió el poema épico «La Argentina», título que sería el nombre de este país. Pero la tradición de su familia periodística nació en el siglo XIX con el bisabuelo de Mandalit; la heredó su abuelo Osmán, un guitarrista clásico, gitano y *bon vivant* que fue compañero de andanzas del poeta Vallejo en París. La continuó su padre, Renán del Barco, un hombre que parece venir del Renacimiento. Hasta que vino ella y se fue a New York.

Era otro planeta. Antes New York era para ella el paisaje humano de las películas de Woody Allen y Spike Lee, una sardina de roca montada por rascacielos y ríos a ambos lados. Ahora era más de lo mismo, pero esta vez Mandalit era uno de sus personajes. New York era epiléptica, *cosmopolitan*, promiscua, *in your face*. Del Barco era insomne, kamikaze, *streetwise*. Vivía a la vuelta de Harlem, estudiaba su maestría de periodismo en Columbia y escribía una tesis sobre el break-dance. Mientras otros investigaban en bibliotecas la invasión de Granada, Mandalit invadía en persona el continente hip-hop. Entonces esta latina tenía veintiún años y un novio judío neoyorquino. Tenía de amigotes a break-dancers nuyoricans y a raperos, graffiti artists y DJ's africano-americanos. Ella solía vagabundear con esa tribu entre *ghettos* y barrios, robando electricidad de los postes para encender los tocadiscos, improvisando corridos de rap con acrobacias que al final te dabas cuenta de que eran baile. No. Mandalit nunca fue la chica de la Ivy League que había ido a espiar a esos pobres niños. Ella era parte de la fiesta. Y New York fue la más asfaltada pista de baile.

Miami era una gusana quinceañera con sueños de *jet set*. Miami era la sucursal adolescente de la Cuba más frívola y mafiosa, por cuyas playas desfilaban desde jubilados con crema de cinc en la nariz hasta los últimos artistas del narcotráfico. Ella vivió allí y no lo dice en voz baja. Mandalit del Barco se mudó a Coconut Grove, uno de esos centros comerciales de Miami disfrazado de lugar residencial. Era el estereotipo de los suburbios: sus vecinos se pasaban la vida engordando frente a su TV viendo *Miami Vice*, se relajaban podando su jardín dominical, se emocionaban jugando bolos como *Los Picapiedras*. «Me sentí la única viva en un cementerio», dice ella con acento lúgubre. *The Miami Herald* la había contratado para escribir crónicas en esa ciudad donde todo parecía suceder. Desde el primer día, se dio cuenta de que mudarse había sido un error: «Caí en una depresión tropical por dos años», añade, tratando de recordar esos tiempos en que los *drug lords* eran los personajes de las películas, trajeados de color pastel como los hoteles de art déco en Miami Beach. Era la época del amor en los tiempos del sida.

Era una noche de Halloween y había que divertirse. Mandalit del Barco fue a una discoteca de Miami Beach con un *surfer boy*. Estaba bronceado y era musculoso y rubicundo. Había bebido más de la cuenta y ella quería volver a casa. «Ha sido lo más horrible de mi vida», dice ella, como si ya se lo hubiera repetido miles de veces. El hombre la empujó contra la cama y sostuvo su cabeza contra la almohada. La violó un par de veces y se fue a dormir. Mandalit se fue como un zombie a la sala contigua, tomó un cuaderno y escribió todo como una poseída. Se fue a la policía de Miami y no le creyeron. Se fue a decirles que era periodista, que nunca mentía y tampoco le creyeron. «Si es falsa tu denuncia, te encarcelamos treinta años», le dijo una policía, tan mujer como ella. La subieron en un patrullero. La obligaron a ocupar el asiento trasero. La llevaron a la casa del *surfer boy*. No estaba. Se había ido. Ella no se atrevió a volver a la suya. Se quedó a dormir en un barco donde vivía un periodista del *Miami Herald*. Él supo que no debía preguntarle nada. Al día siguiente volvió al diario sin contárselo a nadie. Tenía veintidós años y vivió meses como una sonámbula. La abandonó su novio de New York. Estaba sola. Viajó a California. Se lo contó a sus padres. Era Navidad y le pidieron que no se fuera. Ella regresó a Miami. Un mes después asesinaron a su abuela, a su tía, a su prima. Fue Sendero Luminoso. Y no se lo dijeron hasta seis meses después.

Washington era very nice, pero a ella le aburría su alma suiza. Cada fin de semana, Mandalit del Barco huía en tren a New York para buscar la noche. La habían contratado de National Public Radio. Pero Washington era tan aburrida como Brasilia, una ciudad para diplomáticos y administradores. Ella prefirió atravesar fronteras. Producir reportajes de acción. Volar, viajar. «La política del estado norteamericano es muy racista. Los que cruzan la frontera sólo quieren sobrevivir», ella dice. Se fue a la frontera. *Welcome to Tijuana*, tequila, sexo y marihuana. Una medianoche Del Barco cruzó con un técnico y un reportero la frontera con San Diego. «No te miento. Eran millones, millones de inmigrantes», insiste ella como si no le creyera. Luego volvió como siempre a su New York, New York, donde fue reportera de noticias y cronista cultural. Que un documental sobre el Quinto Centenario desde España. Que un informe del estado de ánimo de la gente frente a la Guerra del Golfo. Que una retrospectiva sobre el Paladium, el hogar del mambo donde nos alegraba la vida Tito Puente. Eran los tres primeros años de la última década del siglo. Regresaba a su departamento de East Village a las seis de la mañana y a veces volvía a la radio a las nueve. Mandalit del Barco no recuerda otro desvelo más feliz.

Su próxima parada fue L.A.: la cadena la envió a la City of Angels por sus crónicas y porque ella era la única reportera que hablaba español. Mandalit del Barco había encontrado otro trabajo envidiable sin ser Jennifer López. Ella no quiere ser parte del coro de esa cultura llorona que los compadece sólo como pandilleros, *housekee-*

pers, jardineros o lavaplatos: «Eres bilingüe, tienes raíces de otros países, enriqueces tu vida apreciando las diferencias», me dice, enumerando, con sus dedos anillados, las virtudes de ser africanolatinoasiaticoamericano. Antes de mudarse por enésima vez, Del Barco le escribió una «Love Letter to New York» y la leyó en la radio con una sinfonía de sonidos que había coleccionado a los pies de los *skyscrapers*. La despidió una muchedumbre en el Nuyorican Poets Café con una orquesta de salsa. En L.A. había más latinos que gringos, más leyes antiimigrantes, más lentejuelas y oropeles. *Good-bye, N.Y.*

La recibió un terremoto de casi siete grados, un pretexto para conocer L.A. de un solo golpe. Vivía en Venice Beach, uno de los sitios de Los Ángeles donde aún sobreviven peatones. El resto de sus supercarreteras del cielo y de la tierra andaban ocupadas por un tráfico infernal de helicópteros de noticias y de policías. «En L.A. los semáforos deberían volar», ruega Del Barco. La reportera zigzagueaba entre Los Ángeles de los pandilleros y de las estrellas. Un día la llamó por teléfono Harrison Ford. Otra noche entrevistó a la intimidante y ultratatuada Boo Boo, de la pandilla Playboys. Estuvo a un metro de Roberto Benigni, cuando ganó el Oscar con *Life is Beautiful*. Salió a marchar con Dolores Huerta, líder de la United Farm Workers Union. Una tarde estuvo en el jardín de O.J. Simpson, que tenía una pistola en la sien. Otra medianoche bailó salsa frente a Jennifer López. «Los Ángeles fue más de lo que imaginé», admite años después de haber creído, como *snobby newyorkers* y *sanfranciscans*, que esta metrópoli era *Hell-A* en vez de L.A.

Lima se parece a Los Ángeles en que nunca llueve. Ella vive ahora en el noveno piso de un departamento en Miraflores, un barrio residencial que es el centro comercial de esta ciudad. Ella extraña la lluvia. Asomada a su ventana, Mandalit del Barco no ve flores, sino un cielo ancho y ajeno que la deprime con su color panza de burro. No en vano Melville la sentenció en *Moby Dick* como «la más extraña y triste ciudad que puedan ver. Porque Lima se ha desposado de su velo blanco, y hay un alto horror en la blancura de su dolor. Vieja como Pizarro, esta blancura eterniza su ruina». Como si se hubieran puesto de acuerdo, un poeta surrealista la nombró con el hiperreal epíteto de «la horrible». Desde su ventana, Mandalit avista también la resucitada calle Tarata, donde aún vaga el fantasma de Sendero

Luminoso, el estallido de un coche-bomba con cientos de kilos de dinamita. Su edificio queda a una cuadra de esa trágica calle donde hace más de siete años SL mató así a veinticinco personas e hirió a unas doscientas. Era un país que ahora Mandalit sólo puede imaginar desde su ventana, un país que parecía un cuento de terror del que aún sus habitantes no pueden apagar la luz.

Todos los días Del Barco ve a hombres de pie frente a los quioscos de prensa como moscas alrededor de un pastel de excrementos. Unos siete tabloides calumnian desde sus primeras planas a los adversarios del presidente Alberto Fujimori o halagan a este hombre que inauguró un estilo de hacer política. Junto a sus titulares de color pastel, derraman en sus narices las nalgas de una vedette semidesnuda o una fotografía digna de galería de morgue. El autor de *Moby Dick* tenía razón. La prensa basura es lo que más le ha sorprendido a la reportera de NPR. No era para menos: el último diagnóstico del Banco Mundial dice que casi la mitad de la población del Perú sobrevive con dos dólares al día, y las primeras planas de la prensa amarilla bastan para distraerlos y atontarlos. La comparación con su país es inevitable: los tabloides gringos exhiben en sus portadas a extraterrestres y escándalos de ricos y famosos, a extraterrestres y *aliens*, a extraterrestres y a E.T.

Su estadía en el Perú ha coincidido con las últimas elecciones presidenciales. Armada con su videocámara digital y grabadora minidisc, Del Barco ha llorado como nunca. La reportera ha escapado de las bombas lacrimógenas lanzadas por los policías contra los opositores al gobierno de Fujimori, de los estafadores de turistas que la han visto con cara de *one dollar*, de los macho men que la silbaban, tss-tss-tss como llantas desinflándose. Ella lo ha escrito todo y ahora alista sus maletas para volver a los Estados Unidos. Todos vuelven, dice el himno de los exiliados de César Miró. Entonces me asalta una frase de James Ellroy, el perverso escritor de *L.A. Confidential*: «A Los Ángeles vienes de vacaciones y te vas en libertad condicional». Ahora que va a viajar a su City of Angels, donde todo inmigrante es sospechoso, sé que Mandalit del Barco se irá allá de vacaciones. Sé que volverá a Los Ángeles sólo de visita.

American Dream

Celso Santajuliana

…los sueños recurrentes son una enfermedad…

…durante años padecí uno que como se repetía con tanta frecuencia lo recuerdo con mucho mayor claridad que la de los sucesos verdaderos…

…quizá la pobreza de la realidad radica en su imposibilidad de recurrir…

…en mi sueño era de noche y yo estaba de rodillas escuchando ruidos en un claro de la plantación… oía el sonido que hacen las espigas al crecer… al rozar con un cuerpo presuroso… esforzándome por mirar a lo lejos alcanzaba a ver una bandera con su lanceta y su brazo portándola… yo atemorizado pensaba que lo mejor sería salir corriendo pero sin embargo me quedaba quieto hasta que de entre los trigales emergía un hombre fornido y enanoide que transformaba mi horror por lo desconocido en el terror de lo familiar… ese hombre era mi padre e inaugurando un nuevo estadio del miedo me dejaba caer de espaldas mientras él alzaba el estandarte para afianzarlo primero en mi cuerpo y luego en la tierra que para él sería siempre extranjera…

…después en el sueño era yo una presencia de planeos dilatados que desde lo alto miraba a un niño con el corazón atravesado por la bandera de los estados unidos… un niño que yacía junto a un enano satisfecho por el deber cumplido…

…los sueños son una enfermedad…

(…)

…no sé desde cuándo empecé a odiar a mi padre… no recuerdo si existió un antes en el cual no lo odiara… ahora quisiera perdonarlo y busco un lugar en donde sembrar ese perdón… quisiera creer que fue la vida la que lo orilló a ser así… pensar que en sus circunstancias todos habríamos sido iguales… o peores…

…mi padre fue el patriarca miope de una grey austera que encontró en el estado de texas su particular e incomprensible sinaí…

mi madre y yo lo seguimos durante años por las rutas de la lechuga y el algodón… mi madre era el pararrayos de la ira del enano… a ella le tocaban los golpes y los insultos… ella reía mucho conmigo… y aunque mi padre se cuidaba de mostrarlo se veía satisfecho de esa familia que con buen humor toleraba sus neuróticos regresos tras cada jornada… porque el enano era el ejemplo de la desdicha… siempre llegaba con las lumbares arruinadas y una paga miserable… con los dedos atravesados por las espinas del algodón y la ropa manchada de sangre… llegaba cansado de luchar contra todo… de perder una y otra vez… entonces nos maldecía y nos detestaba y nos amaba…

…el enano fue el profeta fiel de un dios egoísta que jamás lo recompensó…

…quisiera dejar de odiarlo…

(…)

…durante una semana entera mi padre y yo fuimos caminando por las tardes hasta la granja el sillar… ahí vivía julius barnes… lo más cercano a un amigo que tuvo el enano… íbamos a visitarlo porque mi padre quería pedirle que me dejara ver en su televisión la llegada a la luna… seis veces nos detuvimos frente a la casa sin que él se animara a tocar para decirle nada y entonces hacíamos el largo camino de regreso con el enano murmurando maldiciones… cada día mi padre se iba poniendo de peor humor… cada vez fueron aumentando los pleitos con mi madre a pesar de que ella por ese entonces ya estaba enferma…

…en la víspera del día esperado para el alunizaje mi madre fue a parar al duncan memorial hospital y la señora barnes le ahorró al enano el tener que pedir el favor y se ofreció para llevarme a su casa…

…cuando armstrong puso los pies en el polvo de la luna mi madre acababa de dejar la tierra pero en el memorial hospital no le dijeron nada a mi padre porque lo encontraron hipnotizado frente al televisor… eufórico ante la transmisión en blanco y negro… haciendo suyo ese logro inédito… maldiciendo en voz alta cada que fallaba la histórica señal…

…yo me quedé en casa de los barnes el resto de la semana… viendo en la tele todos los días la repetición del alunizaje… luego el enano llegó por mí y me dijo que iríamos con dolores… fue finalmente dolores quien un mes más tarde tuvo que darme la noticia…

(…sabes cariño tu mamita se fue al cielo… como los astronautas… exactamente… y cuándo va a regresar… nunca…)

…texas es el punto intermedio entre la luna y la muerte…
(…)
…trepamos en un bus de la greyhound y en dos días atravesamos el estado hasta llegar a nuevo méxico… dejamos atrás las plantaciones algodoneras y mi colegio y el cuarto de madera donde ocurría nuestra vida… yo llevaba una pequeña maleta con algo de ropa y una foto polaroid donde aparecíamos todos… mi madre mi padre y yo sonrientes… esa foto era la prueba irrefutable de una felicidad que no conocimos…

…aquella foto fue lo único que yo conservaría de mi madre… y fue poco…

…llegando a columbus el enano me dijo que iba a quedarme un tiempo con la abuela dolores… yo me descorazoné… tenía miedo de preguntar por mi madre y miedo de que él me abandonara… supe que a pesar de odiarlo lo echaría de menos…

…antes de entrar en casa de dolores mi padre me abrazó… para ese entonces ya medíamos lo mismo… él no era propiamente un enano pues su cuerpo conservaba cierta coherencia en las proporciones… era como un hombre normal pero a otra escala… de hecho podría haber resultado simpático ese señor en miniatura pero su gesto hosco y sus violentos modales inspiraban temor y desprecio…

…nunca antes y nunca después vi llorar a mi padre… hasta ese momento había sorteado con algo cercano a la dignidad los trances de esa secuencia de desdichas que era su vida…

…se había esforzado por aparecer estoico ante el cúmulo de adversidades que lo rodeaban como una nube de moscos… pero al parecer el hecho de tenerme que dejar con dolores tan cerca de la frontera mexicana era la sumatoria de sus pérdidas…

…lloró y me pidió que no me preocupara… prometió que regresaría por mí y se juró que yo no correría su suerte…

…creo que aquella vez tuvimos nuestra conversación más larga… el enano solía no dirigirme la palabra porque él no hablaba inglés y me tenía prohibido hablar en español…

...yo por supuesto que creí en su promesa... desde el día siguiente a su partida esperaba verlo de vuelta... en un principio cada vez que llamaban al portón de dolores pensaba que sería él... luego poco a poco y ayudado por la abuela me hice a la idea de que no lo volvería a ver... quizá para mí hubiera sido mejor que no cumpliera su promesa... pero la cumplió...

...el enano regresó...

(...)

...dolores resultó ser una mujer agradable ingeniosa y parlanchina... una matrona gorda y de fácil carcajada... afecta a los cigarros sin filtro y la comida sureña... fanática del moonshine y adicta a inventarle virtudes a ese hijo suyo que era mi padre... desde el día siguiente a mi llegada dolores me ingresó en el colegio y sin aparentar ningún conflicto asumió esa su segunda y tardía maternidad...

...la abuela se ganaba la vida como camarera en el rosita y no entendía por qué su hijo se mediomataba buscando ese grandilocuente porvenir que durante los sesenta todos los jóvenes americanos se empeñaban en hacer posible... dolores era práctica y objetiva... sabía que porvenir y derrota son lo mismo...

...para la abuela la vida era una película que ya había visto varias veces y por ello transcurría sin sorpresas... contraria a la tragedia implícita en su nombre dolores era un ejemplo feliz de la resignación...

(...tu padre no entiende nada tú sí vas a estar bien en américa porque eres de aquí y él no... él nació en columbus abuela... sí pero tu abuelo y yo cometimos el error de ir a enterrar su cordón umbilical del otro lado de la frontera y uno es de donde está enterrado su cordón umbilical... cómo es eso abuela... es triste...)

(...)

...mi padre regresó a columbus el día de mi duodécimo aniversario... habían pasado cinco años desde que nos separamos y yo no lo reconocí... como dolores se cuidaba de jamás mencionar su defecto se me había olvidado que él era un enano... ahora yo le sacaba más de pie y medio de altura y me dio risa abrazarlo...

...bastaron unos minutos junto a mi padre para derrumbar todas las ficciones de la abuela... me dio tristeza constatar que aquel recuerdo magnificado por los relatos de dolores se reducía a ese hombre resentido... derrotado... y de menos de cuatro pies de altura...

...yo le supliqué a la abuela que no permitiera que el enano me llevara consigo y ella por respuesta no hizo más que presumir mi buen inglés...

...por lo menos no regresamos a las plantaciones... fuimos a nueva york... a manera de bienvenida en la gran ciudad mi padre había conseguido un par de entradas para ver jugar a los mets... apenas teníamos tres días para el camino... poco tiempo para llegar a tiempo...

...cuando en los largos trayectos el enano se quedaba dormido a mí me daban ganas de bajarme del autobús... ganas de perderlo y perderme en cualquier estación... pero no me atreví... me quedé junto a él...

...lo que une tan estrechamente a los padres con los hijos no es tanto el afecto como el destino...

(...)

...hay muchas formas de hacer que nueva york sea una comarca del infierno... una de ellas era vivir con el enano... su astigmática inteligencia lo llevaba a concluir que el salvoconducto de la americanidad se ganaba no comportándose como turista... bajo la premisa de que para ser un american citizen había que comportarse como tal se puso a observar a la gente y llegó a una disparatada conclusión... los neoyorquinos no miran hacia arriba...

...lo curioso de esta estúpida teoría es que resulta cierta... los neoyorquinos jamás levantan la vista más allá de los catorce pies donde se encuentran las luces de los semáforos y los nombres de las avenidas... así que la regla número uno estaba clara... yo alzaba la vista y me hacía acreedor a una encolerizada tunda...

...adentrado en la pedagogía del terror aprendí a conformarme con mirar las figuras oblicuas de los rascacielos reflejados en los parabrisas de los autos...

...pero si algo he de reconocerle a mi padre es que predicaba con el ejemplo... en los cuatro años que pasamos juntos en nueva york jamás lo sorprendí levantando la vista... cosa de por sí difícil en cualquiera... pero mucho más en un enano...

(...)

...vivíamos en corona... en el queens... cerca del john efe kennedy... era un vecindario de mayoría dominicana y colombiana donde por supuesto no radicaba ningún anglosajón... ahí jamás tuve un solo amigo... los otros chicos me despreciaban porque el enano me obligaba a pedir las cosas en inglés... éramos dos bichos raros a los que nadie se molestó en dirigir la palabra...

...la segunda gran prohibición que enfrentaba en esa época era mirar al suelo... mientras los otros niños se la pasaban recogiendo *pennies* hasta juntar para un helado yo eso lo tenía prohibido... los auténticos americanos jamás recogen un *penny* de la calle...

...ni muy arriba ni muy abajo... tuve licencia tan sólo para mirar el horizonte y entonces para ver lejos tenía que pararme frente al mar...

(...)

...un sábado mi padre me pidió que lo acompañara para que viera donde trabajaba... era un edificio enorme en la esquina de lexington y la cincuenta y seis... hasta entonces supe lo que mi padre hacía en nueva york... limpiaba ventanales en los rascacielos...

...trepé al andamio y comenzamos a subir... durante el ascenso el enano se transformó... al ver la ciudad desde una panorámica usurpada experimentaba una alegría contagiosa... nunca antes lo vi sonreír de esa manera...

...a pesar de mi fobia por las alturas creo que aquella mañana fui feliz...

...luego de mostrarme la manera en que triunfaba sobre la ciudad descendimos y yo bajé entumido un poco por el aire frío y otro poco por el miedo con que me sujetaba de las cuerdas... mi padre aún con la resaca de su alegría me dio un billete de cinco dólares para que fuera a almorzar al central park...

...sentado frente al laguito que da al plaza hotel me dio por suponer que los malos tiempos para nosotros habían terminado... y es que así es la alegría... una trampa...

...esa noche el enano no llegó a casa... por la mañana una trabajadora social me hizo llenar la maleta con mis cosas y sin mediar explicación me trepó en un greyhound y dijo que la hermana de mi madre esperaría por mí en san francisco... yo nunca antes oí hablar de la tía eugene... ni de san francisco...

…aquel fue mi tercer gran viaje… mi tercer gran pérdida…

…existe algo que hermana a los greyhounds con la soledad…

(…)

…parece que al enano sus compañeros de trabajo le habían contado muchas cosas sobre el apagón del sesenta y cinco…

…por la tía eugene me enteré de que mi padre había sido pescado cuando con otro sujeto atracaba una tienda… iban camino· a casa cuando ocurrió un apagón… el enano y su amigo creyeron que tendrían tiempo… quisieron aprovechar la confusión pero la luz pronto regresó…

…le echaron seis años de cárcel… en ese tiempo mi vida cambió radicalmente… en california logré terminar el colegio y conseguí una beca para ingresar a la universidad en santa bárbara…

…tía eugene dice que el enano nunca llamó… yo pienso que al salir de la cárcel me fue a buscar… creo que al mirar mi discreta prosperidad supuso que para mí sería mejor que él no reapareciera…

…el enano siempre se equivocó…

(…)

…ahora padezco los sueños de mi padre… jaqueline es nueva… apenas lleva siete días en el mundo y yo todas sus noches me he soñado caminando dentro de una plantación de trigo… siento cómo las espigas rozan mi cuerpo… llevo conmigo una lanceta en cuya cima ondea el estandarte americano… llego a un claro… la pequeña jaqueline me sonríe con los cachetes rojos por el frío… levanto la bandera…

…despierto horrorizado…

…no sé qué hacer… quisiera partir en mil pedazos su cordón umbilical y enterrarlo en otros tantos países… o tal vez debiera licuarlo en su papilla para arraigarla sólo a sí misma…

…no sé…

…la herencia es una maldición recurrente…

Eastward, Angel

Teoría de juegos

Jorge Volpi

Bacon estaba convencido de que el único campo en el cual la teoría —convertida en mera fantasía privada— no sólo era infructuosa, sino perversa, era en el relacionado con el sexo. Lo trágico era que prácticamente todos los habitantes de la ciudad, el rector y los diáconos, las esposas de los profesores y el alcalde, los policías y los médicos, y muchos de los estudiantes, no habían llegado a comprender esta premisa fundamental. Ellos se conformaban con llevar a cabo experimentos mentales relacionados con este asunto en los lugares menos pensados: en la iglesia y en sus conferencias, en las reuniones familiares y a la hora de llevar a sus hijos a los jardines de niños, mientras almorzaban o al pasear a sus caniches al atardecer. A imitación de su Instituto de Estudios Avanzados, la opalina sociedad de Princeton se limitaba a imaginar los placeres que no se atrevía a consumar. Por esta razón Bacon detestaba a sus vecinos. Le parecían mendaces, necios, pusilánimes… En esta materia, él no podía conformarse con la abstracción y la fantasía: ningún cerebro —ni siquiera el de Einstein—, bastaba para descubrir la diversidad del mundo ofrecida por las mujeres. El pensamiento era capaz de articular leyes y teorías, de fraguar hipótesis y corolarios, pero no de rescatar, en un instante, la infinita variedad de olores, sensaciones y estremecimientos que lleva consigo la lujuria.

En un lapso de hastío, conoció a Vivien. Tenía un cuerpo perfecto. Siempre que Bacon intuía que ella iba a presentarse en su casa —a pesar de su insistencia, ella siempre se había negado a anunciar su visita—, se preocupaba por poner las sábanas más blancas que encontraba en su armario. Nada le gustaba más que el contraste entre la negra piel de Vivien y la palidez de la tela. Al recostarse a su lado, adoraba profanar esa íntima armonía establecida en aquella silenciosa unión de los contrarios. Con Vivien apenas hablaba. No era que no le interesase su vida o sus palabras; simplemente le gustaba creer que en esa mujer de caderas anchas como cunas existía algo definitivamente misterioso y atroz. En sus ojos, enmarcados en un contorno que brillaba como la luna en un eclipse, *debía* ocultarse un secreto pasmoso sobre su pasado o, incluso, un accidente o un delito a los cuales debía su naturaleza esquiva. Quizá no fuese así —nunca había querido preguntarle—, pero le encantaba albergar la ilusión de convivir con un carácter difícil: atesoraba la zozobra que sentía en su presencia.

A pesar de la pasión que sentía por ella —era lo más cercano al amor que había conocido—, Bacon se cuidaba mucho de que nadie lo viese con Vivien por las calles de Princeton. Siempre la citaba en su casa, adonde ella acudía ritualmente como si se entregase a un sacrificio que le permitiese aplacar a unos dioses semanales. La sensación infantil de pecar, de romper una ley prohibida, lo mantenía en un estado de emoción que pocas veces antes había tenido. Ésta era su «Teoría sobre Vivien», la cual se dedicaba a comprobar, entre las sábanas de su cama, con la obstinación que sólo adquieren los físicos experimentales. Ella, por su parte, se dejaba manipular con una placidez similar a la indolencia. Lenta y sudorosa, Vivien hacía el amor como si bailase un blues. Su temperamento le hacía pensar a Bacon en las cobayas o en las larvas acomodaticias y serenas que se mecen en sus hojas carcomidas, indiferentes a las fauces de sus predadores.

En cuanto terminaba de desnudarse, Bacon la ponía boca abajo, encendía todas las luces y contemplaba impávido, durante varios minutos, aquella contradicción de la óptica. Luego se inclinaba sobre ella y se dedicaba a besarla incansablemente: su lengua recorría sus contornos circulares y poco a poco ascendía hacia la depresión lumbar, obstinado con adosarle un lago de saliva a aquel valle humano. A cada paso, sus labios comprobaban la perfección de unas ecuaciones esféricas que se sabía incapaz de resolver. Al concluir, la cambiaba de posición, como si fuese un muñeco articulado. Sólo entonces se desvestía también. Separaba cuidadosamente los muslos de Vivien imaginando que eran dos briosas corrientes de lava, e introducía su rostro en el sexo húmedo y apacible de la muchacha. Este preámbulo era una especie de axioma a partir del cual se derivaban, en cada ocasión, diversos teoremas. De acuerdo con su habilidad analítica, a veces éstos lo conducían a los pies de Vivien, sucios y pequeños, otras a sus pezones azulados, a sus cejas, a su ombligo. Más que fornicar con ella, estudiaba sus posibilidades y, a un tiempo, las formas que iba adquiriendo su propio placer. Al final, el orgasmo era sólo una consecuencia necesaria de los cálculos esbozados desde el inicio.

—Es hora de que te vayas —le decía una vez que él se había recuperado.

Aun si en verdad la quería, odiaba que ella permaneciese mucho más tiempo en su cama, tener que abrazarla cuando todo había concluido. Entonces, el calor que desprendía y las gotas de sudor que perlaban su piel con diminutos ojos translúcidos le producía un asco tan intenso como la excitación previa. La animalidad se le aparecía de pronto, inevitable, y no podía dejar de imaginarse como una pareja de cerdos refocilados en su propia mierda. Ya comprobada su «teoría», dejaba que Vivien reposase sólo el tiempo indispensable y luego simplemente le pedía que se marchara. Con la misma indiferencia que, en cierto modo, advertía en ella, la veía recoger su ropa y ponérsela en silencio como quien viste una muñeca ajena. Cuando al fin se quedaba solo, Bacon no podía dejar de entristecerse, *quod erat demostrandum*, y generalmente dormía sin sueños.

El Instituto de Estudios Avanzados era un lugar mohoso y lúgubre: no contaba con laboratorios y menos aún con estudiantes ruidosos e impertinentes. Los instrumentos de trabajo de sus inquilinos se reducían a unos cuantos pizarrones, tiza, papeles… Si uno quería dedicarse a realizar experimentos mentales, se trataba sin duda del mejor sitio para ejecutarlos. En el interior de los gruesos muros de Fuld Hall, se congregaban algunas de las mentes más poderosas del mundo: los profesores Veblen, Gödel, Alexander, Von Neumann, así como los célebres conferencistas que peregrinaban con frecuencia a sus instalaciones, por no hablar del patrono tutelar de los físicos, el propio Einstein. Sin embargo, Bacon se aburría.

Apenas habían transcurrido unos meses desde que había comenzado a trabajar al lado de Von Neumann, pero aún no había encontrado un estímulo que lo entretuviese. No es que le disgustara el trabajo con el matemático húngaro, por lo demás bastante rutinario, ni que pensase que podía hallar un lugar mejor para continuar su aprendizaje, pero había descubierto en su corazón una veta que lo alejaba de la especulación pura o, al menos, de la ciencia silenciosa que se practicaba allí. En un par de ocasiones intentó acercarse a los profesores que se reunían a tomar té con galletas a las tres de la tarde, pero sus deseos de iniciar una conversación con alguno de ellos se vio frustrado por el desinterés que mostraron hacia su persona.

Acostumbrado a destacar en todas las materias de su carrera, esta falta de atención lo sumía en un letargo muy similar a las depresiones que experimentaba cuando aún vivía con su familia. En esos momentos, pensaba que quizás hubiese sido mejor marcharse a otra universidad, a Caltech probablemente, donde al menos habría tenido la posibilidad de enfrentarse a problemas más vitales.

— Para colmo, su relación con Elizabeth se volvía cada día más seria y la cercanía de un compromiso formal lo horrorizaba. Al principio se había tratado de una especie de prueba —era la primera vez que una mujer de su condición decía quererlo—, pero jamás pensó que su compromiso evolucionase con tanta rapidez. Por otro lado, no podía optar públicamente por Vivien: sería un escándalo que terminaría por marginarlo hasta de los círculos académicos. El brillante porvenir que creía haber iniciado al ingresar al Instituto se disolvía en una trampa de la que no hallaba modo de escapar. Pero no podía darse por vencido: debía resistir al menos un año antes de pensar siquiera en marcharse.

—¿Qué le sucede, Bacon? —le dijo un día Von Neumann con su acostumbrada extroversión—. ¿Tiene algún problema? Ah, ya puedo imaginarlo... ¿Mujeres, no es así?

—Hay dos mujeres...

—¡Lo sabía! ¿Ve que buen ojo tengo, Bacon? La gente piensa que los matemáticos no tenemos ningún contacto con el mundo, pero no es cierto... Incluso podemos ser más observadores que la gente normal. Vemos cosas que los demás no ven —hizo una pausa—. ¿Las quiere a las dos?

—En cierto sentido, sí. No estoy seguro. Una es mi prometida. Es una chica agradable, abierta...

—Pero no la ama.

—No.

—Entonces cásese con la otra.

—Eso también es imposible. No sabría cómo explicárselo, profesor. La otra es muy diferente... Incluso no sé si en verdad la conozco y menos aún si la quiero... Apenas hablamos...

—Un problema, claro que sí, ¡un verdadero problema! —interrumpió Von Neumann—. ¿Se fija como, de nuevo, yo tenía razón? *Éstas* son las cuestiones que nos afectan todo el tiempo aunque lo neguemos. Pero no crea que las matemáticas no sirven de nada en estos momentos —el profesor terminó el fondo de su bebida y de inmediato procedió a servirse otra ración. Bacon apenas había tomado la suya—. Por eso me interesa tanto la teoría de juegos. ¿O pensaba usted que era una de mis excentricidades la de pasármela con el cara o cruz y el póquer? No, Bacon, lo verdaderamente interesante de los juegos es que reproducen el comportamiento de los hombres... Y funcionan, sobre todo, para aclarar la naturaleza de tres cuestiones muy parecidas: la economía, la guerra y el amor. No bromeo... En estas tres actividades se resume la lucha que llevamos a cabo unos contra otros. En las tres, hay al menos dos voluntades en conflicto. Cada una intenta sacar el mayor provecho posible de la otra sin arriesgarse demasiado...

—Como en su ejemplo de la guerra.

—Exacto, Bacon. Aunque últimamente he estado más preocupado por sus aplicaciones económicas, será un buen ejercicio si analizamos su caso. Veamos. Hay tres jugadores: usted y sus dos mujeres, a las que llamaré, para no ser indiscreto, A y B. Usted será C. Ahora cuénteme qué pretende cada uno.

—Trataré de resumirlo —a Bacon le sudaban las manos, como si se estuviese confesando—. La primera, a la que usted llama A, es mi prometida. Quiere casarse conmigo. Me lo insinúa todo el tiempo, me presiona, no piensa en otra cosa. Por su parte, lo único que desea la chica B es que yo esté con ella, pero esto resultará imposible si accedo a casarme con A.

—Comprendo. ¿Y usted qué busca?

—Eso es lo peor. No lo sé bien. Creo que me gustaría mantener las cosas como hasta ahora... Que nada evolucionara.

Von Neumann se levantó de su asiento y comenzó a dar vueltas alrededor de la estancia. Golpeaba sus palmas una contra la otra, como si aplaudiese, mirando a Bacon con una especie de condescendencia paternal.

—Me temo, querido amigo, que usted está apostando por la inmovilidad, lo más peligroso que puede hacerse en un juego como éste... ¡Claro que puede intentarlo, pero hasta las leyes físicas irían en su contra! En los juegos uno siempre intenta avanzar, ir consiguiendo nuevos objetivos, derrotar lentamente al adversario… Así actúan sus dos mujeres. Las dos están acorralándolo poco a poco, mientras que usted sólo realiza una defensa pasiva —Von Neumann regresó a su asiento y puso su gruesa mano sobre el brazo de Bacon—. Como amigo suyo, debo decirle que su estrategia lo llevará al fracaso. Tarde o temprano, alguna de ellas terminará venciéndolo. En realidad, aunque no lo sepan, sólo están compitiendo entre sí… ¡Usted no es un jugador, muchacho! ¡Usted es únicamente el premio!

—¿Qué he de hacer entonces?

—Oh, mi querido Bacon. Yo sólo le estoy hablando de teoría de juegos, no de la realidad. Una cosa es la razón, como usted tan bien observó la vez pasada, y otra muy distinta la voluntad. Sólo puedo decirle que yo, en su caso, sólo encuentro una salida…

—¿Va a decirme cuál es, profesor?

—Lo siento, Bacon, yo soy matemático, no psicólogo —en el semblante rubicundo de Von Neumann se dibujó una sonrisa felina—. Tendrá que descubrirla por sí mismo…

Bacon sabía que las leyes de la sociedad —inspiradas en la mecánica clásica— eran inflexibles. Tarde o temprano, esta situación doble tendría que terminar y su elección sólo podía ser una: Elizabeth. Nadie, ni su madre ni sus amigos, ni siquiera sus profesores o sus condiscípulos, le perdonarían abandonar a la encantadora joven a quien consideraban, desde el inicio, como su futura esposa, y menos por culpa de una pobre trabajadora negra. Dócil ante una fatalidad que lo rebasaba, Bacon compró un anillo con un pequeño diamante azul y se lo entregó a Elizabeth una ventosa tarde de marzo de 1942, a la luz de la luna, tal como exigía el canon del romanticismo.

Aunque aún no habían fijado la fecha de la boda —debían esperar a que Bacon tuviese vacaciones para trasladarse a Filadelfia y solicitar la autorización del padre de Elizabeth—, a partir de ese día ella no se dedicó más que a visitar tiendas y mirar mil variedades de vestidos de novia.

Junto con esta obsesión por las telas, los velos y los encajes, la cercanía del matrimonio hizo que Bacon descubriese un nuevo secreto de Elizabeth: la creciente fuerza de sus celos. De nuevo: una cosa era la libertad individual y otra, muy distinta, la entrega absoluta que se deben los cónyuges entre sí. De pronto, ella comenzó a exigirle visitas más frecuentes: aunque él vivía en Princeton, debía trasladarse varias veces por semana, además de los sábados y domingos, hasta Nueva York sólo para estar con ella un par de horas. Para colmo, el viaje no le aseguraba una intimidad creciente —si ya hemos esperado tanto, le explicaba ella, ¿por qué no aguardar hasta la noche de bodas?—, y simplemente lo obligaba a ir y venir como un yoyo en las manos de un niño autista.

Lo increíble era que Bacon respondía con mimos y disculpas a los reclamos de su novia. Muchas veces se preguntó, a lo largo de esos meses, por qué toleraba aquella disciplina marcial que lo despojaba de su verdadero carácter. La respuesta era simple: porque se sentía culpable. Pensaba que, a pesar de su furia, Elizabeth confiaba en él y que sus sospechas, aparentemente escenográficas, en realidad tenían fundamento. A fin de mantener la situación como hasta entonces —como le había confesado a Von Neumann—, prefería desviar la atención de Elizabeth hacia temas banales, como las disputas sobre el carácter opresivo de su trabajo, antes que permitirle acercarse al verdadero motivo de sus ausencias. Poco a poco aprendía que, quien vive una vida doble, está condenado, más que a decir mentiras, a construir y representar medias verdades, como si el mundo pudiese dividirse en dos porciones, a la vez antagónicas y complementarias.

A fines de marzo de 1942, Von Neumann le informó a Bacon que el eminente profesor Kurt Gödel presentaría unos días después —justo en las fechas que le había prometido a Elizabeth que irían a Filadelfia— uno de sus nuevos trabajos durante las sesiones del claustro del Instituto. Cuando Bacon le comunicó la noticia a su prometida, explicándole la importancia del evento y asegurándole que realizarían el viaje el mes siguiente, Elizabeth se limitó a responderle que podía irse al diablo con su maldito Instituto… No era la primera ocasión que lo amenazaba —al final ella siempre terminaba buscándolo—, pero esta vez Bacon decidió no hacerle caso. Le interesaba demasiado conocer a Gödel como para preocuparse por uno más de los chantajes de su prometida. Le pareció una buena idea tomar este pretexto para descansar de ella unas semanas y poder meditar, a solas, sobre su futuro.

«Lo siento, Elizabeth», le dijo por teléfono, «pero no puedo faltar». Aunque sabía que estos días de libertad eran sólo un preámbulo ilusorio de su esclavitud futura, decidió aprovecharlos como si no fuesen a terminar nunca.

El cuerpo de Vivien se extendía de nuevo, como una sinuosa mancha parda, sobre las sábanas de Bacon. Había llegado a su apartamento poco después del atardecer. Sus largos brazos desnudos se confundían ya con los restos de la noche, envueltos en una especie de rocío causado por la pertinaz llovizna que caía afuera. Hacía apenas tres días de que, luego de su áspera discusión telefónica con Elizabeth, Bacon había decidido asistir a las conferencias de Gödel en vez de viajar a Filadelfia. Según recordaba ahora, mientras comenzaba a besarle los lóbulos de las orejas a Vivien, en ese momento también había pensado abandonarla a ella pero, en cuanto la vio llegar, se dio cuenta de que no podía resistir la tentación de poseerla de nuevo.

Como si en realidad se hubiese liberado de una condena, por primera vez en mucho tiempo tenía deseos de ser dulce con su amante. De pronto, le pareció débil e inocente, en vez de dolorida y misteriosa, y quería recompensarla por la traición que durante tantos meses había cometido contra ella. Quizás sólo se tratase de una proyección del cariño que él mismo necesitaba pero, en lugar de mirarla impersonalmente, él mismo se encargó de desnudarla, poco a poco, como si estuviese preparando a una niña para darse un baño. Luego la besó en los labios —un desliz que siempre evitaba—, larga y tiernamente, alaciándole el cabello negro y rizado. Al fin, hizo el amor con ella con la delicadeza que sólo se tiene con las vírgenes. Lo único que se cuidó de conservar de su rutina era el obstinado silencio con el cual iba internándose en su cuerpo.

—¿La quieres?

En medio de aquellas sábanas, Vivien parecía un náufrago que trata de protegerse del golpe de una ola gigantesca. Bacon se apoyó en su espalda y la estrechó contra su cuerpo, sin saber que, así, él mismo se había convertido en aquella ola.

—¿A quién?

—No sé como se llama, ni siquiera la conozco… Dime, ¿la quieres?

—No —balbució Bacon—, no lo sé… Tienes que comprender, Vivien…

—¿Vas a casarte con ella?

—Sí.

—¿Por qué, si no la amas?

—No me hagas esas preguntas… Así debe ser, supongo. Hay cosas que uno tiene hacer, sin más: casarse, tener hijos, morir… Es bonita, le gusta a mi madre, es rica.

—Y es blanca…

—Eso da igual.

—¡Tú sabes que no da igual!

—Desde el principio, tú estabas consciente de que lo nuestro… Nunca te he engañado, Vivien.

—Ni siquiera recuerdas mi verdadero nombre, ¿cómo vas a ser capaz de engañarme? —Vivien se apartó de Bacon y se levantó de la cama. No parecía enojada ni decepcionada. Comenzó a recoger su ropa, extendida a lo largo del suelo—. Olvidémoslo…

Bacon la miraba como quien contempla un cofre olvidado que se abre de pronto, mostrando su interior lleno de fotografías y recuerdos perdidos.

—¿Puedo pedirte algo? —le dijo al fin, con la voz entrecortada, sin siquiera levantarse de la cama—. Sólo por esta vez, Vivien, no te vayas. Quédate conmigo esta noche… Está lloviendo. Y quiero mirar tu rostro por la mañana.

Elizabeth llevaba varias semanas sin poder dormir más que unas pocas horas. Inclemente, las noches se convertían para ella en una prolongada tortura en la cual, como si estuviese en un cinematógrafo, se le aparecían diversas imágenes de su prometido, enfrascado en mil actividades, todas ellas incompatibles con su matrimonio. Elizabeth empezó a perder el apetito y pronto se dio cuenta de que, si seguía así, iba a convertirse en una mujer flaca y desesperada, justo lo menos apetecible para un hombre que se obstinaba en defender esa absurda entelequia llamada libertad. Los primeros días había querido darle una lección y había resistido cualquier intento de buscarlo: estaba demasiado segura de sí misma como para dudar que, tarde o temprano, él terminaría dejando atrás su orgullo. Cuando se diese cuenta de su testarudez, Frank la perseguiría con desesperación y ése sería el momento en el cual ella podría dejar sentadas, de una vez y para siempre, las condiciones de su vida en común. Valía la pena el ayuno o la cuarentena presentes con tal de asegurar —como enseña el cristianismo— el reino del porvenir.

Nunca se habían dejado de ver tanto tiempo. Conforme más días transcurrían, más difícil le resultaba soportar la prueba. Era una especie de carrera —Bacon pensaría, más tarde, que se trataba de la competencia entre Aquiles y la Tortuga, teniendo él la suerte de esta última—, en la cual el vencedor sería, simplemente, quien lograse mantener su decisión y su voluntad sobre la del otro. Consciente de que este desafío marcaría toda su vida, Elizabeth no estaba dispuesta a dejarse ganar. Cada vez que, sometida a un ataque de angustia, se disponía a llamarle, se consolaba pensando que seguramente él estaría padeciendo su separación con la misma intensidad.

Una pesadilla derrumbó su resistencia. Después de ser presa de una enfermedad terrible, ella fallecía y Bacon, en vez de acongojarse, celebraba. Elizabeth se despertó llorando, convencida de que su sueño era una señal de que su estrategia estaba fallando. ¿Y si no volvía a buscarla nunca? ¿Si en realidad nunca la había querido? Por primera vez se arrepintió de su terquedad y su violencia: quizá le había exigido demasiado. Lo amaba. Lo amaba más que antes, más que nunca. Pensaba en lo tonta que había sido. ¿Por qué amargarse con su ausencia, por qué poner a prueba su amor, cuando lo único que deseaba era tenerlo a su lado? El orgullo y la vanidad no debían separarlos. Aún estaba a tiempo de enmendar su error.

Cuando llegó a la casa de Bacon —eran las once de la mañana y él seguramente estaría en el Instituto—, Elizabeth cargaba con dificultad numerosos paquetes, apilados uno sobre otro, que apenas le permitían moverse. De lejos, su andar lento y trastabillante la hacía similar a los autómatas que aparecían en las películas. Había comprado queso y vino, frutas, globos y un excéntrico tren en miniatura. Aunque nunca antes había visitado el apartamento de Bacon —prefería que fuese él quien acudiese a su casa o se citaban en cafeterías y restaurantes—, se había asegurado desde el principio que él le diese una llave. Ahora se disponía a utilizar aquel artilugio para darle una sorpresa y convencerlo de que había llegado el momento de la reconciliación.

El salón estaba prácticamente lleno. No obstante, Bacon estaba convencido de que muy pocos de los oyentes —Veblen y Von Neumann, que se encontraban en las primeras filas— eran capaces de comprender el verdadero significado de las palabras que, con pasmosa calma, iban desgranando los labios de Kurt Gödel. El profesor se movía en torno a la pizarra con la agilidad de un hipopótamo, anotando las fórmulas como un cavernícola que dibuja un búfalo en el interior de una caverna. Temeroso, Gödel hacía lo posible para no fijarse en los ojos de su público, perdiéndose en el infinito que se colaba en el muro trasero del recinto. La cuestión que se afanaba en resolver Gödel ese día frente a su auditorio era la llamada «hipótesis del continuo», esbozado por el matemático Georg Cantor en su teoría de conjuntos.

—La hipótesis del continuo de Cantor —comenzó a explicarse, como si no hubiese nadie más en la sala excepto él— se reduce, simplemente, a esta cuestión: ¿cuántos puntos hay en una línea recta en el espacio euclidiano? Una pregunta equivalente es: ¿cuántos conjuntos diferentes de enteros existen? —Gödel guardó silencio un momento, como si necesitase que el problema se sedimentase en su mente antes de comenzar a despedazarlo como si fuese una gran roca de mármol—. Evidentemente, esta pregunta sólo aparece luego de extender la idea de «número» a los conjuntos infinitos…

De pronto, Gödel se detuvo en seco, incapaz de comprender los motivos que llevarían a alguien a interrumpirlo. Una pesada puerta de madera se abrió y se cerró violentamente, produciendo un estrépito que rompió la calma inmemorial que Gödel había logrado transmitirle al público. Veblen y otros profesores se levantaron de su asiento, mientras todas las miradas se concentraban en la mujer que, sin contemplaciones, había irrumpido en el auditorio.

—¿Dónde estás? —gritó la joven, sin importarle que tantos desconocidos escuchasen sus reclamos—. ¡Me has mentido! ¿Ni siquiera vas a reconocerlo?

Sentado en la ultima fila, Bacon distinguió la turbia silueta de Elizabeth. No sabía si debía levantarse y tranquilizarla o si, por el contrario, debía esconderse de su rabia. En tanto, ella se mantenía indiferente a la incomodidad que había sembrado en la sala. Gödel estaba horrorizado. Toda la belleza de Elizabeth se había disuelto en un rictus gélido con el cual hurgaba, entre los asistentes, el semblante traicionero y culpable de su prometido.

—Por Dios, señorita, no sé quién será usted ni qué busca, pero estamos en un acto académico —se apresuró a recitar Veblen—. Debo exigirle que abandone el aula y permita que el profesor continúe con su exposición…

Elizabeth ni siquiera escuchó sus palabras. En vez de ello, descubrió, al fin, los ojos aterrorizados de su víctima.

—¡No te escondas! —volvió a exclamar a voz en cuello—. ¿Creías que nunca me daría cuenta? ¿Que ibas a poder seguir con esa puta negra? ¿Me creías tan estúpida?

—Elizabeth, por favor —le suplicó Bacon quien, ante la irritación de los demás asistentes, no tuvo más remedio que encarar a su novia—, arreglemos esto después…

—¡Nada de después! ¡No pienso callarme hasta que me expliques todo! —y empezó a avanzar hacia él, envuelta en unas lágrimas tan ardientes como el coraje que también se iba apoderando de Bacon.

—Señor Bacon —le dijo Veblen con vehemencia, señalándole con un dedo la salida—, explíquele a la señorita que está en medio de una conferencia solemne de la mayor importancia… *¿Me comprende?*

Para entonces, Elizabeth ya había llegado hasta donde se encontraba su prometido. Cuando éste la tomó del brazo y trató de impulsarla hacia el exterior, ella le correspondió con una sonora bofetada en la mejilla. Todos los asistentes, con la probable excepción de Gödel, lanzaron un prolongado *¡oh!* al escuchar la palmada que se oyó como si un matamoscas se estrellase contra el cristal de una ventana. Incapaz de soportar por más tiempo aquella humillación, Bacon le devolvió, sin pensarlo, un golpe de menor intensidad pero que, por una trampa de la acústica, se oyó aún más fuerte que el anterior.

—¡Esto es inadmisible, señor Bacon! —estalló Veblen, aunque Von Neumann, a su lado, no pudo contener una débil carcajada—. ¿Es que debo pedirle una vez más que se vaya de aquí y nos permita continuar?

Elizabeth, aturdida por el golpe, ya no se daba cuenta de cuanto ocurría a su alrededor. El desastre que había provocado se perdía en una confusión parecida a la somnolencia. Lo único que deseaba era abrazar a Bacon y dormir largamente junto a él. Al frente de la sala, el profesor Gödel contemplaba el espectáculo con asombro.

—La tenías en tu casa —sollozaba Elizabeth mientras Bacon la conducía hacia afuera entre las miradas de sus compañeros—. Tenías a esa puta negra en tu casa…

Lo último que alcanzó a distinguir Bacon, antes de abandonar la sala, fue la turbia mirada de Veblen que le decía, sin palabras, que acababa de arruinar su brillante carrera y su no menos brillante porvenir en el Instituto. Sosteniendo el cuerpo casi exangüe de su prometida —de quien *había sido* su prometida, pensó con sarcasmo—, Bacon apenas calibraba las consecuencias de aquel espectáculo: de pronto, los tres asideros de su vida —Elizabeth, el Instituto e incluso Vivien— habían chocado entre sí como trenes desbocados. ¿Qué pensaría Von Neumann de este resultado imprevisible del juego del amor? Bacon llevó a Elizabeth a una de las aulas vecinas y la sentó en una banca; permaneció así, sin tocarla ni abrazarla, hasta que, al cabo de unos minutos, ella se recuperó, lo insultó nuevamente y salió sola, todavía tambaleándose, de las instalaciones del Instituto.

Mientras tanto, en medio de la sala de conferencias, el profesor Gödel anunció que no podría continuar con la clase y comenzó a llorar, irrefrenablemente, hasta que Von Neumann se acercó a él para consolarlo.

Instrucciones para citas con trigueñas, negras, blancas o mulatas

Junot Díaz

Espera a que tu hermano y tu madre se vayan del apartamento. Ya les has dicho que te encuentras demasiado enfermo como para ir a Union City a visitar a esa tía tuya a la que le gusta apretarte los cojones. (¡Cómo ha crecido este muchacho!, dice siempre.) Tu mamá sabía perfectamente que no estabas enfermo, pero insististe tanto que no le quedó más remedio que decir: Está bien; salte con la tuya y quédate, malcriado.

Saca el queso del gobierno de la nevera. Si la muchacha es de la Terraza haz una pila con las cajas y escóndelas detrás de la leche. Si es del Parque o de Society Hill, oculta el queso en el armario que queda encima del horno, allá arriba, donde nunca pueda dar con él. Anota en alguna parte que tienes que sacarlo antes de la mañana si no quieres que tu madre te reviente el culo a patadas. Retira las fotos donde se ve a tu familia en el campo y que te hacen sentirte tan avergonzado, sobre todo una en que se ve a unos niños medio desnudos que llevan a una chiva atada con una soga. Los niños son primos tuyos y ya tienen la edad suficiente como para comprender por qué haces una cosa así. Esconde las fotos en las que apareces con un afro. Comprueba que el cuarto de baño está presentable. Pon el safacón con todo el papel higiénico usado debajo del lavamanos. Rocíalo con Lysol y después cierra el armario.

Dúchate, péinate, vístete. Siéntate en el sofá y ponte a ver la televisión. Si la muchacha es de fuera la traerá su padre en carro, tal vez su madre. Ni a uno ni a otra les gustan nada los muchachos de la Terraza —en la Terraza apuñalan a la gente— pero ella es testaruda y por esta vez se saldrá con la suya.

Las indicaciones para llegar las escribiste con tu mejor caligrafía, para que sus padres no te tomaran por un analfabeto. Levántate del sofá y échale un vistazo al estacionamiento. Nada. Si la muchacha es de la localidad, no te apures. Aparecerá cuando le venga bien y esté lista. En algún caso puede suceder que se encuentre con otras amistades y se presentará con un gentío en tu apartamento y aunque eso significa que esa noche no te vas a comer una mierda, de todos modos será divertido y tendrás ganas de que esa gente te venga a ver más a menudo. En otros casos la muchacha no hará acto de presencia, y cuando te la encuentres al día siguiente en la escuela te dirá que lo siente mucho y sonreirá. Y tú serás lo bastante pendejo como para pedirle que salga contigo en otra ocasión.

Espera un poco, y al cabo de una hora vete a tu esquina. Hay mucho tránsito en el barrio. Dale una voz a uno de tus panas y cuando te diga: ¿Todavía estás esperando a esa puta?, tú dile: Sí, coño.

Vuelve a tu casa. Llámala por teléfono y cuando se ponga su padre pregúntale si ella está allí. Él preguntará: ¿Quién llama? Cuelga. Tiene voz de director de escuela o de jefe de policía, esos tipos que tienen el cuello ancho y que nunca tienen que estar pendientes de que nadie los ataque por la espalda. Siéntate a esperar. Cuando el estómago esté a punto de fallarte, oirás que se detiene un Honda o tal vez un Jeep, y entonces la verás.

Hola, dirás.

Mira, dirá ella. Mi mamá te quiere conocer. Está muy preocupada, aunque no hay ningún motivo.

Que no cunda el pánico. Di: Hola, no se preocupe. Pásate una mano por el cabello como hacen los muchachos de raza blanca, aunque la verdad es que con el pelo que tienes, resultaría más fácil atravesar el África. Seguro que es una muchacha bonita. Las que más te gustan son las blancas, eso es cierto, pero normalmente las muchachas de fuera son negras, muchachas negras que han sido Girl Scouts y han estudiado ballet y que tienen tres automóviles estacionados en la carretera de acceso a su casa. Si es mulata no te extrañe que su madre sea blanca. Saluda. Su mamá te devolverá el saludo y te darás cuenta de que en el fondo no le das miedo. Te dirá que si le puedes dar indicaciones más claras para el camino de vuelta y aunque lo cierto es que no hay mejores indicaciones que las que tiene en el regazo, dale otras distintas. El caso es que se quede contenta.

Tienes donde elegir. Si la muchacha no es de por aquí llévatela a cenar a El Cibao. Pide las cosas en español, por muy mal que lo domines. Si es latina deja que te corrija y si es negra la dejarás asombrada. Si es de los alrededores, el Wendy's servirá. Cuando entres en el restaurante háblale de la escuela. A una muchacha de la localidad no hará falta contarle anécdotas del barrio, pero a las demás pudiera ser que sí. Cuenta la historia del loco que se pasó años almacenando bombas lacrimógenas en el sótano de su casa hasta que un día hubo una fuga de gas y todo el vecindario ingirió una sobredosis de material bélico. No menciones que tu mamá supo inmediatamente de qué sustancia se trataba porque todavía recordaba aquel olor desde el año en que los Estados Unidos invadieron tu isla.

Mantén la esperanza de no encontrarte con ese tipo que te trae por la calle de la amargura, Howie, el muchacho puertorriqueño que tiene dos perros asesinos. Se pasea con ellos por todo el barrio y de vez en cuando los perros acorralan a un gato y lo hacen trizas, mientras Howie se desternilla de risa viendo cómo el gato salta por los aires con el cuello retorcido como si fuera un búho y la carne roja asomando por entre los desgarrones de su piel suave. Si los perros de Howie no tienen a ningún gato acorralado, se te acercará por detrás y te dirá, ¿Qué, Yúnior, ésta es la jeva que te estás tirando últimamente?

Déjalo estar. Howie pesa unas doscientas libras y si le da por ahí, te puede comer crudo. Al llegar al descampado seguirá su camino. Lleva unos tenis nuevos y no quiere que se le manchen de lodo. Si la muchacha no es de por aquí dirá con voz sibilante: Menudo pendejo comemierda. Una chica del barrio no habría parado de gritarle en todo el rato, a no ser que fuera tímida. En todo caso no te sientas mal por no haber reaccionado. Nunca se debe perder una pelea callejera el primer día que te citas con una muchacha, porque si sucede una cosa así, se acabó la historia para siempre.

La cena será tensa. No se te da bien hablar con gente que apenas has tratado. Si es mulata te dirá que sus padres se conocieron en el Movimiento. Te dirá: En aquellas circunstancias, entre la gente de raza negra existía la conciencia de que era necesario adoptar una postura radical. Te parecerá que es algo que sus padres le han obligado a aprender de memoria. Una vez le dijeron algo así a tu hermano y él contestó: Coño, esa pendejada me recuerda un montón lo de *La cabaña del tío Tom* y toda la vaina. Pero a ti ni se te ocurra decirle lo mismo a la muchacha.

Simplemente deja la hamburguesa un momento en el plato y di: Aquello tuvo que ser muy duro.

Agradecerá tu muestra de interés. Te contará más cosas. Los negros, te dirá, me tratan muy mal. Por eso no me gustan. Tendrás curiosidad por saber qué piensa de los dominicanos. No se lo preguntes. Deja que sea ella quien lleve la iniciativa en la conversación y cuando terminen de cenar regresen dando un paseo por el barrio. El cielo estará magnífico. Gracias a la polución, las puestas de sol de New Jersey se han convertido en una de las maravillas del mundo. Coméntaselo. Tócale un hombro y di: Mira qué lindo.

Adopta una actitud seria. Puedes ver la televisión, siempre que te mantengas alerta. Toma un trago del ron Bermúdez que guarda tu padre en el clóset y que nadie toca nunca. Las muchachas de la localidad puede que tengan las caderas anchas y un buen culo, pero eso no quiere decir que se vayan a dejar tocar enseguida. A fin de cuentas son vecinas y luego te las vas a encontrar a todas horas por el barrio. Es muy posible que la muchacha sólo quiera pasar un rato en tu compañía y luego quiera irse a casa. Puede ser que te bese y luego se largue, o si es muy temeraria te lo puede dar, pero eso pasa pocas veces. Normalmente la cosa no pasará de besarse. Si es una muchacha blanca te lo puede dar cuando menos te lo esperes. No la pares. Se quitará el chicle de la boca, lo pegará a la funda de plástico del sofá y se te acercará más. Te dirá: Me gusta tu mirada, o algo por el estilo.

Tú dile que te encanta su pelo, que te encantan sus labios, su piel, porque la verdad es que te gustan más que los tuyos.

Ella te dirá: Me gustan los hispanos, y aunque tú no has estado nunca en España, di: A mí me gustas tú. Quedarás bien.

Estarás con ella hasta las ocho y media y entonces se querrá lavar. En el cuarto de baño encenderá el radio y tarareará la canción que estén poniendo en ese momento, mientras sigue el ritmo dando con la cintura en el borde del lavamanos. Imagínate cuando venga su vieja a recogerla, lo que diría si supiera que te ha entregado su cuerpo, susurrando tu nombre al oído, tratando de recordar el español que aprendió en octavo grado. Mientras está en el baño llama a uno de tus panas y di: Me la tiré, cabrón. O simplemente recuéstate en el sofá y sonríe.

Pero lo normal es que la cosa no salga así. Estate preparado. No querrá besarte. Tranquilo, muchacho, te dirá. La mulata posiblemente se zafará de ti echándose muy hacia atrás y escabulléndose. Se cruzará de brazos y dirá: Aborrezco mis tetas. Acaríciale el cabello, aunque se volverá a apartar. No me gusta que me toquen el cabello, dirá. Se comportará como si fuera una completa desconocida. En la escuela es famosa por su risa, que llama mucho la atención; es una risa aguda y penetrante como el graznido de una gaviota. Pero en tu casa se comportará de modo preocupante. No sabrás qué decir.

Eres el único que me ha invitado a salir, te dirá. Tus vecinos empezarán a gritar como hienas, ahora que están borrachos. Tú y los negros.

No digas nada. Deja que se abotone la camisa, que se cepille el pelo. Al hacerlo, se escuchará un crujido como el crepitar de una cortina de fuego que la separa de ti. Cuando llegue su padre y toque la bocina, déjala ir sin grandes despedidas. No tendrá ganas de eso. Durante la hora siguiente sonará el teléfono. Te sentirás tentado de contestar. No lo hagas. Quédate viendo los programas de televisión que te gusten, sin que la familia te los dispute. No vayas al piso de abajo. No te duermas. No servirá de nada. Pon el queso del gobierno en su sitio, porque si se da cuenta tu madre, te mata.

Ultraje

Álvaro Enrigue

Una autopista puede ser como el mar. El sol ardiendo en la cara, la brisa que limpia las tuberías del sistema respiratorio, las manos aferradas a los barrotes en la cubierta de acero, el olor a podrido subiendo desde la setina. Drake Horowitz lo creyó durante algún tiempo sin poder comprobarlo: estaba prohibido viajar fuera de la cabina en las vías rápidas, de modo que se quedaba en su sitio, estudiando los resultados de la Liga Americana en la sección deportiva del *Baltimore Sun* y acumulando resentimiento. Apenas atendía al cotilleo perpetuo entre Verrazano y el conductor, que intercambiaban comentarios e insultos inclinándose levemente para librar su cabeza: por ser el de menos antigüedad en el servicio, le tocaba sentarse en medio del asiento corrido del *Outrageous Fortune*.

La idea de bautizar al camión vino de una foto de *National Geographic* encontrada en una bolsa negra de polietileno. Todo llegaba así al bajel, como siguiendo el patrón de una marea secreta. Al cargar con la bolsa, el gordo Verrazano sintió el lastre del material impreso. La sopesó un momento, cargándola de arriba abajo tomada con el puño, los ojos entrecerrados y apretados los labios. Luego la depositó en el suelo, se puso en cuclillas y le dijo a su compañero mientras palpaba el contenido: Estos hijos de puta creen que pueden engañar a un hombre que ha recogido basura por quince años. Su olfato experto ponderaba los olores emanados del interior tras cada apretón: Son revistas —siguió—, recientes, en buen estado; perfectamente reciclables. No echó el paquete a la compresora. Ya en el camino de regreso a la planta abrió el bulto y vio que contenía catálogos y ejemplares de *National Geographic*. Nada de pornografía. El conductor, que dentro del escalafón de la empresa tenía el rango de capitán de la nave, propuso que denunciaran al vecino, no por violar el reglamento de reciclaje, sino por timorato. Es la maldita hipocresía del hombre blanco, concluyó con voz densa, baja y cavernosa. Verrazano produjo un bufido de hartazgo y dejó rodar la bolsa al fondo de la cabina. Drake, que ya había agotado la sección deportiva, se agachó por una de las revistas y se puso a hojearla. Durante el almuerzo les enseñó la foto. Se habían detenido en un parque y compartían un paquete de pescado seco y galletas sobre una mesa de picnic. Miren, les dijo, debajo del Río Grande le ponen nombre a los camiones. En la placa había uno de volteo en cuya defensa trasera se leía en letras rojas «No me olvides». Al día siguiente, antes de llegar al vecindario en que les correspondía recoger la basura, propuso que escribieran *Outrageous Fortune* en la popa del camión. Verrazano estuvo de acuerdo de inmediato, le gustó la idea de personalizar el sitio de trabajo: su propio coche llevaba adornos que lo hacían único y, a su juicio, elegante. El capitán ni siquiera volteó a verlos mientras discutían. Drake consintió que podrían agregar una banderola, negra, dijo, y a Verrazano le pareció raro pero viril. Tardaron semanas en convencer al viejo de que les permitiera pintar el letrero; al final cedió si se desistían del pendón: los colgajos exteriores estaban prohibidos por el reglamento. El gordo hizo un último amago recordándole que el pabellón sería negro. Como tu culo, anotó. El capitán le dijo que si no se callaba iba a tirar por la ventana el rosario que se había obstinado en colgar del espejo retrovisor durante el primer viaje que hicieron juntos.

El día en que Drake Horowitz confirmó que una autopista puede ser como el mar y un camión de basura como un barco llegó, contra las supersticiones, sin augurios. La noche anterior había ido a un partido de ligas menores con su hermano y sus sobrinos, que pasaron temprano a recogerlo a la planta. No llamó a su mujer para avisar que llegaba tarde; en las últimas semanas la menor contradicción encendía en ella una ira de volumen incontrolable que con frecuencia había que apagar a bofetadas, y él no era de los que golpean mujeres. En el coche los sobrinos preguntaron por su primo; él levantó los hombros con desgana y dijo que había preferido quedarse en casa, con su madre. Su hermano, al tanto del infiernillo que pasaba, le dio un par de palmadas en el hombro antes de arrancar. No dijeron nada en el camino; los niños discutiendo de vez en cuando y su padre callándolos a gritos si consideraba que estaban siendo irritantes. Durante el juego bebieron hasta preocupar al sobrino mayor, que intentó incluso el llanto para contenerlos. Cuando en la parte alta de la octava entrada se suspendió la venta de cerveza, manejaron hasta un bar de motociclistas en la orilla de la carretera. La idea era comprar una caja y bebérsela en el departamento de Drake —los niños se podrían acomodar con su primo—, pero el sitio les pareció tan suave y la vuelta a la ciudad tan larga, que prefirieron quedarse. Después del primer vaso de *bourbon*, el hermano salió a dejarle a sus hijos un trastecito de cacahuates y las llaves, por si querían oír el radio. La memoria de Drake se detenía un poco más adelante. Despertó solo, sudoroso y sin culpa, tendido en una de las bancas de la cancha de basquetbol de su vecindario. Se talló la cara y vio el reloj. Eran casi las cinco de la mañana. Apenas había refrescado durante la noche. Apuró el paso pensando que el calor iba a estar pesado; tenía poco más de media hora para bañarse y comer algo antes de que Verrazano tocara el claxon al pie de su edificio.

El bautizo del *Outrageous Fortune* fue una inofensiva singularidad más, otra cualquiera entre las generadas por el tedio infinito del empleo de basurero. Al capitán le pareció que hacer oficial el buen nombre elegido para su galeón por el atribulado Horowitz no podía hacerle daño a nadie. Él mismo llamaba así a la nave cuando aceptó el letrero en la defensa trasera. Había notado antes que dejar pasar los caprichos de Drake hacía que rindiera mejor en su trabajo. De cualquier forma, eran manías menores, al menos en comparación con las locuras del gordo Verrazano, que igual podía provocar a un policía que ponerse a patear los tambos de una casa en la que encontraran basura que le parecía mal empacada. Los desvaríos de Horowitz eran siempre modestos y tolerables: comer carne seca y galletas el día que le tocaba llevar el almuerzo; acostumbrarse al uso de ciertos términos: escotilla por portezuela, castillo por cabina, caña de timón por volante, bitácora por guantera.

Drake siempre había visto algo de buque en el camión de basura, pero su afición se había recrudecido durante el último año, a partir de una mañana del verano anterior en que el oleaje les dejó una caja de libros. Ataba los restos de un mueble a la cubierta superior cuando Verrazano se quedó inmóvil, las manos en la cintura y un rictus de incredulidad en la cara. Qué se creen, gritó. Drake apenas le prestó atención, ocupado como estaba con el obraje. Esto tiene que violar todos los reglamentos de recolección de los Estados Unidos; mira, Horowitz: libros, en una caja de cartón y abierta; no lo puedo creer. Drake le recomendó que los pusiera en la compresora y se olvidara de ellos mientras bajaba la escala de popa. Imposible, respondió. Échalos en la caja y ya. Es un crimen, gritó. ¿Por qué? Cómo que por qué; es papel perfectamente reciclable y son libros; los niños sin escuela en la ciudad, y en los suburbios, la gente tirando libros. Entonces llévalos a la biblioteca o levanta una denuncia contra esta dirección por no reciclar. El gordo farfulló que eso era exactamente lo que iba a hacer y los metió a la cabina. Ya después del almuerzo —su mujer les había preparado una lasaña gloriosa—, tranquilo y aburrido por la longitud del viaje de vuelta a la planta, empezó a revisar el contenido de la caja. Hojeó dos o tres volúmenes. Se detuvo en uno. Mira esto, dijo, enseñándoselo a Horowitz. Cómo es posible: *Song of Myself*; tanta soberbia no puede ser buena para los niños. Tomó el libro por el canto y lo arrojó por la ventana. Los otros dos se rieron. Siguió hurgando. Por favor —dijo al poco rato—, miren esto. Mostraba un ejemplar de *Junkie*. No es correcto, y repitió el gracejo. Esta vez el tomo pegó en un buzón. Uy, *A Doll's House*, de pirujas, y lo aventó con estilo, como si fuera un *frisbee*. Soltó un bufido: *Mexico City Blues*; con frijoleros, nada. Ése lo tiro yo, dijo el capitán. Imposible, respondió Verrazano, porque aquí hay uno especial para ti, y le tendió *Heart of Darkness*. Y éste es para Horowitz: *Drake in the Pirates' Era*. Cuando llegaron a la planta, todos los libros habían ido a dar a la calle excepto el de piratas, que Drake empezó a leer esa misma noche. Las cosas todavía estaban bien en casa por entonces: ni él ni su mujer podían haber bebido tanto si se quedó leyendo una o dos horas diarias durante un par de semanas.

En el verano en que la autopista fue como el mar eso habría sido imposible. A Verrazano le pareció extraño que Horowitz ya lo estuviera esperando, en la escalera de acceso a su edificio. Más todavía que no hubiera reaccionado cuando detuvo su Galaxy blanco frente a él: no era el tipo de coche que pasara inadvertido. Tuvo que bajar con inmenso trabajo el vidrio del lado del acompañante y silbarle para llamar su atención. Drake lo saludó, se levantó y caminó torpemente, como si avanzara por el fondo del mar. Llevaba puesta la misma ropa que el día anterior. El gordo, desde adentro, lo vio abrir con desgano la portezuela trasera y dejar caer en el asiento una bolsa deportiva de lona bastante más amplia que la que llevaba normalmente. El generoso recubrimiento de terciopelo acolchado apenas amortiguó el ruido metálico de su contenido. ¿Vas a jugar pelota después del trabajo?, preguntó. No, dijo Horowitz. Insistió: Llevas el *bat*, ¿no? Y la escopeta. Ya. Una vez fuera de la ciudad eligieron una calle al azar, como todos los días, para robarse el periódico. Andamos de suerte, dijo el gordo al identificar la bolsa azul del *New York Times* en el jardín delantero de una mansión prefabricada. Fue hasta que se detuvieron a comprar un café en el minisúper de una gasolinera, ya en la autopista, que Drake contó lo que le había sucedido.

Se encontraba aún en el sereno entrepiso que divide a la ebriedad de la resaca cuando volvió a su departamento después de pasar la noche, o parte de ella, en la cancha de basquetbol del barrio. Estaba escaso de coordinación, por lo que le tomó algún tiempo sacarse el llavero de la bolsa de los pantalones vaqueros. Tuvo un mareo leve mientras encontraba el ojo de la cerradura, así que descansó la cabeza en la puerta, que cedió ante el empujón. Aunque supo en ese instante que su mujer lo había dejado, prefirió pensar que la entrada se había quedado abierta por descuido y hasta planeó echarle bronca tan pronto se despertara a prepararle el desayuno al niño. Fue directo a la cocina y se bebió, todavía con sigilo, un vaso de leche. Al cerrar el refrigerador vio el *post-it* en cuyo centro había sido abandonado el más lacónico de los mensajes: «Me fui». Tomó el papelito y lo miró largamente, sorprendido de no sentir nada. Antes de meterse al baño pasó a verificar que no le hubiera dejado a su hijo, con el que no habría sabido qué hacer. Encontrarse solo le provocó alivio. Abrió la llave del agua caliente y se sentó en el inodoro a esperar que el cuarto se llenara de vapor para meterse a la regadera: siempre había pensado que respirarlo tenía alguna suerte de efecto curativo. Le entraron ganas de mear. Se levantó, destapó el excusado y vio flotando en sus aguas un par de condones. El golpe de una ola ardiente que partía de la base de su espalda lo cubrió completo. Pateó sillas, volteó la mesa, rompió platos. En la habitación encontró su bata tirada en el suelo junto a los sobres metálicos de los preservativos; de la cabecera colgaba una trusa que no era suya. La tomó con la intención de arrojarla por la ventana y al hacerlo notó que había pertenecido a un hombre mucho más grande. La dejó caer y se sentó en la cama, las sienes palpitando, la mente en tránsito de la ira a la autocompasión. Se tallaba la cara cuando percibió el olor.

No tardó en descubrir, en el centro preciso del lecho, una caca tan grande que no podía ser producto de mujer.

Verrazano reaccionó con calma y ecuanimidad sorprendentes ante el relato. ¿Dices que cagó en tu cama? Horowitz confirmó con un movimiento de cabeza. Seguro es árabe, o indio. ¿Por qué? Eso no es de cristianos; además dejó una trusa; la gente razonable lleva calzoncillos. Se quedaron en silencio: Drake hundiéndose en su asiento bajo el peso de la resaca que comenzaba a tomar proporciones oceánicas y el otro manejando con la mano izquierda y la derecha en la barbilla. Ya en la carretera menor que conducía a la planta, el gordo dijo con aire de quien finalmente ha resuelto un enigma: Y llevas la escopeta para matarla si nos los encontramos. Horowitz levantó los hombros. Yo haría lo mismo, hermano, concluyó palmeando suavemente la nuca de su compañero. Drake estaba tan afligido que el gesto le pareció reconfortante.

Todavía no daban las seis y media y ya hacía calor. La luz blancuzca del sol, difuminada por la humedad y reflejada en el piso de concreto del estacionamiento de la planta, entraba directa a la parte más blanda y sensible del cerebro de Drake. El sudor le bajaba irritante por las mejillas sin afeitar. Tuvo que contener la temblorina de una mano con la otra para ver la hora en el reloj. Le quedaban diez minutos antes de la partida, por lo que caminó hasta el baño. Vomitó el café y se lavó la cara intensamente. Se miraba al espejo cuando recordó que su hermano había previsto la tormenta. Era domingo al mediodía y se habían juntado en el departamento de Drake para almorzar y ver un juego de la Serie Mundial. Bebían cerveza mientras preparaban las salchichas en el asador del balcón. Las mujeres estaban en la cocina, ocupadas con la ensalada; los niños, aprovechando que aún no comenzaban los preliminares del partido, jugaban con una consola de video más o menos arcaica, rescatada días antes al pie de un basurero en un suburbio acomodado. Los hermanos Horowitz estaban contentos, recordando episodios de la infancia que habían pasado en ese vecindario que Drake —el menor— seguía sin poder dejar. Era todo tan placentero —la brisa fresca, el cielo intenso, la luz nítida— que se le fue la lengua y contó que había encontrado el origen de su nombre en un almirante inglés de fama mixta. Entró un momento al departamento y salió con la biografía de Sir Francis Drake y un catalejo —tal vez el único objeto comprado de todos los que había en su casa. El mayor desatendió un momento las salchichas para extender la lente y ver hacia el edificio al otro lado de la calle. Mientras lo hacía, Drake le preguntó si su padre habría elegido ese nombre pensando en el pirata. Su hermano retrajo el catalejo y miró la portada del libro. Ya vuelta su atención al asador, opinó que no sabía de ningún marinero polaco, así que lo más probable era que su padre en realidad lo hubiera querido llamar Derek. Estaba siempre tan borracho y era tan bruto, concluyó, que se ha de haber equivocado en el registro civil. Unas horas más tarde, cuando se quedaron solos frente a la tele —las mujeres y los niños en el parque—, el mayor dejó caer que no quería meterse en la vida de nadie, pero había notado extraña a su cuñada, como si ocultara algo. ¿Qué?, preguntó Drake, alarmado. No sé —respondió—, a lo mejor está embarazada otra vez y le da miedo decirte, o buscando trabajo. El joven levantó los hombros. Durante los anuncios su hermano fue a la cocina por un par de cervezas. De vuelta al sillón le tendió una a Drake y le dijo con el tono más casual que podía fingir: Y eso de los piratas está raro: me parece un escape, como el traje de Batman que no te quitabas cuando se fue papá; búscate otro trabajo, uno común en el que no estés todo el día sentado entre dos anormales.

Salió del baño y se puso el overol en los vestidores. Le pesó el destino en la mochila mientras cruzaba el estacionamiento. El capitán ya estaba a bordo del camión, con el motor encendido. Verrazano lo esperaba de pie junto a la puerta abierta, sonriendo. Ánimo Horowitz, le dijo, que nos espera un día largo y acalorado. Sintió en las nalgas el plástico ya caliente que cubría el asiento del castillo de proa. El gordo subió y cerró la escotilla. Drake hundió un brazo en su maleta y sacó el catalejo; lo extendió, miró al frente y murmuró: Leven anclas.

El conductor metió primera y arrancó, complacido de que, a pesar de la fresca tragedia que le había resumido Verrazano, las operaciones en el *Outrageous Fortune* siguieran su orden corriente. El ambiente dentro del castillo estaba denso, por lo que decidió arriesgar un chiste a modo de alivio. Le parecía que el desdichado Horowitz necesitaba entender que dejar y ser dejado es parte del ciclo vital de cualquiera que consagra sus horas a una tripulación. Apenas habían traspuesto las rejas de la planta cuando intentó romper el hielo. Dijo con su voz más profunda: Así que tu mujer se cansó de las buenas salchichas polacas y prefirió el dátil de un beduino. Verrazano no pudo controlar el brote de risa. Drake no reaccionó, de modo que el capitán atacó al otro para confirmar que estaba de su lado: Yo no sé tú de qué te ríes, gordo; dice la golfa de mi mujer que los italianos lo tienen talla aceituna. La respuesta fue inmediata y la trifulca verbal, la de siempre. Horowitz la escuchó como desde el otro lado de una pared de agua. No tenía ánimo para ponerse a leer la sección deportiva del periódico, así que cerró los ojos, con la esperanza de dormir un poco antes de empezar con la danza de los botes de basura. Desde la tiniebla del duermevela escuchó poco después que el capitán, creyéndolo dormido, se regodeaba en el detalle estrafalario de la caca en la cama. Dijo con gravedad: ¿Y el niño qué edad tendrá? Unos tres años, repuso el gordo. Me pregunto —completó el viejo— si habrá estado presente mientras el amante obraba; cómo ha de haber aplaudido cuando salió el trozo aquel. Drake abrió los ojos transido de rabia. Vio que el capitán tenía cara de espanto antes de cubrirla completa con la palma de su mano y azotarle la cabeza contra la ventana. Sin ceder en la fuerza con que controlaba al conductor, Horowitz tomó el volante con la derecha y sacó el bajel del camino. Jaló la palanca del freno de mano y, una vez que sintió cesar todo movimiento, repitió los azotes hasta que el vidrio quedó manchado de sangre. Verrazano lo miraba perplejo; era tal vez la primera ocasión en que era él el sorprendido. Drake le dijo: Esto es un motín; de qué lado estás, la mano aún presionando la cara del capitán y la derecha buscando la mochila para sacar el arma. El gordo no se lo pensó demasiado: Del lado del pueblo —dijo—, y extrajo él mismo la escopeta para apuntarla al viejo. Luego añadió: Lo siento capi, hay nuevas reglas.

Lo amordazaron con cinta aislante y le ataron pies y manos con cable. El viejo no opuso ninguna resistencia. Horowitz lo acomodó con evidente gusto en el lugar del centro y se hizo del timón. No habían avanzado mucho cuando Verrazano preguntó qué iban a hacer con él. Lo vamos a abandonar en una isla. Entonces hay que apurarnos, antes de que empiece el tráfico. Tomaron el siguiente retorno a la izquierda. Drake frenó el camión a la mitad y entre ambos cargaron al viejo hasta los matorrales. Yo le aviso a la policía que estás aquí, se comprometió el gordo ante el capitán depuesto una vez que estuvo seguro de que Horowitz no lo escuchaba. Antes de arrancar de nuevo,

Drake sacó de la mochila un pendón negro y ató dos de sus cuatro extremos a la antena del *Outrageous Fortune*.

Lo demás fue la degradación y la barbarie: persecución y abordaje, asalto, secuestro; sitio e incendio de una licorería; el cañoneo de tres minivanes estacionadas cobró suficiente celebridad como para que por semanas las señoras de la zona metropolitana temblaran con sólo escuchar el rugido de un camión de basura. Todo en el rango histérico de unas horas. A media mañana ya estaban cercados por sus propias calamidades.

Tomaron una carretera de poca circulación hacia el norte, Verrazano al volante, y atracaron la nave tan pronto encontraron un recodo. Drake avanzó el único juego al que estaba dispuesto a apostar. Con lo que hemos hecho hoy te vas a pasar el resto de tu vida en la cárcel, dijo. Extendió la carta de navegación y señaló una marisma en la Bahía de Chesapeake. Se llega —siguió— sólo por caminos vecinales, así que es probable que la alcancemos antes de que nos encuentren; hay una marina amplia y fuera de uso que entra lejos en el mar; mi padre nos llevó a pescar ahí algunas veces. El gordo mostró sus reservas: Yo tengo amigos en la cárcel, y seguro podría hacer otros una vez adentro; además le prometí al capitán que iba a avisar en qué isla lo dejamos. Drake levantó los hombros. Su compañero anotó a manera de disculpa: No hay nada qué hacer, Horowitz, mi solidaridad con tu dolor tiene límite. Entonces ayúdame piloteando hasta allá. Eso encantado. Sin decir más dejó el castillo y subió por la escalerilla de popa. Después de la maniobra de salida, el gordo Verrazano avanzó con derrotero noreste a todo trapo. Para Drake la autopista fue el mar abierto y limpio. Las manos firmes en el barandal de cubierta, sintió el sol en la cara, la brisa entrando al pecho, el olor a podrido venciendo la setina.

«Estoy rezando por tu salvación»

Ricardo Chávez Castañeda

No sé cuál es la tumba de la abuela. «Wife», «Wife», «Wife», repiten los epitafios de épocas poco memorables para la mujer. Sería menos difícil con un «Alice», o este «Rosella Ishler» de lápida abarquinada hundiéndose como barco, o «Myra (1905-1943)».

—Myra no murió sola, abuelo.

La primera vez el abuelo llenó la casa de comida. Habré supuesto que era parte del festejo, una excentricidad: soperas, charolas, decenas de platos ocupando la superficie de cada mueble, parte del suelo, las vitrinas. Mis parientes se movían con una gravedad ridícula contemplando las tajadas de col, el maíz en aceite, la variedad de guisos que combinaban embutidos y papas, frutas secas, semillas, largas barras de pan negro. Seguramente desde allí hubo una pieza de pastel o rebanadas de un queso ordinario que también cercaban el 17 de agosto de 1943, pero yo tenía veinticuatro años, se trataba de mi primer viaje a los Estados Unidos, estaba descubriendo que *Fleming* no era un apellido angosto dedicado a mi madre y a mí, y acababa de entrar en el sótano adonde el abuelo había colocado tantas botellas vacías, recostadas unas sobre otras hasta tocar el techo, como para demostrarnos cuánto alcohol se necesita a veces para continuar vivo.

Tardé dos inviernos más para entender que lo que me esperaba en casa del abuelo cada cumpleaños era su vida, siempre su vida armada como un distinto rompecabezas; un museo de los sabores que por alguna razón se quedaron con él y lo habían acompañado durante sus ochenta y tres años; o la música que lo resumía, cuando desbordó el piso inferior de la casona con los discos de acetato y los fonógrafos venidos desde tiempos vulnerables al polvo y al sobreuso, y cuando destinó también la intimidad de la planta alta a un mismo llanto reproduciéndose en ritmos celtas y en cantos gregorianos y en el tristísimo blues para escucharse en la privacidad que daban los audífonos y las butacas de cara al muro que íbamos turnándonos los parientes para intercambiar estéreos.

No fue sino hasta recibir por tercer año el sobre azul remitido desde Pennsylvania, pretender en vano convencer a mi madre (a Natalia, porque ella renunció con el «Natalie» a su piel blanca, a sus ojos verdes y a su origen en el norte) sólo para verla romper sin prisa su boleto, volar de la ciudad de México a Nueva York, llegar en autobús a State College, atravesar el campus de Penn State con la bolsa a la espalda y con el renovado asombro por el olor a nogal que se desprendía del césped, recorrer Fairmount Avenue hasta el 140 y empujar la puerta cargando una estúpida caja envuelta en papel metálico que contenía el reloj de arena, cuando intuí que el abuelo nos reunía cada 14 de abril para obligarnos a hacer turismo por una única coordenada de su biografía.

Aquella vez la casa era un hospital. El abuelo, o mejor dicho la gente que le servía, y que durante esas fechas de cumpleaños se cuidaba de no aparecer, colocó las radiografías en las ventanas para aprovechar la visibilidad a trasluz y empapeló los muros con centenares de recetas opacadas por el tiempo; habían un par de muletas, decenas de anteojos dispersos en la mesa que invitaban a seguir el proceso de una miopía. La familia estaba como cada año recorriendo el nuevo capricho del abuelo con un interés forzado. Flemings que venían de Georgia, de Santa Bárbara, de Carolina del Sur, de Nebraska, unidos menos por la sangre que por la certeza de una herencia, devolvían los informes médicos a los sobres sin apenas leerlos sólo para que quien venía junto desdoblara de nuevo el papel con inocultable repugnancia. El itinerario por ese museo de las enfermedades del abuelo desembocó en la cocina donde los muebles habían sido llenados con tubos de pomadas, laminillas con sólo dos o tres comprimidos indemnes, botellas de jarabe. Allí encontré los frascos sin inscripción ocupando una gaveta completa bajo el fregadero, agité varios sin éxito, luego desenrosqué uno para buscar en el interior el residuo de algún olor y me topé con la leyenda rotulada en el fondo blanco de la tapa: «University Park Hospital».

—Quisieron cambiar el nombre del pueblo —me respondió irritada mamá días después—. Todo tuvo que llamarse University Park a partir de 1950 y el manicomio no fue la excepción. De ahí salieron los frascos. Una camisa de fuerza hecha con fármacos para que tu abuelo se dejara en paz.

Hoy es nuevamente fecha de cumpleaños. Mi octavo regreso a los Estados Unidos a pesar de la incomprensión de mi esposa y la tristeza de mi hija, y sin embargo no he podido llegar a casa del abuelo. He llevado el Saturn que renté esta mañana en el aeropuerto Kennedy por todas las desviaciones que me han salido al paso, me detuve en Bellofonte sin saber que necesitaría cuatro cervezas y esa frase garabateada en el mosaico del baño «I'm praying for your salvation» para ir al cementerio de Boalsburg a buscar una abuela de la que mamá dice ni siquiera recordar su nombre, y finalmente he llegado a las orillas de la universidad, a seis calles de Fairmount Avenue. Desde entonces he descendido del auto muchas veces, cada quince minutos, para echar una moneda en el parquímetro y distraerme adrede con la gente que se diluye tras el parabrisas por causa de la lluvia y del ir y venir de los limpiadores, con tal de no ponerme a adivinar el círculo de recuerdos que habrá trazado esta vez el abuelo alrededor de la noche aquella de agosto 17 en que mi madre perdió a su madre.

Cuando descubrí que el abuelo no hacía sino relatarnos un mismo paisaje de su existencia pero mudando y mudando de perspectiva, pensé que podría ayudarle. Pedirle que me relatara sus sueños porque también en los sueños cabe una biografía, o las promesas que nunca cumplió, o las preguntas que inevitablemente modelan la misteriosa tragedia que cada quien hace de su vida, o simples palabras, un vocabulario que embonando significados tejería un enorme rostro sobre su rostro, la huella digital con que hizo del mundo un mundo, no sé.

Llegué ese 1991 con la certeza de que las biografías se arman a voluntad como se resuelve un crucigrama y que yo estaba listo para participar en el juego —todavía lo suponía un juego—, pero me encontré con la casona sin los cuadros de siempre pendiendo de los muros, sin las cortinas, sin un mueble y un solo tapete. El abuelo estaba sentado en su silla de ruedas en medio de nada, enmarcado por el rectángulo de luz que entraba por el ventanal, y se hallaba completamente desnudo.

—¡Miren mis cicatrices! —gritaba mostrando sus carnes colgantes como ahorcados, pero ninguno de los tíos se atrevía a acercarse.

—¡Léanme! —chillaba, y sus ojos negrísimos parecían boquear igual que un pescado a orillas de algo que tendría que ser su salvación.

La biografía del abuelo nunca tuvo centro. Entendí que cada año inventaba una nueva manera de organizar su memoria como un cazador cambia los cebos y las trampas. Supongo que fue ingenuo suponer que ningún otro Fleming estaba al tanto del ritual. Seguramente más de uno creería entender aquellas veladas como un duelo interminable, insano y humillante, al cual había que someterse para pasar después al comedor y a una ubicación siempre más nítida en el testamento. Pero bastaba ver al abuelo estacionado junto a la chimenea, con el tic que le había convertido la mano en un péndulo absurdo, en una caricia que se perdía involuntariamente en el vacío, para saber que nos necesitaba, que el abuelo nos soltaba cada abril dentro de su vida como se arrojarían ratas en una casa que se incendia y que invariablemente nos esperaba afuera deseando que le mostráramos una salida.

Sucedió el año pasado. La casa parecía contener los objetos que flotarían en la superficie del mar luego de una tormenta. Deformados zapatos con suela de madera, sombreros de ala ancha, un caballo mecedora pesado y rústico. Yo caminaba con cuidado para no tropezar con esas ruinas que habían sido arrojadas por la borda de una vida. Miraba las corbatas, un par de relojes de cadena, una leontina, como si fueran otra cosa, un lenguaje extraño que yo tenía que traducir o una serie de dígitos que producirían sentido si yo descubría una fórmula para sumarlos. Me asombró lo que ese contexto híbrido hizo con el reloj de arena. En apenas unos años el regalo que di al abuelo parecía tan disparatado como las mancuernillas de marfil y la enorme máquina de escribir de teclas redondas y rodillo metálico. Supuse que todos mis parientes estarían desconociendo igual los obsequios que alguna vez llevaron a la casa. Una memoria del afecto, de lo que otros han pensado digno de ti; y tuvimos que llegar a la mesa, a la tercera copa de vino y al plato de pasta antes que yo empujara la silla, me levantara y volviera al living para repasar unos dibujos infantiles; lo que parecía un elefante, una constelación de lunas rosadas en una hoja doblada en cuatro, el contorno multicolor de una mano pequeña en un pedazo de cartoncillo, y al pie de cada uno de esos dibujos un nombre escrito temblorosa y disléxicamente «Natalie», y debajo, con bella y minúscula caligrafía, las fechas: «14 de abril de 1941», «14 de abril de

1942», hasta el «14 de abril de 1943», después de lo cual no hubo más dibujos aunque yo hojeé todos los libros y todos los cuadernos que se libraron del naufragio. No más dibujos, no más fechas, no más regalos.

En el departamento de mamá no encendí la luz. Dejé la maleta junto al sillón, llamé a mi esposa pero terminamos gritándonos. Luego fui por el álbum que llevaba años en la parte alta del ropero. Fui yo quien recurrió a la vulgaridad de las fotografías, amarilleadas por el tenue resplandor que venía de la calle, para ofrecerme una memoria menos críptica que las del abuelo. Vi a un hombre de barba y cara rocosa que, por la perspectiva, opacaba la casa que él tenía detrás y que yo acababa de abandonar hacía ocho horas, a cincuenta años de distancia. El abuelo era una montaña de hombre vestido de frac, la niña que se enroscaba en su gruesa pierna tendría que ser mi madre, y yo tendría que estarlos mirando, no podía ser de otro modo, a través de los ojos de la abuela.

—¿¡Que pasó con ustedes?! —le grité a mamá apenas abrió la puerta del departamento.

Ella me vio sin expresión, se sentó en el sofá, y me dijo «no, no» cuando intenté accionar el interruptor de la lámpara.

La lluvia es más fuerte ahora. Con el atardecer advierto que los faros del Saturn están encendidos y han comenzado a iluminar la esquina de Allen Street por donde yo debería doblar, recorrer cinco calles, doblar de nuevo y estacionar el auto justo frente a la casona. ¿Y para qué? ¿Qué le puedo decir al abuelo? ¿Que nadie puede recordar lo que no vio? ¿Que hay historias que parecen suceder para sí mismas y que no dejan testigos? Ese 17 de agosto es un museo que sólo guarda tres personas: un hombre, una niña que recién despierta y una mujer con una soga al cuello. Mamá me dijo que, cuando salió de la recámara, su madre todavía se movía; que su papá, el abuelo, estaba desplomado entre los sillones.

No quiero mirar y sin embargo cada vez que los limpiadores sacan el agua del parabrisas, las órbitas de luz hacen reaparecer la frase que se halla escrita en el muro «I'm praying for your salvation», «I'm praying for your salvation», «I'm praying for you», pero mamá dice que por más que gritó abrazándose a las piernas de su madre para ayudarla a respirar, el abuelo no recobró la conciencia.

El intérprete

Jordi Soler

«Mira, es mi hermana», dijo Oklahoma señalando a Nebraska, que sonreía, no sé si con malicia o sin ella, pero desde luego rara, con intriga de por medio. «¿Qué tal el viaje?», siguió diciendo Oklahoma con ese tono implacable que tiene a veces. «Dejamos el coche en el estacionamiento, hace un poco de frío, mejor súbete el cuello porque si no te vas a resfriar y para qué quieres». Oklahoma se preocupaba por mí y yo insistía en pensar que lo nuestro no era más que sexo, ni relación ni nada. «Así voy bien», dije, y regresé el cuello del abrigo a su lugar. Quería dejar perfectamente establecido que ese gesto de arreglarle las prendas al otro no me gusta, quiere decir, prendas más prendas menos, quisiera hacerme cargo de tu vida. Elegí sentarme en el asiento trasero del Oldsmobile, un poco por comodidad y otro para ocultar que iba tiritando y que lo del cuello alzado no había sido después de todo tan mala idea. Oklahoma y su hermana iban hable y hable entre ellas. Observaban la cortesía de explicarme algún detalle de vez en cuando, no porque les importara que yo estuviera al tanto, más bien para aprovechar que había un tercero que les servía de coartada para decir lo mismo que se decían siempre, sin sentirse monotemáticas y repetitivas. Yo asentía cada vez que la conversación dejaba un hueco que debía ser llenado por un ajá mío. Llegamos, dijo Nebraska mientras acomodaba el Oldsmobile con torpeza frente al Grand Hotel Syracuse. «Nos hablamos mañana, sis», por *sister* creo, dijo Oklahoma al bajarse. Yo dije algo que sonara a despedida. «¿Nada más traes eso de equipaje?», preguntó cuando entrábamos en la puerta revolvente.

«*Well, well*, ahora la señora estará contenta», dijo el hombre que estaba detrás del mostrador. Oklahoma sonrío y yo saqué un millón de conclusiones, o mejor, de variaciones sobre la única conclusión posible, que era Oklahoma cuidando su perfil social, diciendo como que no quiere la cosa y para evitar el qué dirán, que su marido la alcanzaría en unos días. «Estás loco», dijo ella cuando le expliqué mi conclusión adentro del elevador. Entramos a la habitación, noté que estaba hosca conmigo. Mi conclusión la había molestado, dijo. Se encerró en el baño y al cabo de un rato salió ataviada con un camisón de esposa. Se metió resoplando en la cama y antes de hacerse la dormida tomó la precaución de darle la espalda al extremo que me correspondía. Yo estaba ahí parado viendo que rumbo tomaba su pataleta. Ni el abrigo me había quitado, así que cogí la llave y salí en busca de una copa. Un camisón de esposa en una relación sostenida exclusivamente por el sexo es una verdadera afrenta. Ya ni quise sumar los datos que había arrojado el hombre del mostrador. A través de las puertas de cristal del *lobby* observé que estaba cayendo la tormenta de nieve del siglo. «Tenemos un bar muy confortable aquí en el hotel», dijo el mismo hombre que me había colgado hacía un rato el grado de esposo; se refugiaba detrás de su mostrador como, digamos, un tejón. Le di las gracias porque a fin de cuentas, tejón o no, ponía a mi alcance toda una alternativa. Seguí las indicaciones. Había que bajar unas escaleras y luego dirigirse hacia la parte posterior del hotel por una galería llena de aparadores con objetos deportivos. Llegué a una puerta que decía Sports Bar. Era un sitio cargado de memorabilia deportiva. Objetos de béisbol y de fútbol americano. Meseras en uniforme de réferi anotaban la orden de los clientes como si estuvieran registrando una amonestación. Me sedujo la media luz y una barra de madera negra, sólida y bien pulida. También, hay que admitirlo, me seducía que el mal humor de Oklahoma no me seducía nada. El bar tenía un generoso surtido de bebidas en exhibición, propio de las ciudades que pasan seis meses al año bajo la nieve, y orillan a sus habitantes a la bebida, o a mirar sin mesura la televisión, o al asesinato en serie. Media docena de televisores colgados del techo sintonizaban el mismo partido de béisbol. «Es un video», aclaró el bartender después de la impertinencia de una pregunta que le hice sobre la duración de la temporada. Que se tratara de un video no significaba un obstáculo para que los bebedores, entusiasmados hasta el grito, festejaran noche tras noche la misma jugada. Elegí una esquina y pedí ginebra a una réferi negra. El bar tenía también entrada por la calle y un gran ventanal que permitía ver la tormenta de nieve. Solo, sentado en la barra, comencé a lamentar el viaje largo que había hecho, nada más para experimentar en otra latitud el sexo con mi amante, que esa noche se negaba a tener sexo conmigo. El presentimiento que había tenido en México, de que ese viaje deformaría los lineamientos de la relación, empezaba a materializarse desde el principio de la estancia. Traía a Oklahoma colgada al cuello. Cuando llegué a la segunda ginebra la tortícolis se había desvanecido. Una ráfaga de gritos y aplausos provocados por el mismo jonrón que los clientes veían todos los días enturbió momentáneamente mi bienestar. Vi cómo mi vecino de barra agitaba en el aire una *chicken wing*, pintaba en el aire una constelación de salsa *barbecue*, con varias estrellas excéntricas que fueron a plantarse en la manga de mi camisa. No dije nada, tenía aspecto de ser un loco peligroso. Lo mismo podía concluirse del resto del personal. Hombres sin rasurar, con el seso sepultado debajo de una gorra deportiva, con grasa de pollo o de hamburguesa entre las uñas. «¿No te interesa el partido?», preguntó el autor de la constelación. Traía una fibra de pechuga colgándole de la barba. «Si, cómo no, *is great*», dije, y rematé con dos o tres minutos de atención a la pantalla. El ambiente iba siendo caldeado sin tregua por una calefacción que invitaba al sueño. Pedí una ginebra más para beberla de golpe. Salí del bar por la galería deportiva con dirección al hombre del mostrador. La tormenta había terminado. Hubiera podido salir directamente por la puerta del bar, pero antes tenía que conseguir unas raquetas para poder desplazarme en la intemperie. Pasé de la calefacción al frío intenso. Me levanté el cuello del abrigo, justamente como lo había sugerido Oklahoma hacía unas horas. Trepé con mis pies bien equipados al promontorio de nieve que se levantaba frente a la puerta del Grand Hotel Syracuse. Trastabillé un poco. El hombre del mostrador, que veía desde adentro mi andar torpe, sacó la boca por una abertura mínima y gritó: «Lleve cuidado». Alcé una mano para agradecer su preocupación. Desde la cima del promontorio vi que estaba situado a la altura general de la calle. Nevada histórica, metro y medio de nieve que algún escuadrón de menesterosos limpiaría durante la noche. Avancé con dificultad. Levantar a cada paso esos artilugios tiene su chiste. De pronto se quedan atrapados en la nieve y hay que levantar pierna por pierna y sacudirlas para que caiga el lastre. Caminé unas cuadras sobre Salina St. Lo supe porque vi el nombre de la calle en un letrero que me llegaba a la cintura. Di vuelta en Adams. Un viejo aparentemente atrapado por la tormenta, manoteó pidiendo ayuda cuando me vio pasar. «Lo siento», no podía ayudarlo, tenía otros planes. Al llegar a Townsend St. ya llevaba una velocidad considerable. Iba aplicando con pericia las raquetas, evitando las partes escarpadas. En algunas calles habían empezado a trabajar las máquinas quitanieve. Un murmullo general iba y venía según la distancia entre mi viaje y ellas. Noté que conforme ganaba ritmo y velocidad, las partes de mi cuerpo empezaban a vibrar en un tono que, con la suficiente tenacidad, podía convertirse en sonido. Tratando de no perder velocidad exageré el braceo y las flexiones en las piernas. La vibración comenzó a transformarse en sonidos armónicos. Creo que llevaba cara de triunfo porque un hombre que paleaba nieve gritó: «¿Está usted bien?». Lo preguntó, sospecho, por el contraste de mi júbilo con el paisaje que era más bien para llorar. Aceleré. Ahora cada rodilla producía una nota musical, lo mismo sucedía con los codos. ¿Cómo no voy a estar bien si vengo haciendo esta música?, pensé. Llegué a la periferia de la ciudad y tomé el Freeway 690 con dirección a Onondaga Lake. La nieve se había congelado. No circulaba un alma; aceleré. La música de las rodillas empezaba a consonar con la que hacían los codos. Lleno de entusiasmo empecé a mover también los hombros y las caderas. Descubrí que de ahí salían tonos más graves, más de base fuerte, perfectos para los codos y las rodillas que producían notas más melodiosas. El viento que barría el freeway aumentaba el volumen de la música. Un trabajador a bordo de una máquina quitanieve se quitó la gorra y saludó el paso de mi sinfonía. Para corresponderle, improvisé una vuelta cerrada que produjo un arpegio y coroné mi gracia con tres brinquitos en staccato. Seguí la ruta; recuperé mi aire sinfónico. Llegué a la salida 39 en pleno crescendo. Iba moviendo la orquesta completa. Descubrí que los párpados, al cerrarlos con fuerza, acentuaban, como platillos, ciertas partes de la composición. Entré de lleno a la superficie congelada del Onondaga Lake. Agitaba eufórico mi brazo izquierdo que venía sonando como violonchelo, y mi rodilla derecha, que con la velocidad que permitía el lago, había pasado de fagot a clarinete. Di vueltas y vueltas por el lago, no sé cuántas. Salí cansado al freeway a ejecutar mi regreso en pianísimo. El trabajador que había aplaudido mi paso ofreció llevarme en su máquina. Pensé que era un buen punto para terminar la sinfonía. Dejé el par de raquetas en el mostrador del Grand Hotel Syracuse. Dije buenas noches y me subí al elevador.

Entré a la habitación. Oklahoma dormía. Me quité el abrigo con cuidado para no despertarla. Me vi en el espejo del baño, de cuerpo entero. El abrigo colgando del brazo, la ropa empapada. Los fragmentos de hielo que me quedaban en los párpados comenzaban a derretirse, hacían agua, tenía la sensación de que lloraba.

New York, New York

Northern Ladies

Silvana Paternostro

Como mujer, no tengo país. Como mujer, no quiero país.
VIRGINIA WOOLF, *Tres guineas*

Durante semanas guardé el aviso que había recortado de *El Diario*, un periódico en español que se publica en Nueva York, en la agenda de mi escritorio junto a los recibos de taxi, los formularios rosados de mis depósitos bancarios, la entrada sin usar para *Miss Saigon*, los volantes que anuncian conferencias sobre política exterior o lecturas en el Lower East Side. Había encontrado el Centro de Cirugía Plástica en los clasificados. Bajo «Planeamiento familiar», junto a avisos de abortos por tan sólo cien dólares, un pequeño recuadro en español ofrecía convertir a la lectora en la mujer latinoamericana perfecta: estiramiento facial, implante de senos, liposucción, maquillaje permanente, electrólisis y reconstrucción del himen. Había dos números telefónicos, uno de Queens y otro de Brooklyn.

Cuando lo vi por primera vez, me reí. Pero al rato se me endureció la cara.

En la esquina derecha, el aviso ofrecía una consulta gratis y un número telefónico activo las veinticuatro horas. Llamé desde mi apartamento un domingo al atardecer.

Una mujer atendió el teléfono después del tercer timbrazo. Por el tono de su voz, supuse haber marcado un número equivocado. Sonaba como si estuviera cómoda y en su casa. Probablemente lo estaba: con los nuevos servicios de transmisión de llamadas, los comerciantes de hoy no tienen por qué perder clientes potenciales. Dije que quería hablar con el Centro de Cirugía Plástica y la voz me respondió:

—¿En qué puedo ayudarte, mi amor?

Le pedí indicaciones. Desde Manhattan, tenía que tomar el tren número 7 desde Grand Central Station hasta Main Street en Flushing, si quería ir a la sede de Queens; o bien, si prefería la sede de Brooklyn, debía tomar el tren M —«eme de mamá», añadió la voz— desde Canal Street hasta Forest Avenue. Si tenía alguna otra pregunta que hacer, ella podría responderme. Me explicó que trabajaba en la clínica hacía más de diez años.

—¿Qué es lo que te interesa, mi cielo? —preguntó.

Puse una voz adecuada al caso. Me transformé en una doncella latina en peligro que necesitaba recuperar su virginidad, volver a ser señorita. No sólo la engañé a ella; me engañé a mí misma. Siempre me sorprende lo natural que me sale esa voz. Décadas de vivir sola, al norte de la frontera, aparentemente no han bastado para hacerla desaparecer por completo. Siempre puedo volver a recuperarla, como un par de viejos zapatos favoritos, del fondo del ropero.

—Ésa —dijo la voz del otro lado. Lo mismo podría haberle dicho que me quería hacer rayitos en el cabello—. Siempre queda de lo más bien. Es muy sencillita. Dura aproximadamente dos horas. La hacemos muchísimo.

—¿Anestesia? —pregunté.

—Local —me dijo—. Tenemos médicos hispanos entre nuestros cinco cirujanos. Todos hablan español. Puedo recomendarte a dos. El costo de la operación oscila entre los mil ochocientos y los dos mil dólares, se paga el mismo día en que se practica, y aceptamos todas las tarjetas de crédito importantes.

—Pero me gustaría saber un poco más —dije—. ¿Muchas latinas se la hacen? —pregunté, fingiendo nerviosismo. Esperaba que, para estimularme a hacerla, me ofreciera una lista de estadísticas pavorosas.

—Por supuesto, amor, son muchas las hispanas que quieren sacarse ese problemita de encima. Siempre se ha hecho, no te preocupes. Vuelven a cerrar todo y te dejan un orificio para la menstruación.

El procedimiento sonaba salvaje, ofensivo, como una violación, algo que no debía estar permitido. Pero el hecho de que una mujer me lo describiera por teléfono, como si yo hubiera llamado a un salón de belleza, lo volvía más espantoso y más triste. Estaba decidida a hacer la venta y recitó de un tirón el récord de la clínica. «Muchas, muchísimas» clientas de China y Corea; muchachas que vienen desde Corea a hacérselo porque allá, me explicó, los padres del novio pueden exigir ver un documento que atestigüe la virginidad de la novia. Las muchachas chinas, dijo, generalmente vienen con sus madres.

—¿Y las americanas?

—No, las americanas no, no les importa eso. Aunque la semana pasada vino una que se iba a casar con un árabe. Pero, entre nosotras —dijo—, siempre lo hemos hecho. No te preocupes, todo saldrá bien.

¿Cuánto tiempo, pensé al colgar el auricular, seguirá ese Centro metiéndoles ideas en la cabeza a las mujeres? La cálida sensación de comodidad y familiaridad que obtenía de los carteles SE HABLA ESPAÑOL colocados en todos los tribunales neoyorquinos, de las instrucciones y mensajes de publicidad en español en el metro y el bus, de las pilas de diarios y revistas destinados a los latinos de esta ciudad, está teñida ahora de recelo.

Un domingo de otoño por la tarde decido visitar a los hacedores de vírgenes. Me miro en el espejo y pienso que mi suéter azul oscuro escote en V dos tallas más grande sobre la falda marrón recta y los zapatos sin tacón negros no servirán para lo que me propongo. Lo que me pongo todos los días para vivir *mi* vida parece inadecuado, «llamativo al revés» para mi visita al mundo donde se resuelven problemas latinos. Tendría que ponerme otra cosa, digo para mis adentros, pero al acercarme al espejo me doy cuenta de que la ropa es sólo parte del problema. Es mi cara, la mirada de mis ojos. Es mi manera de pararme, mi manera de caminar. El problema radica en que alguien que quisiera alguna de las cosas que ofrece el Centro de Cirugía Plástica nunca, jamás de los jamases, saldría de su casa tan descuidadamente vestida y poco arreglada como suelo salir yo. Pero me gustan mi ropa cómoda y sin adornos y el aspecto de mi cara recién lavada, incluso cuando mi piel adquiere una tonalidad verde hospital debido a la falta de sol.

La clínica se encuentra en un edificio comercial de cinco pisos en Northern Boulevard, una de las arterias principales de Flushing. No está en un oscuro callejón sino en una dirección respetable, un lugar donde también podría tener sus oficinas una compañía de seguros, una agencia de viajes o un odontólogo. Esperaba que la clínica estuviera más escondida y me sorprende que el área no esté tan descuidada como imaginé. La clínica está justo en el medio de lo que parece el barrio de Archie Bunker —una prolija hilera de casas de ladrillo rojo, con jardincitos en las entradas y carros baratos estacionados en la calle—, salvo porque las personas que conducen los autos, cortan el césped de los jardines y empujan los cochecitos de los bebés son en su mayoría asiáticas. Veo algunos latinos y absolutamente ningún rubio angloparlante.

Las letras blancas sobre la puerta de la oficina número cinco dicen NORTHERN LADIES. En el aviso no había nada que indicara que ése era el nombre de la clínica, y su ironía me deja atónita. Probablemente se refiere a que la clínica está en Northern Boulevard, pero la alusión es demasiado perfecta: damas que vienen del norte, el norte entendido como *el Norte, el coloso, el gigante, el mejor, lo máximo.*

Soy la única. La sala de espera de Northern Ladies está decorada en colores femeninos: rojo, malva y algunos toques de gris. La televisión pasa videoclips de la MTV latina: escotes pronunciados y esa mirada insinuante que a las latinas nos enseñan a entregarle a la cámara. Pero no tienen volumen.

Desde la ventanilla de un cubículo cerrado, una mujer con una bata blanca me pide que llene un cuestionario. Me acerco a la ventanilla y le explico que estoy allí para la consulta gratuita, murmurando que quiero la reconstrucción del himen. No se arredra y se limita a decirme que tome asiento, que el asistente del médico vendrá a hablar conmigo dentro de un instante. Hoy el médico no atiende porque es Yom Kipur.

—Pero su asistente podrá explicarle todo —dice.

Veo fotos enmarcadas y afiches de mujeres de gran belleza detrás del escritorio de la recepcionista. Siento ganas de preguntar quiénes son las mujeres de las fotos pero opto por volver al sofá y sentarme en silencio. Si hago demasiadas preguntas podría despertar sospechas.

La puerta se abre de par en par y entran tres mujeres. Por el acento me doy cuenta que son colombianas —antioqueñas o caleñas, definitivamente no de Barranquilla— y que son abuela, madre e hija. Las dos mayores han acompañado a la más joven, de veintitantos años, a hacerse un chequeo después de la cirugía. Es obvio qué clase de cirugía. Tiene senos que parecen pelotas de béisbol, con esa prestancia y esa redondez perfectas que sólo los implantes pueden dar. La lista de precios publicada en *El Diario* dice que el costo de un aumento de senos oscila entre los tres mil y los cuatro mil quinientos dólares.

Un hombre de mediana estatura y piel aceitunada, vestido con una camisa blanca de manga corta y pantalones marrones baratos me invita a pasar a una habitación con paredes enchapadas en madera y un imponente escritorio. Parece más pequeño cuando se sienta detrás del escritorio y se acoda luego de haber mirado superficialmente el cuestionario.

—Entonces —dice— quiere volver a ser señorita.

—Sí —susurro, absolutamente posesionada de mi personaje—. ¿Qué le parece?

—Bien —se aclara la garganta, apoyándose en el respaldo—. Nosotros sólo hacemos la operación, no damos consejos. La decisión está en sus manos.

—Pero estoy nerviosa, doctor. ¿Podría ayudarme a comprender el procedimiento para que pueda sentirme mejor? Me da miedo.

Sé que es el asistente, no el médico, y espero que si lo hago sentir importante asuma el rol de médico sabihondo y paternalista.

—Oh, no, m'hijita, no hay nada que temer. Es muy sencillo, te cosemos y es como si nada hubiera ocurrido. Vienes y dos horas después vuelves a tu casa y lo único que debes hacer es no planear la boda hasta dentro de uno o dos meses, que es lo que tardan en disolverse los puntos.

—¿Los puntos?

—Sí, claro, los puntos. ¿Sabes? Te cosemos de modo tal que haya sangre y haya dolor en tu noche de bodas. Como si nunca…

No podía pronunciar la palabra sexo.

—Pero, y…

—No hay de qué preocuparse —me interrumpe—, se cose todo. Dejamos un orificio, claro, para que pueda salir la sangre de tu menstruación. Funciona muy bien. Lo hacemos todo el tiempo.

—¿De dónde es usted, doctor? ¿Es ginecólogo? Perdone que haga tantas preguntas, pero como comprenderá… esto es algo que… yo…

No se había graduado pero había ido varios años a la universidad; había estudiado ginecología en el Ecuador, de donde era oriundo. Empieza a sentirse incómodo e impaciente. Y no sé si es porque sospecha de mí como debería hacerlo, o si es por el hecho de estar sentado en el sillón de cuero del jefe diciéndome que «nosotros» podríamos hacer algo que él —como simple «asistente»— tal vez no esté autorizado a hacer lo que le pone nervioso. Por si fuera poco, tartamudea cada vez que menciona la palabra «sexo» y acabo de pedirle que —mediante un diagrama— me explique exactamente cómo se ve un himen. Creo que nadie se lo ha pedido antes. Su paciencia se está agotando.

Saca una libreta y, con un bolígrafo plástico con el logotipo de Harvard, dibuja dos círculos, uno dentro del otro. El dibujo me recuerda un huevo frito.

—Éste es tu himen —dice, sombreando el área entre los dos círculos. Ahora parece un doughnut. No tiene nada que ver con lo que yo me imaginaba era un himen.

Pero a decir verdad nunca antes había pensado en mi himen, no en un sentido real, sino como en ese tesoro mítico, lo más valioso que podía proteger, algo que era tan delicado y precioso que podía romperse de sólo pensar demasiado en él. ¿Dónde estaba? ¿Quién lo sabía?

La primera vez que fui al ginecólogo, habían pasado años desde que había visto las manchas marrones en mi interior de algodón blanco cuando volví a casa la noche en que por primera vez sentí un pene adentro. Tenía la blusa puesta al revés; me temblaban las piernas. Me senté en el inodoro, pasé la uña por el lugar e inspeccioné la oscura sustancia pegajosa entre mis piernas, sabiendo que jamás volvería a ver al hombre con el que había hecho aquello que presuntamente debía hacer con el hombre con quien estaría «en la salud y en la enfermedad» hasta que la muerte nos separara. Me miré en el espejo y pensé. Ay, Dios mío, ¿qué hice, me veo diferente, mi mamá se va a dar cuenta?

No me gusta recordar la noche en que perdí la virginidad. Fue memorable sólo porque fue mi primera vez. No fue con el hombre con quien habría de casarme, como cuando era niña me habían dicho que sería. Ni tampoco con un muchacho al que conocía bien o me gustaba o me importaba, tal como cautelosamente empezaban a experimentar su sexualidad mis nuevas amigas de Estados Unidos. Abordé la cuestión una noche muy tarde, de golpe, estando en Panamá durante las vacaciones de Navidad. Tenía dieciocho años y asistía a la universidad.

Él era mayor, el amigo de universidad de un amigo, que había ido a pasar unos días allí. Nos conocimos en una fiesta. No estaba particularmente impactada, pero cuando me pidió que fuera con él a un lugar más privado, lo hice. Había algo perverso en permitir que ese muchacho, al que acababa de conocer, definitivamente por el que menos sentía, me quitara la blusa de seda cruda en ese cuarto. Siempre había sentido el impulso de seguir adelante mezclado con la necesidad de detenerme al llegar a este punto con los muchachos que realmente me aceleraban el pulso y me hacían sudar las manos cuando llamaban por teléfono. Pero esta vez, cuando sentí las manos de un extraño, de un visitante, de alguien que nadie conocía muy bien, ni siquiera yo, decidí no decir *para*, no decir no, aunque me doliera, aunque él no me amara.

Casi veinte años después de la ruptura de mi himen sin romance de por medio, todavía lo imaginaba como una preciosa película delgada parecida a la gasa que me cubría las piernas cuando, de niña, me caía y me lastimaba las rodillas. Para mí, era como ese hilo blanco tejido en cuadraditos que permitía que el aire llegara a la herida y cerraba la entrada a todo lo demás, impidiendo que lo que era peligroso me tocara o me infectara. Como el algodón que protegía mi herida abierta, el velo entre mis piernas guardaba mi virginidad.

Cuando me sangraba la piel o la gasa se ensuciaba, los hilos que formaban los cuadraditos se rompían, dejando un agujero, exponiendo la vulnerabilidad de mi rodilla abierta. Pero igual podía seguir corriendo y jugando, aunque tuviera las rodillas lastimadas. Siempre había más gasa. Siempre podía pedir que me cambiaran el vendaje. Pero no había nada que pudiera reemplazar ese velo frágil e invaluable entre mis piernas. Hasta mi abuela se preocupaba por él. Cada vez que me veía montada en la bicicleta de mi hermano, la que tenía la barra entre el sillín y el manubrio, no la Schwinn morada con el sillín banana que me habían regalado para Navidad, gritaba desde la puerta del frente:

—¡Bájate de ahí! Esa bicicleta no es para ti. Esa bicicleta es para los varones. Te puedes hacer daño.

¿Cómo podrían las manos de uñas descuidadas del asistente de un médico reconstruir esa parte íntima de mí a la que tantos miembros de mi familia habían aludido en jeroglíficos o en metáforas, nunca por su nombre, quizá temiendo que si la nombraban en voz alta se disolvería, dejándome deshonrada para siempre? Pero este asistente de médico con una mancha de comida en la camisa me está mostrando que mi himen no es delicado ni precioso ni innombrable sino tan banal como un huevo frito y tan insignificante en mi vida como el hombre que lo rompió.

—Cuando tienes, hmmm, relaciones, hmmm, sssee-xxx-uu-a-les —tartamudea, apretando fuerte el bolígrafo y dibujando una línea firme que corta en dos el área sombreada—, se rompe. Pero las dos partes quedan aquí.

Me muestra con el bolígrafo cómo puede «volver a juntarlas».

Como Humpty Dumpty, quiero decir.

Con aguja e hilo, digo en cambio.

Se abre la puerta y entra otra de las mujeres que trabajan en la clínica, no la que me pidió que completara el cuestionario. El asistente suspira aliviado y le pide que conteste mis preguntas.

—Una mujer —dice— puede explicarlo mejor.

Súbitamente siento la extrañeza de este lugar. A diferencia de la ultrafemenina sala de espera, este consultorio tiene todos los adornos y los símbolos del poder masculino: paneles de madera, butacas tapizadas, bibliotecas de vidrio con libros voluminosos, diplomas en las paredes. Sólo el bolígrafo de plástico es de Harvard.

—Me gustaría que me muestre mi himen —digo de sopetón.

El «doctor» y la «enfermera» se sorprenden ante mi pedido, pero él le dice «adelante, prepárala». Él nos esperará allí.

Cruzo la puerta y me encuentro frente a las «salas de operaciones»: pequeños compartimientos divididos por cortinas de baño rosado pálido. Pienso en hemorragias en el callejón, en cirugías chapuceras. ¿Qué pasa si tienen una emergencia? ¿Alguna de las mujeres que vienen aquí a que les cosan el himen, les estiren la cara o les aspiren la grasa de las caderas piensa en la posibilidad que podría estar poniendo en peligro su salud… o están todas tan desesperadas que pasan por alto toda preocupación por su seguridad?

La enfermera me lleva al compartimiento del medio y veo que está ansiosa por hacerme sentir cómoda, por demostrarme su solidaridad.

—Tenemos que mentirles a los hombres —dice.

Me pide que me quite los *panties* y me levante la falda por encima de la cadera.

—Permíteme darte un consejo —dice—. No sé cuánto tiempo hace que estás en este país pero, ya sabes, apenas llegamos aquí... empezamos. Y pueden ser uno o dos, pero también pueden ser muchos más. Así que, si ya tienes este problema, podrías hacértela completa. Siempre les aconsejo a las mujeres que, ya que han llegado hasta aquí, se la hagan completa.

—¿Completa? —estoy acostada boca arriba. Ella está parada a mi lado. Es una mujer muy atractiva de cuarenta y pico de años y misteriosos ojos garzos, todavía más hermosos gracias a la sabiamente aplicada sombra color humo. Elogio su belleza, me da las gracias y prosigue con una conferencia sobre ardides femeninos.

—Yo estoy casada y tengo hijos pero debo mantenerme joven para mi marido. Hay que cuidarse, tú sabes. Si no, te dejan por una más joven.

—Los hombres no son estúpidos —prosigue—. Si has estado con muchos, ellos se dan cuenta, ya sabes, las paredes de la vagina cambian, se... ensanchan —dice, haciendo un círculo con el pulgar y el índice, abriéndolo y cerrándolo—. Cuanta más experiencia tienes, más se te aflojan las paredes. Entonces, tienes que devolverles la firmeza. Son dos mil dólares más, pero vale la pena.

Me confiesa que se hizo la operación luego de tener hijos.

—En tu caso es diferente. Tú tienes que cubrir todas las posibilidades. Si vas a mentir, debes asegurarte de mentir bien. El médico te hará una prueba. La prueba del dedo.

—¿La prueba del dedo?

—Introduce un dedo —me muestra el dedo índice de su mano derecha—. Depende de cuán fácil le resulte introducirlo, mete un segundo dedo —me muestra el dedo medio—. Si le sigue resultando fácil, prueba con un tercero. Si sólo puede meter uno, es que no necesitas más que la reconstrucción, pero si puede introducir más de un dedo te recomendamos tensar las paredes de la vagina. ¿Estás lista? ¿Llamo al doctor?

—En un segundo —digo—. Estoy muy asustada. ¿Puedes decirme más? Dime, ¿quiénes vienen a hacerse esto? ¿Podría hablar con alguien que se lo haya hecho? Me haría sentir mejor, sabes.

Imposible. Está absolutamente segura de que nadie tendrá interés en hablar conmigo. El secreto es la máxima prioridad de las clientas de la clínica.

Pruebo otra estrategia:

—¿Pero quiénes vienen, aparte de las mujeres de otros países? ¿Viene alguna que viva en este país?

—Hay montones de hombres sin nada en la sesera, ya sabes —se toca la frente con el dedo—. Cuando los hombres vienen de América Latina a Estados Unidos siendo adultos, es muy difícil hacerlos cambiar. Cuando se casan, quieren señoritas. Con los chicos es distinto, me refiero a los que se criaron aquí. Son como los norteamericanos, no les importan estas cosas.

—Éste es tu himen —dice el asistente del médico, dándome un espejo. Empujo la pelvis hacia adelante, le aparto las manos y levanto el torso hasta apoyarlo contra mis rodillas. Veo una membrana de bordes desiguales, del mismo color rosa y marrón que adquirían los anturios del patio de mi abuela cuando los cortaban y los ponían en un jarrón con agua para ofrecerlos al altar de la Virgen. Hay uno a cada lado de esa abertura que Octavio Paz describe como la culpable de mi inferioridad cuando escribe: «Las mujeres son seres inferiores porque al entregarse se abren. Su inferioridad es constitucional y radica en su sexo, en su "rajada", herida que jamás cicatriza».

Contemplo el epicentro de lo que constituye, en el lenguaje del poder machista, la posibilidad de ser abierta por un hombre, hecho que me hace a mí inferior y a él superior. Mi himen está roto y es fuerte. Mi vagina no es una herida sino una puerta abierta a mi interior; toda ella, parte de mí; toda ella, posesión mía y de nadie más. Soy yo la que elijo qué, cuándo, quién, cuántos. Cierro las piernas de golpe.

Al salir me llevo un ejemplar de *El Mundo de Hoy*, un semanario gratuito en español que se publica en West New York, New Jersey. La primera página destaca la decimotercera celebración del Premio del Comité por los Valores Humanos: «¡Espléndido! Una noche memorable en el Victor's Cafe de la calle 52 y en el Canal 47». Fotos y más fotos de hombres en esmoquin y mujeres con vestidos de lentejuelas parados detrás de un podio, hablando por un micrófono, estrechando manos. Como sucede con todas las noches especiales de los políticos, empresarios líderes y estrellas del deporte y el espectáculo latinos, ésta también se celebró en el Victor's Cafe —el Rainbow Room de los latinos de Nueva York—, un restaurante de la calle 42, en Manhattan, decorado a la moda, que ofrece abundante comida cubana —presuntamente los mejores mojitos que se pueden conseguir fuera de La Habana— y una pintura al óleo de *Mano de Piedra* Durán —el boxeador panameño campeón del mundo— con el pecho desnudo, sobre el que ostenta una gruesa cadena de oro con un dije de diamantes en forma de guantes de box.

La edición 1997 del Premio al Político Más Distinguido fue otorgada al alcalde de West New York. El Hombre del Año fue un empresario de bienes raíces, presidente del Club Kiwanis. Y el Premio a la Mujer Más Distinguida fue para la «bella y elegante» presidenta del Centro de Cirugía Plástica Northern Ladies «por los valiosos servicios» que ha brindado a la comunidad, permitiendo que «centenares de personas —hombres y mujeres— vean satisfechos sus deseos gracias al trabajo de sus extraordinarios cirujanos y la insuperable atención de sus asistentes».

El niño blanco

Ernesto Quiñónez

En los años setenta mis hermanas y yo solíamos ir a El Congo Real en la 111 y la Lexington, la botánica más grande de Spanish Harlem, a comprar fotonovelas, esas historias de amor de baja estofa en las que las protagonistas eran abandonadas por sus hombres, pero, unas cuantas páginas más adelante, el amante volvía a la realidad y se casaba con la muchacha, poco antes de que apareciera la palabra FIN en grandes letras mayúsculas.

En aquel entonces El Congo Real no tenía el gran mostrador de madera que ahora se interpone entre los artículos religiosos y el público. La tienda era un gran espacio abierto, y las cajas de fotonovelas estaban esparcidas por el suelo, muy cerca de varias estatuas tamaño natural de San Lázaro, el de las muletas. Mis hermanas hurgaban aquellas cajas en busca de las historietas que no habían leído, para luego comprar un par de ellas a cincuenta centavos, y si había dinero sobrante, una vela completaba la transacción.

Mi madre, que era Testigo de Jehová, odiaba las botánicas y les advertía a sus hijos: «Si entran a las botánicas, se les puede pegar algo…». O sea, que algún espíritu oscuro podía seguirnos y penetrar en la casa, refugiarse en un rincón, esperar a que estuviéramos durmiendo, salir de su escondite y andar por todas partes, inspeccionando dentro del refrigerador, dejando abiertos los grifos del agua, o descolgando el teléfono. E incluso hasta acercarse a cada uno de nosotros, para murmurarnos al oído cosas ininteligibles.

Para Mami, las botánicas estaban habitadas por malos espíritus. Pensaba que esas tiendas religiosas llenas de velas, cuentas, aceites, hierbas, calderos, reproducciones en yeso de santos católicos y toneladas de parafernalia votiva por todas partes no eran lugares santos, sino reductos de oscuridad. La gente acudía allí a consultar sobre asuntos sobrenaturales, algo que a su juicio debía dejarse en su lugar. Pero a nosotros lo único que nos importaba de las botánicas eran las fotonovelas.

La dueña de El Congo Real, una negra voluminosa, era siempre muy amable, y hasta dejaba que mis hermanas le cambiaran fotonovelas usadas por nuevas. Ella también era una asidua lectora de las mismas, y nos asesoraba sobre cuáles eran las mejores, es decir, la de los hombres más perversos, las más románticas, o aquellas en las cuales las mujeres ponían a sus hombres de rodillas.

A mis hermanas les encantaban las historias de traición, engaños y venganzas, siempre y cuando tuvieran un final feliz, por lo que siempre le pedíamos recomendaciones a la dueña, quien, en ocasiones, nos contaba historias verídicas que había escuchado en la botánica. Como la de la viuda que tenía cuatro hijos gordos, feos y torpes, con los cuales ninguna muchacha se casaría jamás. La madre puso todas sus esperanzas en el más joven. Compró un auto que consumió todos los ahorros de su vida para atraer a alguna chica, al menos por la novedad, pero al poco tiempo le robaron el vehículo. La viuda decidió entonces ir a buscar consejo en El Congo Real, y pedirle a los orishas, los dioses negros de la santería, religión traída al Nuevo Mundo por los esclavos hace doscientos años, para que la ayudaran a recuperar el auto. «Nietos, necesito nietos», imploraba la mujer.

En otra de las historias un hombre escuchaba cada noche cómo su tío, ya fallecido, abría el refrigerador y se preparaba un sándwich. Cuando fue a consultar a la botánica, los orishas le revelaron que el difunto estaba irritado porque él lo había dejado morir hambriento. Otra versión de la historia decía que el hombre oía abrirse el refrigerador en medio de la noche, se levantaba y encendía las luces, sólo para ver que estaba cerrado. Y cuando abría la puerta del mismo, un ser invisible le daba una bofetada con una rebanada de queso Kraft.

Pero de todas aquellas narraciones, una en especial ha permanecido en mi mente por mucho tiempo. La escuché cuando tenía diez años. En ella, un negro entra en El Congo Real y solicita una consulta. Se le conduce al sótano, donde lo espera el babalawo, el gran santero. El hombre sabe que está en ilé, la casa de los dioses negros. Su petición es muy original: desea que le nazca un hijo blanco, y así se lo comunica al babalawo. También quiere que tenga los ojos verdes o azules. El anciano sacerdote asiente con seriedad. El negro le pregunta qué clase de ofrenda tiene que hacerle a los orishas para que le concedan un niño blanco, pues no quiere que discriminen a su hijo por el color de la piel, a fin de que no le ocurra lo que a él, que no lo promovieron en su fábrica porque no es blanco.

La historia del negro que pidió un niño blanco a los orishas no sólo se apoderó de mi imaginación, sino de la de toda la vecindad, y, como un perro feroz que retiene a su presa, no la ha dejado ni un instante. Aún en la actualidad la gente sigue contándola, porque además de ser una cuestión de raza y discriminación, también es testimonio de que los orishas tienen el poder de conceder todo lo que se les pida.

Para muchos residentes de Spanish Harlem, los dioses negros son tan reales como la misma pobreza. Tan esenciales como el cheque de Bienestar Social que llega los días primero y dieciséis de cada mes. Los orishas son como la propia familia. Amados, respetados y temidos como nuestros padres, quienes un día pueden acariciar y besar, pero también reprender y castigar. Y como las familias ricas o pobres, cada barrio tiene sus idiotas, sus ovejas negras, sus payasos y sus pequeñas estrellas. También sus mitos y leyendas. Con esto en mente, me encaminé a las botánicas de Spanish Harlem para seguir la pista a la historia que escuchara hace unos 25 años.

Mientras me dirigía en el autobús hacia el viejo barrio, me preguntaba por qué aquel hombre pensaba que los dioses negros podían concederle un niño blanco. ¿Acaso no conocía el origen de la santería, introducida en Cuba, Haití y Brasil por esclavos africanos? A bordo de los barcos negreros, los babalawos transportaron la religión en la memoria, en forma de centenares de oraciones, pociones, hechizos, plantas curativas, adivinaciones, canciones… todo el lenguaje de los dioses negros.

Los amos blancos prohibieron la práctica de sus rituales a aquellos sacerdotes-poetas, arrancados de su amada África, por lo que éstos se vieron obligados a disfrazar a sus deidades bajo el manto de los santos católicos, engañando a los amos, haciéndoles creer que se habían convertido a su religión. Pero, por el contrario, los esclavos adoraban a los santos católicos con las mismas canciones y bailes que dedicaban a los orishas. Y precisamente aquel instinto de supervivencia es el que alienta aún en las botánicas.

Al llegar a El Congo Real, ubicado a escasa distancia de la iglesia metodista de ladrillos rojos de la que se apropiaran los Young

Lords en los años sesenta, descendí al sótano. Delante de mí aguardaban dos mujeres. En la pequeña sala de espera había cuatro sillas plegables y unas cuantas revistas sobre una mesita.

«A usted no lo he visto nunca por aquí —me dijo una de las mujeres, pero no me dio oportunidad de responderle—. El padrino es muy bueno. Me dijo que iba a acertar un número en la lotería —dijo y, dando una palmada, continuó— y así ocurrió al día siguiente».

De repente entraron dos hombres, recogieron unas cajas, que al parecer contenían artículos religiosos para ser vendidos escaleras arriba, en la botánica, y salieron. Esperé, pensando en qué le iba a decir al babalawo, en cómo preguntar sobre algo que pudiera no haber ocurrido jamás. Porque en la santería es difícil separar la verdad y la ficción. Las creencias se trasmiten por tradición oral.

Finalmente me tocó el turno de entrar al ilé, la casa de los orishas. Era una habitación magnífica, llena de flores frescas, ofrendas de frutas a los pies de varias imágenes de santos y símbolos de los orishas. En la pared habían clavado arcos y flechas, lanzas, pedazos de caña de azúcar, banderas blancas, altares para todos los orishas, cintas, pañuelos de seda, confites y tambores.

El babalawo, un negro alto de pelo y bigote blanco, me habló en español, llamándome «mi negrito», y me indicó que tomara asiento. Le obedecí.

Cerca de donde me había sentado estaba una estatua de Santa Bárbara, de regia apariencia, con su manto dorado, sosteniendo la proverbial copa sagrada en su mano. Es la santa católica que se equipara con el orisha Changó, dios del trueno y el fuego, ser supremo de la justicia divina.

El babalawo tomó un libro grande, como el de un contador, y me preguntó mi nombre, el cual escribió en sus páginas. Luego me sugirió abonar el «derecho», o pago, a los orishas, diciéndome que doblara los dos billetes de veinte dólares e hiciera la señal de la cruz con ellos en mis hombros, estómago y frente, besándolos al final. Hice lo que se me ordenó y le entregué el dinero. Podíamos comenzar.

«Deja ver lo que tienen que decirte los orishas, mi negrito», dijo, tomando un collar hecho de caparazón de tortuga, de unas 40 pulgadas de largo. Con él me bendijo, tocando mis hombros, abdomen y frente. Lanzó el collar sobre la mesa y escribió varias combinaciones de números. Luego me pidió que tomara un hueso, una piedra y una concha, y los mantuviera en mis manos, mientras continuaba anotando sus combinaciones numéricas. No me atreví a preguntarle sobre la historia del niño blanco, al menos en ese momento.

Finalmente concluyó la escritura de sus cábalas. Las leyó para sí, con extremo cuidado, para después dirigirse a mí, sonriendo. «Nadie te desea nada malo, mi negrito. Nadie ha usado los poderes de los orishas para hacerte daño», dijo, y, mirándome a los ojos, afirmó que dos mujeres aparecían en mi vida. Una negra, la otra blanca. La primera me daría un hijo, continuó, acertando en el hecho de que no tenía ninguno. Pero la blanca iba a amarme. Y yo tenía que decidir entre ambas.

Me aconsejó comprar una imagen de la Caridad del Cobre, desdoblada en Ochún, la diosa del amor y la belleza y madre del matrimonio. «Óyela. Ella te guiará en tu camino», me dijo.

También me insistió en que le hiciera un altar a Ochún, colocando a los pies de la estatuilla de la Caridad del Cobre cinco velas amarillas. Cinco porque ése es su número, y amarillas porque ése es su color. Además, una pluma de pavo real, el ave que le está consagrada. También tenía que comprar cinco tortas dulces y dejarlas frente al altar toda una noche, y luego ofrecérselas a la diosa, lanzándolas al East River. Así lograría su protección y su ayuda para poder decidir entre las dos mujeres.

Antes de subir las escaleras a comprar lo que necesitaba para mi ofrenda, le pregunté al babalawo si recordaba la historia del negro que había acudido ante él con la esperanza de que los orishas le concedieran un niño blanco a él y su mujer. La expresión se le alteró. El sacerdote santero quiso saber la causa de mi interés en aquella historia. Frunció el ceño cuando le expliqué que estaba escribiendo sobre la misma. Me contestó que no podía revelarme nada de lo que hubiera acontecido en el ilé. Insistí, pidiéndole que me contestara solamente si era cierta. Lo era. El anciano me apuntó con un dedo y sonrió, moviendo la cabeza. «Te conozco. Tú eres de esa gente que zafan el cuerpo antes de que empiece el problema. Eso es bueno, mi negrito, porque quiere decir tienes protección. Algún espíritu te da avisa antes de que la cosa se ponga mala», afirmó el babalawo, dando por terminada la conversación, no sin antes decirme que si quería saber más sobre el niño blanco fuera a ver a un barbero llamado Hipólito, que trabajaba en la 104 y la Lexington, en una barbería al lado de botánica Justo. Porque, precisamente, la historia que tanto me interesaba había tenido lugar en esta última.

Por supuesto, tenía que ser en Justo, me dije a mí mismo, mientras hacía las compras aconsejadas por el babalawo. Porque si El Congo Real era la botánica más grande de Spanish Harlem, Justo era la más antigua, pues prestaba servicios en El Barrio desde 1930.

Yo conocía esa botánica muy bien. Estaba justo al frente de P.S. 72, la escuela primaria a la cual asistí durante años. También la barbería me era familiar, pues estaba al lado de la botánica. Allí me llevaba mi padre cuando era niño. Recuerdo que yo siempre lloraba por el camino, pensando que si me cortaban el pelo me quedaría con estatura de niño para toda la vida.

Caminé por la calle 104 y decidí que podía ir a darme un corte de pelo. Los barberos son muy dados a hablar mientras trabajan. Y en definitiva, ya estaba lo suficientemente crecido para saber que no me iba a transformar en un enano. Además, las barberías son lugares muy entretenidos, porque siempre entra alguien y trata de vender algo. Una vez, en la Barbería Tunito de la 110 y la Lexington (que, por cierto, ya no existe), entró un drogadicto y dijo que el paquete de dardos que estaba vendiendo por sólo cinco dólares era de colección. Los coleccionistas de dardos pagan hasta mil dólares por paquetes como ésos. «Puntas de oro…. P'a coleccionar… Puntas de oro, mis panas…», dijo, en medio de las risas de los presentes.

Hipólito estaba pelando a una persona, por lo que tuve que esperar mi turno. El barbero era un hombre de avanzada edad, con sólo unos cuantos remanentes de cabello a ambos lados de la cabeza. De estatura pequeña y bigote, saltaba con soltura de un perfecto inglés a un español impecable. En una esquina del local la radio dejaba escuchar, a bajo volumen, una emisora en español. Al otro extremo un ventilador polvoriento daba vueltas con pasmosa lentitud.

Cuando me tocó el turno, Hipólito no fue muy locuaz, pero habló lo suficiente. Me contó que un hombre fue a la botánica a pedirle a un santero que quería un hijo blanco. Su solicitud se hizo realidad, y su mujer tuvo un niño blanco, rubio y de ojos azules. Como a los seis meses, un buen día toda la ciudad se quedó a oscuras. Fue el apagón de 1977.

«El padre fue a Justo a comprar velas, como todo el mundo, por lo que El Barrio parecía una botánica gigantesca, con velas por aquí y por allá. Cuando regresó a la casa —continuó relatándome Hipólito— lo esperaba un policía. Inicialmente pensó que estaba allí para asegurarse de que todo estaba en orden o algo parecido. Pero no era así. Resultó que el guardia irlandés era el padre verdadero de la criatura, quien creyó que los rusos habían lanzado una bomba atómica a los Estados Unidos, cuyo efecto no había alcanzado a Nueva York, por lo que habían interrumpido el servicio de luz eléctrica. Estaba tan preocupado que decidió ir a ver a su mujer para comprobar que no le había ocurrido nada al niño».

—Pero, ¿y el supuesto padre negro? —le pregunté.

Hipólito se encogió de hombros. —El tipo fue a consultar a los orishas, los dioses negros, para pedir algo blanco. Y los orishas le escupieron el rostro —concluyó.

Ésa era, al menos, la primera versión. Pero hay otras. Una mujer me contó en Justo que los orishas le concedieron una criatura blanca, pero no se trataba de un niño, sino de una niña. Alguien más dijo que el niño era albino. Otro babalawo, a quien visité en una botánica de la 116, entre Madison y Park, me aseguró que a veces se juega el número equivocado, pero ése es el que sale, y en ocasiones se juega el número acertado, pero no sale. No comprendí exactamente lo que me quiso decir con eso, pero tuve una idea.

En el autobús de regreso al West Side, con una bolsa plástica que contenía la estatuilla de una virgen, cinco velas amarillas, una pluma de pavo real y cinco tortas dulces que compré en una panadería (porque para no ofender a los orishas tenía que cumplir al pie de la letra con lo que me dijera el babalawo), pensé en aquella noche de apagón cuando El Barrio se asemejaba a una botánica gigantesca, con velas por aquí y por allá. El mayor altar que se le haya construido jamás a los orishas.

Al cabo de tanto tiempo, el recuerdo más vívido de aquella noche calurosa de julio de 1977 es el sentimiento de que todo el mundo en Spanish Harlem se había volcado a las calles para mirar a las alturas. El cielo de Nueva York era similar al de Puerto Rico, República Dominicana, Ecuador, o cualquiera de nuestros países latinoamericanos, pleno de mágicas galaxias. Todos estábamos sorprendidos. Nos habíamos olvidado de la existencia de la luna, las estrellas, los planetas. El cielo nocturno sobre nosotros parecía estar tan cercano que nos parecía que se podía tocar.

Lo que no supe aquella noche fue que en otra parte de la vecindad se estaba llevando a cabo una historieta como aquellas que leían mis hermanas. Un drama de la vida real lleno de traiciones y engaños, con violento intercambio de palabras duras, desagradables, que hieren los oídos, a menos que sea uno quien las esté profiriendo. El drama de un hombre que se da cuenta de que no es el padre de su hijo, y que los orishas, como los dioses de la Antigua Grecia, también hacen bromas a los seres humanos. Preferí creer que eso es lo que realmente sucedió.

Si lo que escuché fue o no verídico, no es importante. Al igual que los devotos de la santería, que nunca dudan del poder de los orishas, siempre creí en los rumores que circulaban por el Spanish Harlem, porque le habían sucedido a alguien, en algún momento, y de alguna manera. ¿Y quién se encargó de divulgarlos? Tal vez los orishas, los dioses negros, responsables en parte de lo que ocurrió aquella noche de 1977. Y hasta quizá fueron ellos quienes les dijeron a los vecinos: «Queremos un altar. Si lo hacen, les dejaremos contemplar el cielo, y verán una vez más que todos, blancos y negros, son iguales ante nuestros ojos».

Porque, independientemente de la oscuridad de aquella noche y de lo que ocurrió después —los saqueos, los incendios, la intervención de las tropas federales—, fue la única vez que en Spanish Harlem todos salimos a ver, como un blanco y reluciente regalo de los dioses negros, las estrellas.

Micos en el polo

Jorge Franco Ramos

Por miedo, y en una carrera loca, perdí a Reina y me perdí yo. En lo que dura un parpadeo, en un instante de distracción. O huyendo de dos policías mientras yo corría pensando en Reina, en su boca iracunda después del grito: ¡no salgas, Marlon!

Pero como mi rabia también contaba, salí sin sospechar que esa noche me extraviaría en el más grande y enredado de los laberintos, resignado a tener como último recuerdo de Reina su gesto bravo, llamándome como de pequeño me advertía mamá: ¡no salgas a la calle, Marlon Cruz!

Le había gritado a Reina y salí. Nos gritamos el cansancio y el silencio que habíamos guardado desde que le dijimos sí al disparate de venir a buscar futuro a Nueva York.

—¿Nueva York? —le había preguntado.

—Sí, Nueva York.

—¿Y por qué tan lejos?

—Porque allá queda —me contestó Reina.

La idea había sido de ella. En general, todas las ideas eran de ella. Yo también las tenía a veces, pero sólo las de Reina eran las que se echaban a andar. Y ésta ya la tenía andando. Cuando me lo dijo ya era una decisión. No me preguntó si yo estaba de acuerdo.

—Nos vamos los dos —dijo.

También habló de las oportunidades, de los dólares, de ganar bien, de vivir mejor, de salir de este pobre pantano.

—Aquí no hemos hecho, ni estamos haciendo ni vamos a hacer nada —enfatizó.

De tener por fin un sitio para los dos, de prosperar, y hasta de tener hijos habló. Lo dijo con los ojos muy brillantes, y tan sinceros que le creí. Tan decididos que me asustaron.

—Pero eso está lejos y no conocemos —le dije.

Reina me apretó las manos y se pegó bien a mi boca. No vi sus ojos sino dos manchas grises y vidriosas que se movieron rápido, como buscando el pavor detrás de los míos. También le cambiaba el aliento a Reina cuando hablaba con otro humor.

—Nos vamos los dos —repitió—. ¿O te vas a quedar aquí, igual a tu mamá, a tu papá, o al mío, o jodido como todo el mundo?

Lo dijo bajito con los labios encima de mí, apretando con el cuerpo, exhalando aire caliente por su nariz, sin rabia pero resuelta, clavándome sus pechos en cada respiración, para que yo imaginara lo que me iba a perder si me quedaba.

—Nos vamos los dos.

No me dio un beso como pensé que lo haría, sino que despegó su cara y metió su mano entre mi pelo. Ahí la dejó y siguió mirándome, como esperando a que yo le dijera algo diferente a un sí que ella ya había asumido, tal vez una idea fresca que reforzara su plan, algo que le postergara el brillo de su mirada gris.

—Pero yo no hablo inglés, Reina —fue lo único que dije, y ella sacó la mano de mi pelo.

La idea fue suya. Se lo reclamé cuando llegamos. Se lo saqué en cara porque ya no nos quedaba dinero, la dirección adonde teníamos que llegar no existía y las cosas no habían salido como esperábamos. Habíamos aguantado y callado mucho durante el trayecto. Casi no dormimos porque viajamos siempre de noche, y en el día tampoco pudimos descansar, y muchas veces dudé si alguna vez llegaríamos a donde Reina quería, pero cuando ya había perdido el cálculo de las horas, Reina me codeó y me dijo: mirá.

Yo venía con los ojos cerrados buscando conciliar el desasosiego con el sueño, por eso Reina tuvo que repetirme:

—Mirala, allá está.

Entonces los abrí y a través de la ventanilla del bus pude ver a lo lejos, con el sol de la tarde encima, a la ciudad de Nueva York: apoteósica y desafiante, desproporcionada y sobrecogedora. Semejante a un inmenso y congestionado ajedrez.

Reina estaba extasiada. De su cara se borró el cansancio y hasta la memoria, porque pareció olvidar que ya casi no nos quedaba plata, que habíamos perdido nuestros papeles, y que permitimos que nos ultrajaran con tal de llegar hasta aquí. Pero dejé que siguiera en su hechizo. Me aguanté hasta la noche cuando discutimos.

—La idea fue tuya —le dije con rabia.

—Ya lo sé —me dijo ella—. Vos no tenés ideas.

Ese cuartucho donde estábamos era peor que nuestras casas y nada tenía que ver con el sitio que me hizo soñar Reina, el que me describió cuando soñábamos con la vida que haríamos. Ella era la que me contaba como si ya conociera todo, como si ya hubiera venido antes a preparar la llegada, y me decía: es un apartamento blanco con vista al río y a la Estatua de la Libertad, en un piso alto con una terracita que tiene un jardín chiquito y dos sillas para sentarse a mirar el atardecer en Nueva York. Me hablaba de un perro que tendríamos y que sacaríamos a pasear después del trabajo y que cuidaría el apartamento mientras estuviéramos afuera. Me contaba de una cocina muy limpia, llena de electrodomésticos y de un baño blanco con bañera blanca y grande donde nos meteríamos todas las noches a hacer el amor. Vamos a hacer el amor todas las noches, me decía, y yo sentía mariposas en el sexo y pensaba: nos vamos los dos.

Pero el cuarto era como un calabozo que nos habían asignado por la plata que nos quedaba, y que tomamos porque no había otra opción. No encontramos a Gloria su prima, la que le mandó las fotos, la que le dañó la cabeza, la que le dijo: venite, venite prima para acá, que aquí hay plata y trabajo para todos; y le mandó la foto del apartamento donde vivía, y sí, era mucho mejor, y otra foto al lado de un carro lujoso, que ahora dudo que fuera de ella, y otra foto con un perro y en la nieve junto a un muñeco también de nieve con dos ramas por brazos, una zanahoria por nariz, y quién sabe qué cosas negras por ojos, y todos en la foto riendo, pero extraños, ajenos, como unos micos en el Polo Norte.

—Vamos a conocer la nieve, Marlon —decía Reina abrazándose a sí misma, anticipándose al frío.

Yo pensaba: sí, vos podés pasar por gringa porque tenés los ojos grises y el pelo más bien claro, con un poco de tinte quedarías rubia del todo. Pero yo soy muy de acá, pensaba pero no se lo decía. Tan de acá que no me quiero ir.

—Mirá las fotos que me mandó Gloria mi prima —las mostraba como enseñándome el porvenir.

Me las mostró todos los días, las guardaba en su billetera, las sacaba en el bus, en la calle, para gozar con el apartamento, con el carro, el perro, con el muñeco de nieve de Gloria su prima. Me las mostró en el aeropuerto, en cada sitio que tuve miedo, en todo el trayecto desde que salimos hasta acá; las guardaba como si fueran sus documentos, la visa que nos negaron, el dinero que nos gastamos, el pasaporte que nos quitaron. Las fotos de Gloria su prima eran su único seguro de llegada.

—Pero Gloria tu prima —le dije ya en el cuartucho— nos dio la dirección equivocada.

—Tal vez la memorizamos mal —la defendió Reina.

—¿Y su teléfono?

Ahí nos gastamos las últimas monedas. Contestaron en inglés y Reina sólo dijo: Gloria, Gloria, *please*, pero al otro lado le soltaron una retahíla que la llenó de pavor.

—Cogé vos a ver si entendés —me dijo.

A mí me dio hasta risa su ocurrencia. Ella me dijo: tal vez marcamos mal, marquemos otra vez, y yo le advertí: Reina, ésta es la última moneda, pero Reina me miró feo y después marcó, y otra vez lo mismo, Gloria, *please*, y el mismo rollo en inglés. Reina se atrevió a admitir: creo que es una grabación.

—Mejor subamos —me dijo— y mañana volvemos a llamar.

Yo le pregunté: con qué, y ella me dijo: algún vecino nos prestará el teléfono, pero yo dudaba que en esa covacha hubiera otro teléfono que no fuera ése del pasillo. Y cuando volvimos a entrar yo sentí en esa miseria la desesperación.

—La idea fue tuya.

Tal vez fue por el tamaño del cuarto pero todo lo que hablamos sonó a gritos. Yo le pregunté: ¿qué vamos a hacer? y Reina solamente me dijo: mañana llamo a Gloria, mejor durmámonos que hace días que no dormimos, y yo grité algo que por el tamaño del cuarto sonó a confusión. Entonces, como me quedaba un cigarrillo, decidí que me lo fumaría afuera, ventilaría mi ira, pensaría, caminaría para pensar. Tiré la puerta y ella después la volvió a abrir.

—¡No salgas, Marlon! —gritó.

Yo bajé por las escaleras oscuras saltando los escalones de dos en dos, llegué al pasillo, miré con rabia el teléfono que nos había quitado el medio dólar y salí a la calle. No había traído la chaqueta y el viento frío me pegó en el cuerpo, pero cuando encendí el cigarrillo me sentí mejor. Miré hacia arriba buscando a Reina en alguna ventana, pero ni siquiera estaba seguro si la nuestra daba a la calle, o si acaso teníamos una. Miré al frente y vi la valla iluminada donde alcancé a distinguir la única palabra que entendí: Queen. La conocía porque significa Reina en español.

Caminé un poco porque sentí que a pesar del frío el aire fresco me caía bien. Pensaba en Reina y en que tal vez no fui justo al culparla. Crucé la calle y el cigarrillo ya iba por la mitad y mi arrebato también. Pensaba en Reina y en que tal vez tendría razón: después de dormir veríamos las cosas más claras. Tal vez también al otro día aparecería Gloria su prima y todo se arreglaría. Tiré la colilla y decidí regresar para admitirle lo tonto que había sido, pero una mano en el hombro me heló el corazón, la mano enorme de un policía.

Él habló y yo no le entendí. Señaló la patrulla que yo no había visto, o tal vez señaló a su compañero que hablaba por radio. Creo que balbuceé y también creo que él dijo algo que no entendí, pero que hizo que mis pies decidieran por mí. Y mientras él miró al otro para hablarle, yo eché a correr a grandes zancadas e impulsado por el pánico, atropellando a la gente pero sin caer. Miré hacia atrás y los policías también corrían, no muy lejos y abriéndose paso con sus silbatos. Mis pies volaban y a mis pies frenaban los carros en las calles que cruzaba. Veía sus luces como si corriera dentro de un carrusel. Los policías seguían detrás pero el miedo me hacía más veloz.

—*¡No salgas, Marlon!*

Corría y recordaba el grito que debí atender. Corrí con los otros dos detrás y los carros casi entre mis piernas, y las luces encandilándome pero seguí corriendo, *¡no salgas, Marlon!,* y doblaba esquinas y esquinas y corría pero me iba cansando y veía a los policías más cerca mientras pensaba en Reina y pensaba en Dios. De pronto, sentí un golpe seco al cruzar otra calle, me atropellaron, pensé, pero no fue a mí, fue a uno de ellos, uno de los policías voló cerca, casi a mis pies, entonces el otro se detuvo, miró a su compañero en el piso y me miró a mí, pero corrí aunque el otro no me persiguiera más, y corrí más entre muros inmensos con avisos de colores luminosos y edificios que se perdían en lo alto, entre un mar de gente a la que poco parecía importarle la persecución.

Corrí mucho tiempo, por más calles y más esquinas, hasta donde ya no había más luz, o hasta donde me llevó el desaliento, no lo recuerdo bien, no me entraba aire y las piernas ya no me querían responder. No sabía cuánto había corrido. Fueron muchas calles y hasta un puente, siempre lleno de pánico, pero no con tanto como en ese instante después, cuando ya sentado en el piso entendí que tal vez un hombre había muerto durante mi fuga, cuando con los ojos aguados miré alrededor y no distinguí nada familiar: un color, un sonido, una idea de algún sitio, tantas cosas que tiene una ciudad para recordar. Tantas cosas y yo no pude retener ninguna. Todavía ahogado recordé lo que siempre le había dicho a Reina: yo no conozco, yo no hablo inglés.

Y su grito después: *¡No salgas, Marlon!*

El grito que con el tiempo se ha ido desvaneciendo entre los otros tantos que vocifera esta ciudad, y por el que lucho para que no pierda su eco, porque es lo único que me sostiene para seguir buscando a Reina.

Tren

Mayra Santos-Febres

«Fue en esta parada», me contaba Fernando. Esa tarde subíamos hacia la calle 14. Yo andaba de visita en la ciudad, buscando a mi hermano. Hacía dos años que vivía en el Norte, después de terminar su programa de recuperación para adictos y yo hacía noches que dormía en Delancey Street, casa de Angelito, que estaba de viaje de promoción a su nuevo libro de cuentos. Me dejó su casa y a su perra Pulga y a su gata de compañía. Hasta allá fue Fernando a buscarme cuando lo llamé para decirle «Loca, estoy en los Niuyores. Acompáñame a buscar a mi hermano». Eso fue todo lo que tomó arreglar el encuentro.

«Fue en esta parada», repitió y nos quedamos callados. Los sonidos del tren ocuparon todo el vagón. Tres asientos más abajo, dos tipos negros con bandanas en la cabeza amenazaban con la voz. Hablaban acerca de Kenny, que ya está en la calle de nuevo y encontró trabajo pero que «man, fuck that shit. I ain't gonna be flipping no burgers for some coins. The juice is out there. Kenny is a fool». Entre los chirridos del tren, las últimas sílabas del insulto se mezclaban con un «chiquita, óyeme lo que te digo, el cuñado no se puede quedar viviendo con nosotros, chiquita. Ya sé que le ha ido mal con lo de la mujer, pero, chiquita, y ¿nosotros qué?, ¿y ahora con el niño?». Frente a mi Laquisha tenía a Dios en su corazón y por eso «she don't need no two-timing motherfucker giving me hell and shit. My sister says I can move in with her. She said I'm going to take care of you. So he can take his scrawny ass and get the fuck out of my life». Y Fernando al lado mío recordando la parada y contándome que ya Luisito está mejor de los *blisters* que le salieron en el esófago, y que «el coctel nuevo es una maravilla niña, pero yo no sé qué va a hacer la loca. Tiene una depresión. Ahora que no se va a morir no sabe qué hacer con su vida». Mientras tanto el tren competía con el cansancio, con la rabia de aquellas voces, sondeando su furia metálica contra las tripas de la tierra y contra los rieles contenidos en su electricidad. Era como si una gata inmensa y escondida en su madriguera estuviera chillando un atropello. Adentros de su vientre herido, sin embargo, proseguía su lenta digestión.

Pero Fernando «en esta parada fue que lo vi. El se montó al tren y con él una peste a callejón de alcohólicos y a sudor. Parecía que no se bañaba en semanas. Tenía puesta la indumentaria de rigor con todo y sudadera con capucha negra, *jacket* militar, pantalones anchos. Y una cara de "te voy a vaciar una pistola en la cabeza si te atreves a darme los buenos días y cuando te estés desangrando me siento a mirarte y a recargar la pistola para que a nadie se le ocurra llamar a una ambulancia". Un matón hecho y derecho. Pero era él, tu hermano. Así que lo fui a saludar. Allí fue que le noté esa cosa loca en los ojos. No los tenía rojos ni apagados, así que aquello no era la heroína. Era otra cosa. No sé si *speed* o *crack*. Pero lo que fuera que se estuviera metiendo le sacaba un demonio por los ojos. Yo me dije: "Loca, que bueno que no fuiste a capear a donde este tipo capea". Pero era tu hermano y yo lo sabía, así que me le acerqué.

«El individuo no me reconoció a la primera, cuando le tendí la mano y lo llamé por su nombre. Le tuve que repetir "Fernando, el amigo de tu hermana". Si le vieras la cara que puso. Como si algo lo hubiera vaciado por dentro. Perdió la expresión totalmente. Aquellos ojos nerviosos se quedaron mirando fijo a un punto inexistente, por allá por casa del carajo. Te lo juro, negra, como si de repente el tipo se perdiera dentro de él y un corto circuito lo desconectara de todo lo que existía en aquel tren. Sin decirme ni una palabra, se paró del asiento y se bajó en esta parada que era la que ya iba a tocar».

«Otra vez, chico, una se cansa. Ya van tres internados en clínicas de desintoxicación. Y tan pronto sale a la calle, la misma historia. Que si "ahora va a ser diferente", que si "ya me cansé de esta vaina". Y a los tres meses deja el trabajo, se desaparece y otra vez a las andadas. Como si el centro de la Tierra lo llamara. Como si no le importara morirse a la menor provocación. Yo no sé lo que le pasa a mi hermano».

Teníamos que hacer trasbordo para subir al este y llegar al sur del Bronx. En los corredores de la estación, gente y más gente entrando y saliendo de escaleras. Una bandita de jazz amenizaba el trayecto y varios transeúntes paraban sus pasos para escuchar 'aquella música que era como una flor roja creciendo en medio del cemento. Varios deambulantes dormían en una esquina del andén. Yo halé suavemente a Fernando por la manga y nos fuimos acercando. Quizás allí mi hermano estaría envuelto también en cartones, con los zapatos rellenos de periódicos secos para protegerse del frío.

«Loca, esto es Nueva York. Aquí nadie encuentra lo que está buscando por casualidad».

Yo ya estaba concentrada en la tarea de ir escudriñando caras, aquellas caras mustias desviando la mirada. Muchas, inevitablemente negras, desaliñadas, de párpados hinchados y adoloridos, como me imaginaba estarían los de mi hermano. Pero no, ninguna de aquellas caras era la de él.

Una señora judía, pequeñita y emborujada en un traje sastre mal cortado, como de tienda de descuentos, se acercó también, abriendo su cartera de charol negro. De su monedero sacó un dólar y lo metió quedito en el vaso plástico que se balanceaba en el piso, recogiendo limosnas. Yo la miré sonreída, aliviada y también saqué un dólar para los deambulantes. Quizás en esos mismos momentos se estuviera repitiendo esta escena con mi hermano.

Subimos de nuevo al tren. Repleto. Yo intentaba mantener el equilibrio entre las curvas y aceleradas mientras Fernando «porque en tu casa no se veía nada de eso. Ésa es la calle y la maldita mierda de probarse hombre. Qué bueno que nací maricón». A mi cabeza llegó un pensamiento de hombre entre tantas mujeres, mientras en mi mente veía a mi madre aferrándose a mi hermano como al último mástil de un barco que se hunde mientras los hombres de su clan iban muriendo uno a uno. Su hermano Rafael, apuñalado; su hermano Radamés, explotándose el hígado del alcohol; mi padre, vivo al lado de ella, pero ella tratándolo como a un hombre muerto ya, buscando su sepultura. Y desesperada su voz de Tomás, no salgas a la calle, Tomás, cuando te vaya a buscar al trabajo. Las garras mustias de mi madre buscando alargarse y mi hermano huyendo de ellas y mi padre huyendo de ellas y yo escondida en una esquina viéndolas crecer y vigilando mis dedos para que no mutaran, para que tampoco se convirtieran en aquellas garras desesperadas de gata desesperada y vieja, pero todavía ensañada contra el mundo por lo que dejó que se le escapara de su amor. Y yo, «Tomás, ya está muerta. Se murió la semana pasada. Ya la enterramos. Ahora tú también puedes descansar».

«Nena, corre que aquí es», dijo Fernando. Habíamos llegado. Buscamos el número y la calle que aparecía escrita en el reverso de la última carta que recibí de mi hermano. Ya no vivía ahí. Los eternos jangueadores de esquina fueron la única fuente confiable. Uno de ellos, boricua, me dijo que sí, que conocía a Tomás, que la última vez que lo vio lo había visto jangueando en el punto, ocho cuadras más arriba pero que «I wouldn't go there asking questions if I were you».

«Vámonos. No hay más que hacer», me aconsejó Fernando y yo lo miré con rabia y con envidia, porque fue él quien se lo encontró en una parada y no yo entremedio de las lentas digestiones de los trenes. Allá lejos se veía el cielo gris y la distante punta de los rascacielos. «Mija, a esperar a que se comunique. Siempre lo hacen, aunque sea para pedir dinero.»

Caminamos juntos a la boca del tren. Afuera un tipo negro agitaba una lata con menudo adentro. Yo le miré bien la cara, los ojos, mientras le echaba una moneda en el recipiente.

Xerox Man

Ilan Stavans

Mi participación fue muy pequeña en el explosivo caso del llamado «Xerox Man», como los tabloides de Nueva York se deleitaban en describir a Reuben Staflovich, poco después de su sonado arresto, y como lo reiteraba el perfil del *Harper's Magazine*. Se reduce a sólo quince minutos de conversación de los que, por desgracia, tengo sólo un recuerdo demasiado vago.

Oí hablar por primera vez de él en Foxy Copies, un pequeño establecimiento de fotocopiado ubicado precisamente junto al edificio de apartamientos de la época de preguerra, donde pasé algunos de mis mejores años en Manhattan. Su propietario era un generoso cincuentón de apellido Morris, que atendía a sus clientes con una clase de cortesía y sencillez que ya no estaba de moda en la ciudad.

Acostumbraba yo visitar Foxy Copies casi diariamente, ya que mi trabajo exigía copiar material periódicamente y enviarlo por fax. Me rehusé a dejar que mi casa se viera invadida por equipo tecnológico, de modo que Morris, por una suma no astronómica, me hacía ese trabajo.

Siempre me recibía con los brazos abiertos. Si el tiempo lo permitía, me invitaba a charlar un rato mientras él estaba en su escritorio, detrás de una de las grandes fotocopiadoras. Discutíamos sobre el último juego de los Yanquis o sobre el escándalo de la semana en Washington. Luego él procesaba mis documentos como si fueran suyos. Había leído uno de mis artículos en una revista de su especialidad, y se sentía orgulloso de tener lo que llamaba «una lista distinguida de clientes», en la que me incluía. «Me harás famoso algún día», me decía con frecuencia.

En una de nuestras conversaciones le pregunté a Morris, sólo por fastidiar, si alguna vez sintió curiosidad acerca de sus clientes y el material que fotocopiaban.

—¿Por que habría de sentirla? —replicó rápidamente, pero luego bajó la guardia—: ¿Quieres que realmente responda a tu pregunta? Entonces, ven conmigo —caminamos hacia una trastienda con un enorme gabinete, que Morris abrió de inmediato. Frente a mí, vi una pila desordenada de papeles.

—En Brooklyn —dijo— a un viejo maestro mío le gustaban las palabras raras. Cuando adquirí Foxy Copies vino a mi memoria una de estas palabras: *paralipómena*. Significa «sobrantes que todavía tienen algo de valor». Lo que ves aquí son pilas de copias Xerox que los clientes dejan o descartan.

La vista me recordó una *genizah*, el anexo de toda sinagoga, generalmente bajo el arco donde se almacenan los viejos libros de oración. Los libros judíos inservibles no se pueden tirar a la basura, porque podrían contener el nombre de Dios, que puede caer en malas manos y ser profanado. Por esta razón, estos libros se almacenan hasta que la *genizah* está demasiado llena, y en ese momento alguien, generalmente un anciano, entierra los libros en el patio trasero.

—Una especie de *genizah*, ¿verdad? —dije.

—Sí —contestó Morris—, salvo que una empresa especializada viene cada tres meses o algo así para recoger este material. Me enoja que no se recicle debidamente.

Hojeé las viejas copias Xerox.

—Basura, realmente —dijo Morris—. La mayor parte está en inglés normal, excepto el material descartado que dejó el señor Staflovich —y al pronunciar el nombre señaló un montón de menor altura. Lo miré de cerca, y me pareció que sus páginas estaban escritas en viejos idiomas semíticos.

A Morris no le gustaba hablar acerca de sus clientes; pero en el fondo todos los neoyorquinos son indiscretos, y él también lo era. De modo que me contó que Reuben Staflovich —según recuerdo, él usó el nombre completo por primera vez en ese momento— era con mucho el más taciturno de sus clientes. Lo describió como corpulento, de altura promedio, siempre vestido con un traje negro, camisa blanca y mocasines bien lustrados, con una barba desarreglada y su distintivo sombrero tipo Humphrey Bogart.

—Viene con un maletín negro de médico aproximadamente cada dos o tres semanas —añadió Morris—, normalmente a la hora de cerrar, alrededor de las 6:30 p.m. Pide una máquina Xerox sólo para él. Con extrema meticulosidad, procede a sacar del maletín de médico un volumen de anticuario, que tarda entre 30 y 40 minutos para fotocopiar. Luego lo vuelve a colocar en el maletín, envuelve en plástico las copias, paga al cajero y se marcha. Se dicen pocas palabras, y no hay contacto humano. Sale exactamente del mismo modo en que llega: en silencio absoluto.

Recuerdo haber hablado con Morris sobre otros temas ese día, pero Staflovich era el único que realmente cautivó mi imaginación.

—¿Sabes? —continuó Morris—, es asombroso verlo hacer su trabajo. Fotocopia sin fallas, sin desperdiciar una sola página. Pero, poco después de terminar, mete sus dedos en el montón y toma una sola copia, una sola, y la descarta. No tengo idea de por qué hace esto. Nunca me atreví a preguntarle. Pero guardaba la página excluida por lástima.

Saqué del gabinete la página de encima de la pila de Staflovich. —¿Me la puedo llevar?

—Por supuesto —contestó Morris.

Aquella noche, en mi soledad, la descifré: venía de una traducción latina de la *Guía de perplejos* de Maimónides.

No mucho tiempo después, estando en Broadway, vi a Staflovich en persona. La descripción de Morris era impecable. Salvo por el sombrero tipo Humphrey Bogart, parecía tan corriente como lo había imaginado: un judío ortodoxo anodino exactamente como los que se encuentran en Delancey Street. Caminaba de prisa y nerviosamente, con su maletín en la mano derecha. Una corazonada me hizo seguirlo. Se dirigió hacia las afueras, hacia la estación del subterráneo de la calle 96; pero siguió caminando muchas cuadras más —casi treinta— hasta que llegó a los escalones de la entrada del Seminario Teológico Judío donde, cruzando la reja, despareció de mi vista. Esperé durante unos minutos y lo vi reaparecer, caminar de nuevo hacia las afueras, esta vez a Columbus Avenue, y desaparecer definitivamente en un edificio de apartamientos. «Ésta debe ser su casa», me dije a mí mismo. Me sentí angustiado, sin embargo, deseando haberlo encontrado frente a frente. Estaba intrigado por su identidad misteriosa: ¿Era casado? ¿Vivía solo? ¿De qué vivía? ¿Y por qué copiaba libros viejos en forma tan religiosa?

La siguiente vez que vi a Morris, le mencioné mi persecución.

—Ahora me siento culpable —confesó—. Puedes estar siguiendo a un desalmado.

Alrededor de un mes más tarde tuvo lugar mi conversación de quince minutos con Staflovich. Fue al salir de la Universidad de Columbia, después de un día muy pesado en mi trabajo de profesor. Él entraba a la estación del subterráneo en la calle 116. Por coincidencia, ambos bajamos juntos por la escalera. Volví la cara fingiendo sorpresa por la coincidencia y dije:

—Yo lo he visto a usted antes, ¿no es cierto? ¿No es usted cliente de Foxy Copies?

Su respuesta fue evasiva: —Bueno, realmente no. No me gusta la zona… Es decir ¿por qué? ¿Usted me ha visto allí?

Noté de inmediato su fuerte acento hispánico, que después fue objeto de bromas por parte de los medios, especialmente de la televisión.

—¿Es usted de Argentina?

—¿Qué le importa?

—Bueno, es que yo soy judío mexicano…

—¿De veras? No sabía que allá hubiera. De otro modo…

Con la clara intención de evadirme, Staflovich sacó una ficha y pasó por el torniquete. Yo no tenía fichas, de modo que tuve que formarme en la fila, con la consecuente demora. Pero lo alcancé una vez que bajé a los andenes. Él estaba tan cerca como era posible de la orilla de la plataforma. El tren tardaba en llegar, y yo no me sentía intimidado por la renuencia de Staflovich a hablar. De modo que me dirigí nuevamente a él:

—Veo que usted trabaja en el fotocopiado de documentos antiguos…

—¿Cómo lo sabe?

No recuerdo exactamente la conversación que siguió, pero, al cabo de pocos minutos, Staflovich me había explicado el resumen total de sus tesis teológicas, que son las mismas que expuso ante varios periodistas después de su detención. Lo que sí recuerdo es haber sentido un verdadero torrente de ideas descender sin piedad, repentinamente, sobre mí. Algo así como que el mundo en que vivimos —o más bien, en el que se nos ha obligado a vivir— es una copia Xerox de un original perdido. Nada en él es auténtico; todo es copia de una copia. También dijo que nos gobierna la más absoluta aleatoriedad, y que Dios es un loco a quien no le interesa la autenticidad.

Creo que le pregunté qué lo había traído a Manhattan, a lo que replicó: —Ésta es la capital del siglo veinte. Las memorias judías están depositadas en esta ciudad. Pero la manera en que se han almacenado es ofensiva e *inhumana*, y se debe corregir de inmediato...

La palabra *inhumana* se me clavó en la mente. Staflovich la había subrayado claramente, como si esperara que yo saboreara su significado durante un largo tiempo.

—Tengo una misión —concluyó—. Servir como intermediario en la producción de una obra maestra que refleje verdaderamente los inescrutables caminos de la mente de Dios.

—Usted es del Upper West Side, ¿verdad? —le pregunté—. El otro día lo vi cerca del Seminario Teológico Judío.

Pero en ese instante, ya no tuvo más paciencia y comenzó a gritar: —No quiero hablar con usted... Déjeme solo. Nada que decir. No tengo nada que decir.

Di un paso atrás y, en ese momento, por una curiosa sincronía, llegó el tren local. Al entrar yo, vi a Staflovich volverse y caminar en la dirección opuesta, hacia la salida de la estación.

Una semana después, los encabezados de los tabloides decían: «Pesadilla de un Copión» y «Xerox Man: Un Auténtico Bandido» y *The New York Times* presentaba una escandalosa noticia sobre Staflovich en su primera plana. Se le había arrestado por cargos de robo y destrucción de una gran cantidad de libros raros judíos de inestimable valor.

Al parecer, se las había arreglado para robar, mediante estratagemas extremadamente astutas, unos trescientos preciosos volúmenes —entre ellos ediciones del *Sefer Hobot ha-Lebabot* de Bahya ibn Paquda, y una generosa porción del *Talmud* babilónico, una versión con dedicatoria del *Tractatus theologico-politicus* de Spinoza, publicado en Amsterdam, y una *Haggadah* iluminada impresa en Egipto— todas de colecciones privadas de renombradas universidades como Yale, Yeshiva, Columbia y Princeton. Su único objetivo, según afirmaban al principio los reporteros, era apoderarse de lo más raro de obras relacionadas con la historia judaica, sólo para destruirlas en la forma más dramática: quemándolas al amanecer dentro de los cubos para basura ubicados junto a Riverside Park. Pero sólo destruía la literatura después de copiarla totalmente. Se citaba la afirmación de un funcionario: «El señor Staflovich es un maniático de las copias Xerox. Las réplicas son su único objeto de adoración».

Poco a poco salieron a la luz sus odiseas personales. Se había criado en Buenos Aires, en un ambiente ortodoxo estricto. Cuando lo arrestaron, su padre era un famoso rabino *hasídico* de Jerusalén, con quien tenía frecuentes discusiones violentas, sobre todo tocantes a la naturaleza de Dios y al papel de los judíos en el mundo secular. En su adolescencia, Staflovich llegó a convencerse de que el hecho de que antiguos libros judíos fuesen propiedad de instituciones no ortodoxas era un mal que necesitaba desesperadamente corregirse. Pero su obsesión tenía menos que ver con la transferencia de propiedad que con una compleja teoría del caos que él había adoptado mientras estuvo en Berkeley en un breve período académico de rebelión a principios de la década de los ochenta. «Para él, el desorden es el verdadero orden», decía el psicólogo de la prisión, y añadía: «Irónicamente, dejó de moverse entre los judíos ortodoxos hace tiempo. Está convencido de que Dios en realidad no gobierna el universo; simplemente lo deja mover en una cadencia libre para todos, y los humanos, emulando a la divinidad, deben copiar dicha cadencia».

Cuando la policía inspeccionó su apartamento de la avenida Columbus, encontró grandes cajas que contenían fotocopias. Estas cajas no se habían catalogado ni por título ni por nombre. Simplemente se habían vaciado desordenadamente, aunque las fotocopias mismas realmente nunca se mezclaron.

El caso de Staflovich ocasionó un candente debate sobre temas relacionados con el *copyright* y con los sistemas de préstamo de las bibliotecas. También generó animosidad contra los judíos ortodoxos que no querían formar parte de la modernidad.

—Aunque parezca curioso —me dijo Morris cuando lo vi en Foxy Copies después de que el alboroto se calmó en cierta medida—, la policía nunca me vino a ver. Supongo que Staflovich, con objeto de evitar sospechas, tuvo que haber contratado los servicios de varios centros de copiado. Seguro que nunca lo vi copiar más de una docena de libros de los trescientos que tenía escondidos en su apartamento.

Morris y yo seguimos hablando acerca de su cliente más famoso, pero mientras más reflexionaba yo en todo este asunto, menos cerca me sentía de su esencia. Con frecuencia me imaginaba a Staflovich en su celda de la prisión, solo pero no solitario, preguntándose a sí mismo qué se habría hecho con su colección de copias.

No fue sino hasta que apareció la semblanza publicada por el *Harper's Magazine,* un par de meses después, cuando surgió una visión más completa, por lo menos ante mis ojos. El autor de dicha semblanza fue al único que se le permitió entrevistar personalmente a Staflovich en dos ocasiones, y él desenterró fragmentos de información acerca de su pasado que nadie había tenido en cuenta. Por ejemplo, sus raíces argentinas y su conexión con Nueva York. «Yo odiaba mi educación judía ortodoxa de Buenos Aires —le dijo Staflovich—. Todo en ella era derivado. La América de habla hispana es pura imitación. Lucha por ser *como* Europa, *como* los Estados Unidos; pero nunca lo será…» Y sobre Nueva York, dijo: «Cubría mis gastos de manutención con el legado que recibí después de la muerte de mi madre. Siempre pensé que esta ciudad era la más cercana a Dios, no porque fuese más auténtica —que obviamente no es—, sino porque ninguna otra metrópoli del mundo se le acerca siquiera en la cantidad de fotocopiado que se hace normalmente. En Manhattan se hacen millones y millones de copias diariamente. Pero todo lo demás —arquitectura, las artes, la literatura— es también una imitación, si bien una imitación disimulada. A diferencia del resto de América, Nueva York no lucha por ser como ningún otro sitio. Simplemente se remeda a sí misma. Allí estriba su verdadera originalidad».

Hacia el final de la semblanza, el autor le concede a Staflovich un momento de franqueza cuando le pregunta acerca de «su misión», y leyendo esta parte, repentinamente recordé que fue su misión acerca de lo que me habló más elocuentemente en la estación del subterráneo.

—¿Se habría dado cuenta la policía de que las copias Xerox que están en mi apartamiento están todas incompletas? —pregunta—. ¿Habrían verificado cada paquete y visto que a todos les falta una sola página?…

—¿Eliminó usted esa sola página? —le pregunta el entrevistador.

—Sí, por supuesto. Lo hice para dejar un cuadro más claro y convincente de nuestro universo, siempre esforzándose por su realización, sin conseguirla realmente nunca.

—¿Y qué hizo con esas páginas faltantes?

—Ah, he ahí el secreto… Mi sueño era servir como intermediario en la producción de una obra maestra que reflejara verazmente los caminos inescrutables de la mente de Dios: un libro hecho al azar, arbitrariamente, con páginas de otros libros. Pero ésta es una tarea condenada al fracaso, irrealizable, por supuesto, y por esto dejé esas páginas desprendidas en los cestos de basura de los centros de copiado que frecuentaba.

Cuando leí este renglón, inmediatamente pensé en la *genizah* de Morris y en cómo la misión de Staflovich no tenía que ver con la duplicación sino con la creación. Rápidamente bajé las escaleras hacia Foxy Copies. Morris era seguramente el único propietario de un centro de copiado que tuvo el sentido común de rescatar las copias descartadas. Todavía tenía conmigo la página de Maimónides, pero deseaba desesperadamente poner mis manos en las páginas restantes del montón, para estudiarlas, para captar el caos acerca del que Staflovich hablaba con tanto entusiasmo. «*Paralipómena*»: éste es el legado que me dejó Xerox Man, me dije.

Morris no se encontraba en el centro de copiado, pero uno de sus empleados me dijo, cuando le expliqué mi intención, que el personal de la empresa de reciclaje había venido para limpiar la trastienda apenas dos días antes.

Náufrago

Homero Carvalho

Para entonces ya había perdido la cuenta de las fechas y de los días; cuando tropezaba con un domingo, era más bien motivo de tristeza y desesperación. No me parecía nada gracioso estar en la capital del mundo sin un centavo en los bolsillos. Una mañana que estaba parado en la estación Lenox Hill Hospital, en la calle 77 de Manhattan Este, esperando el tren para dirigirme a otra agencia de empleos, pues para el caso, ya tenía en mi poder la famosa *green card* y podía, por tanto, buscar trabajo sin sobresaltos, me distraje leyendo los titulares en un puesto de *newspapers* y temblando por el frío escuché a este hombre que me preguntaba, en español: ¿de dónde es usté...?

—De Bolivia —contesté inmediatamente.

—¡Ah! —dijo el hombre desinterándose.

—¿Por qué? —repliqué yo, tratando de que no me eludiera tan fácilmente.

—Por nada —volvió a responder—, pensé que era de la tierra...

—Pero si yo...

—De Centroamérica pues —aclaró, y se deslizó por las puertas del vagón del tren segundos antes de que éstas se cerrasen.

El hombre en el hombro de la hembra

Roberto Quesada

Los insultos eran tan fuertes que no sólo se escuchaban sino que se veían por encima de las señales de tránsito, de los rótulos, de las paredes como una sombra que se agrandaba a medida que uno se acercaba. Aunque caminaba por Roosevelt y 74, lugar donde habitan tantos colombianos a tal extremo que se le conoce como La Pequeña Colombia, reconocí que la voz insultante proveniente de la vuelta no sólo iba dirigida a una mujer sino que era de un hondureño, hecho que no me alegró ni entristeció, pues no soy muy dado a la nostalgia. En el preciso momento en que llegué a la esquina y divisé la pareja, el hombre le daba una bofetada o se la repetía a la mujer a la vez que no paraba de crucificarla con una sarta de improperios. El hombre cerraba el puño y calculaba con precisión de relojero el blanco que ennegrecería la cara de la mujer cuando le grité:

—¿Qué te pasa, hermano?

El hombre se contuvo y quizá porque no me reconoció el acento no se disparó en mi contra ni me pidió que me dedicara a mis cosas. Me miró con el puño a media asta todavía:

—Es que estas mujeres así quieren, hombre, ¿no va a creer la que me hizo?

Yo me acerqué casi en el centro de los dos, justo donde se ubican los réferis del boxeo; fuera lo que fuera lo que la mujer le hubiera hecho no me parecía justo que le pegara:

—Mira, mi hermano, si la policía te encuentra vas a tener serios problemas. Eso es delicado aquí, te pueden echar si te descuidas.

Inmediatamente se metió las manos en los bolsillos, vio hacia una calle y otra, sólo le faltó silbar con la vista hacia el cielo. La mujer se limpiaba una gotita de sangre que le jugueteaba al fantasma: se le aparecía y desaparecía en cuestión de segundos. El hombre viéndola con ojos láser, dijo:

—Es que usted viera lo que me hizo —me señaló el rótulo de un bar—. Es que íbamos pasando por aquí y a mí me dio por echarme una cerveza, sabe, para enfriar los nervios. Yo, que de bueno me paso, para que ella no quede como tarada esperándome afuera, le di permiso para que me acompañara. Estábamos allí, ella con su cocacola, cuando en esos televisores que ponen en las esquinas apareció un hombre desnudo y viera usted que a esta puta casi se le salen los ojos, no se los despegaba de usted ya sabe dónde.

En verdad que me dio risa pero disimulé. Le di a entender que eso era tan natural que no me extrañaba. Él la amenazó como diciéndole que ya iban a llegar a casa. Esto me dio la idea de buscarle plática para que se le bajara la temperatura:

—¿Y dónde viven?

—Aquí en Queens —me contestó él—. Pero no por aquí sino retirado, tenemos que tomar el metro.

La gota de sangre de la mujer se cansó de jugar y le desapareció, por lo que pude ver su rostro completo: era bonita, joven, en los treintas quizá, y supe que esa cara yo la conocía. Dudé, pensé que tal vez me parecía así porque era compatriota.

—¿De dónde es usted? —me preguntó el hombre.

—También soy de Honduras como ustedes.

Se quedó unos segundos sorprendido o atontado:

—¿Y cómo nos reconoció tan rápido?

—El inconfundible hablado nuestro —me sonreí.

—Yo nunca hubiera creído que usted era hondureño. Ya que me encontré con un paisa, pues lo mejor es que nos refresquemos, ¿qué le parece si nos echamos un par de brutas en ese bar?

Por respuesta di un vistazo a la mujer.

—Ésta que se vaya para la casa —y dicho esto la mujer comenzó a caminar.

—¿Sola?

Rechinó los dientes:

—Ella conoce el camino.

Sin otra alternativa caminé a la par de él mientras computarizaba mi cerebro para que no se me ocurriera ver el televisor: no vaya a ser que me mate. Le sugerí que para que habláramos sin olvidarnos tomáramos algún refresco y no cerveza como lo había propuesto él. Después de una terapia intensiva aceptó que un refresco:

—Pero después nos echamos un par de brutas —sentenció.

Le pedí que me tratara de vos tal como yo lo hacía. Concentró la mirada en mi corbata y la desvió por el traje entero y negó con la cabeza. En el televisor anunciaban la danza de una mujer desnuda, ancha de caderas, pechos rebosantes y cabellera amarilla. Él la miraba como quien no quiere la cosa. Le daba un vistazo a ella y otro a mí. Me hice el interesado —además, realmente lo estaba— en ver a la mujer. Él me sonrió afirmativamente y saboreaba la cerveza como si se estuviera bebiendo a la mujer. No perdía detalle. Al finalizar dijo que estaba buena e hizo la V de la cerVeza y el de la barra no perdió un segundo en atendernos.

—Éstas son cosas de hombres —dijo él.

—Claro —me sonreí—, una mujer no quiere estar viendo a otra mujer, ni un hombre a otro hombre bailando desnudo. Para cada cual lo suyo.

Noté que se desconcertó:

—No, la mujer no tiene que ver a otro desnudo que no sea su marido.

—Claro que sí, ella también es un ser humano. Además, el desnudo es tan común, sobre todo aquí, que quién se sorprende por eso.

—No, no, no, cómo va a ser eso. Uno de hombre puede, pero la mujer sólo tiene que verlo a uno.

—Que miren, es mejor, tal vez así se les abre el apetito y uno es el favorecido al llegar a casa porque se lo desquitan con uno...

Me miró horrorizado:

—¡Qué se va a acostar con uno pensando en otro que vio desnudo! ¡Me parta un rayo!

—¿Por qué no? Es mejor que tengan confianza de verlo con uno, así no se corre riesgo, porque si le das confianza ella te quiere más y te es fiel, pero si no... a escondidas, ¿qué puede darse cuenta uno de lo que hacen?

—Serán estas gringas, pero la mía no, la mía la traje de Honduras. Allí no existen esas cosas.

Se me pasó el rostro de la mujer del hombre por la memoria. La recordé, sabía que sí la había visto anteriormente. Bebí despacio, con deseo de conversar pero seguro de que la plática iba para lejos pues por experiencia sé que para nosotros los hondureños un par no es dos y mucho menos cuando de tragos se trata, así como un bocadillo es una comilona. Percibí al hombre incómodo por lo que había dicho y agregué:

—Ahora no sólo las gringas, es igual en el mundo. La mujer está cambiando como todo tiene que cambiar.

—No, lo que pasa es que aquí los gringos son bien maricas y no saben cómo tratar a las mujeres. Hay que darles sus buenas cachetadas para que aprendan. A la mujer le hace falta llorar, ¿no ha oído usted eso que dice que cuando la mujer llora necesita el pecho del hombre para consolarse?

Tuve intención de reír pero él hablaba muy en serio:

—No, ahora no es así.

—¿Cómo que no? Si mire que hasta en la portada de la *Atalaya* y *Despertad* salen las mujeres recostaditas en el pecho de los hombres.

No quise contradecirlo del todo y le cedí terreno para hacer amena la noche que apenas comenzaba.

—Sí, a veces sí, a veces la mujer necesita el pecho del hombre, pero también uno a veces necesita recostarse en el hombro de ellas para buscar consuelo, compañía, comprensión, ¿me entiende?

Se dio un trago de media botella como para limpiarse la garganta por lo que iba a decir. Le adiviné y me adelanté:

—No, no, nada de eso, no soy homosexual sino que así es.

—Las de Honduras son diferentes, usted pega fuerte con el puño en la mesa y salta a atenderlo la más bonita, ¿hace cuánto usted se vino de Honduras?

Le mentí:

—Hace poco, ando de paso por aquí. Le voy a decir algo, yo en Honduras he tenido muchas amantes, y las cosas han cambiado. Ahora las mujeres se ríen de uno.

Pidió dos cervezas más. Tenía el ceño fruncido.

—¿De qué se pueden reír las mujeres de los hombres? ¿De qué? ¡No tienen de qué! Dígame.

—Bueno, por ejemplo, yo he tenido amantes con las que nos hemos reído de alguno, como allí es pequeño y todos nos conocemos, que se las tiraba de mucho y macho a la hora de estar en la cama no le aguantó ni la primera ronda a la mujer, o alguno que sólo se sube y termina rapidito como si lo están apurando y la mujer después se viste y va a ver si encuentra uno mejor que complemente el trabajo.

Lo miraba y no lo creía. Había puesto cara espeluznante:

—Siga, siga —me pidió dando trago tras trago.

—También —le digo y le muestro el índice—, nos hemos reído de alguno que la tiene así, miniatura y ellas mismas me han contado a carcajadas que ésos ni como cosquilleros encontrarían trabajo. Algún otro que se la daba de donjuán y la mujer lo deja que diga y prometa y cuando se aburre de escucharlo se lo lleva a la cama porque se sentía aburrida. Otros que los acuestan por curiosidad. Ahora es diferente.

El hombre hizo sonar la botella sobre la mesa:

—Yo mato a cualquier pareja de hijos de puta que se rían así de mí. Los mato.

—¿Y cómo te vas a dar cuenta que en la cama ha estado gozando a costillas tuyas?

—Serán otras mujeres pero esta que tengo yo no. Ésta me respeta. No la vio como temblaba.

Recordé bien a la mujer. La había visto los viernes que yo paso a recoger una amiga por donde ellos viven. La había visto varias veces con un fornido mulato dominicano, ojos marrón, alto y bien parecido. Y recordé haber visto también a mi compatriota pero con ropas de trabajo que lo hacían verse tan diferente.

—¿Ustedes viven por Astoria, verdad?

—Sí, ¿cómo lo supo?

—No, me dijiste que tu mujer tenía que tomar tren y lo deduje.

No había duda, era ella, la misma. Creo que me sentí contento por las coincidencias de la vida. El hombre continuaba pensativo y empurrado, por eso pensé cambiar de tema, además, sabiendo lo de la mujer ya no había por qué seguir en la conversación y había que dedicarse a beber, y me dije para mí: Es mil veces mejor lidiar con un borracho que con un necio. A éste de ahí no lo saca nadie. En la televisión una mujer bailaba desnuda llevando en cada mano un antifaz satánico. El presentador hizo alusión a que ese día era viernes 13, día de mala suerte, día de tener mucho cuidado, día de peligro. El compatriota se rió y me dijo:

—No creo que hoy sea día de mala suerte, porque si usted no llega es capaz que mato a mi mujer. Más bien fue su día de suerte —y al recordar a su mujer volvió a contraer los músculos de la cara dando una apariencia de enfermo mental violento. De repente se puso de pie de un tirón y tiró un billete.

—Me voy —dijo.

—Pero hoy es viernes, y los viernes usted se va de aquí hasta en la madrugada.

—Pero hoy no —me miró serio a los ojos—. Si sigo aquí se me va a olvidar que mi mujer miró a ése desnudo, y si a las mujeres usted les perdona una después le hacen miles.

Intenté detenerlo y no lo logré. No insistí porque soy de los que creo en el destino y yo no soy quién para detenerlo. Imaginé al dominicano, la mujer y la sorpresiva llegada de éste. Confieso que me sentí feliz y vanidoso de por primera vez creerme prestidigitador, adivino. Me quedé a beber allí en honor al compatriota que, con todo, me cayó muy bien. A beber para ir a caer con un sueño pesado por ese viernes 13 en el que no iba a pasar a recoger, como es costumbre, a mi amiga, para no ser testigo de la tragedia que leería al día siguiente en el vespertino. La noticia de un hondureño caído de un quinto piso, impulsado por un dominicano, en una muerte pasional por un triángulo amoroso. Y el agradecimiento al cielo que, a pesar de haber sido viernes 13, fue el único suceso que lamentar.

El continente de los elogios

Naief Yehya

Valdespino me invitó a presentar su nuevo libro, no porque creyera que tenía algo importante que decir, ni porque me estimara, ni porque respetara mi trabajo, es más, ni siquiera lo hizo porque creyera que en realidad leería su estúpido poemario: *Diario de hojas de luz.* Me invitó porque sabía que era el único que respondería a su llamado, que me arrastraría hasta su *book reading* con lo que me quedaba de la ilusión de haber sido alguna vez un escritor reconocido. Para el diminuto grupo de hispanoparlantes ilustrados que tenía algún interés en este tipo de eventos ombliguistas yo resultaba una figura vagamente familiar, alguien que en otra vida había tenido cierto prestigio y que ahora decoraba eventos culturales con citas fatuas, alguna ocurrencia relativamente cómica y una expresión de arrebato ausente. Sé que por lo menos una media docena de los amigos y conocidos de Valdespino declinaron la invitación y le dieron una variedad de pretextos para escabullirse de la responsabilidad de sentarse ante un auditorio lastimosamente vacío a comentar los anodinos sonetos de su libro. Esas cosas siempre se saben, especialmente en una comunidad tan pequeña como ésta en la que cualquier gesto es registrado. Así mismo Valdespino sabía cual era mi situación, hacía más de un año que no publicaba nada y que no aparecía en ningún evento público. Mi carrera estaba en ruinas desde cualquier punto de vista y quienes años atrás habían creído en mí hoy reconocían con vergüenza que se habían equivocado.

Media hora después de lo programado comenzó la presentación del libro con apenas un puñado de asistentes, los pocos amigos del autor, casi todos los habituales y nostálgicos de la cultura y algunos anglos hispanófilos con sed de experimentar algo más auténtico que sus cursos de NYU. Tras una hora de gastada retórica, de elogios mecanizados y lectura de poemas abominables Valdespino agradeció a los asistentes y a quienes amablemente le habíamos acompañado en la mesa. Recogí mis cosas y traté de despedirme pero Valdespino estaba rodeado por su público, era su hora más gloriosa de la noche y no me atreví a interrumpirlo. Así que me quedé parado en un rincón esperando para despedirme a pesar de que no tenía el menor interés de someterme a la mirada condescendiente del poeta. De pronto un hombre relativamente bien vestido se me acercó.

—Maestro, mi nombre es Hilario Méndez, quería conocerlo. Por eso vine. A mí no me gusta la poesía.

Inmediatamente me cayó bien el tipo, aunque me imaginé que quería pedirme algo.

—Muchas gracias, a mí tampoco me gusta.

Méndez permaneció un instante callado mirándome como si tratara de descifrar el significado profundo de mis palabras. Finalmente volvió a hablar recuperando su ímpetu inicial.

—Yo he leído sus dos libros y me gustaron mucho. Creo que lo que yo escribo está en su línea. La verdad es que llegué hace poco a Nueva York y no conozco a nadie, pero quiero abrirme camino en el medio literario.

—¿En cuál medio literario?

—Pues en el de acá. Este medio.

—Acá no hay medio ni extremos ni mucho menos literatura. Lo que hacemos es tenernos envidia de nuestras ínfimas victorias, frustrarnos por lo mal que nos pagan nuestro trabajo, tenernos compasión porque nunca se nos ofrecerán las mismas oportunidades que a los escritores anglos y especialmente nos deleitamos contando el cuento de que nuestras revistas y libritos le interesan a alguien.

—Pero aquí se están haciendo cosas muy interesantes.

Por un momento pensé que se estaba burlando de mí, pero me di cuenta de que hablaba en serio y no supe si sentir pena o reír.

—¿En qué idioma escribes tú?

—Pues en español, por supuesto.

—¿Dónde crees que estás? Uno se va a Madrid, a Barcelona o ya de perdida a Francia a buscar un medio literario interesante, vital o exótico. Aquí los escritores que tienen suerte acaban haciendo traducciones y *voice overs* de anuncios de kótex, fungicidas, bufetes de abogados cazaambulancias y remedios para los piojos. Y los que no tienen suerte están entregando pizzas o cuidando las flores de las tiendas de abarrotes coreanas. Si llevas poco tiempo aquí estás a tiempo de salir huyendo.

—Pero aquí es la cresta de la ola. Y no puede usted negar que hay un renacimiento de lo latino.

La discusión era una pérdida de tiempo, era como hablar con un personaje de la *Dimensión desconocida* que nunca hubiera oído hablar de *The Twilight Zone*. Le dije que le deseaba buena suerte sin desearlo en lo más mínimo y me dirigí a la puerta. No quería continuar esperando a Valdespino, quien seguía firmando los siete libros que había vendido esa noche. Pero el hombre no había terminado e insistía en hablarme de usted aunque no debía ser mucho más joven que yo.

—Maestro, traigo aquí mi novela. Me voy a atrever a pedirle que la lea y me dé su opinión. Yo creo que le va a gustar. Pienso que puede funcionar comercialmente y así abrirme paso.

Con una sensación de asombro que rápidamente se tornó en desesperación, leí el título: *El abril de mi sorpresa*.

—¿Por qué se llama así? —fue lo único que atiné a decir.

—Es realismo mágico.

—¿Y te viniste a la cresta de la ola para escribir acerca de magia, rituales ancestrales y demás demagogia misticoide?

Me miró intrigado.

—Es un género muy exitoso entre el público anglosajón.

—¿Pero no dijiste que escribías algo en la línea de lo mío?

—Sí.

—Lo que yo hago no tiene nada que ver con el realismo mágico.

Se quedó callado mirándome con una expresión indescifrable.

—¿De dónde eres?

—De Queens, aunque viví un rato en el Bronx.

—No, originalmente.

—Ya soy de acá.

No insistí más, pero supuse que era mexicano, seguramente ilegal.

—¿Dónde quieres tratar de publicar tu libro?

—Por acá.

—Pero tú escribes en español.

—Sí, pero el dinero está en las editoriales dirigidas al público americano. Uno de los editores de Penguin me dijo que le llevara mi novela en cuanto la tuviera lista.

—¿Entonces llévasela a él, para qué me la das a mí?

—Pero es que necesito más opiniones, más *feedback*.

—Si quieres tener éxito en este país deberías escribir una novela pornográfica.

No respondió. Miraba sus zapatos. Me disculpé y salí de ahí. Pero antes de llegar a la puerta me sujetó del brazo y me preguntó:

—¿Si escribo una novela pornográfica la leería?

—Pues por supuesto —le dije y salí de ahí.

Me siguió, y en la calle sacó una libreta maltratada y una pluma. Aceleré el paso. Él hizo lo mismo.

—Deme su dirección para mandársela en cuanto la termine.

—¿Para mandarme una novela que no has escrito?

—La tendré lista para la semana entrante.

—Okey, mándala ahí —respondí y le di mi tarjeta con tal de quitármelo de encima.

Finalmente me despedí con una seña de la mano y desaparecí en una de las entradas del metro L. Apenas lo perdí de vista lamenté haberle dado acceso a mi vida.

Una semana después en el buzón encontré un paquete. Había olvidado la presentación de Valdespino así como el asunto de Méndez y su libro. Pero al abrir el paquete me encontré con un manuscrito y una carta.

> Maestro:
>
> Como lo prometí aquí está mi más reciente novela para que usted la lea y me dé su honesta opinión. Tengo plena confianza en su juicio y tomaré con mucha seriedad las recomendaciones que usted me pueda hacer. Sin más por el momento me despido y estaré pendiente de sus noticias.
>
> Hilario Méndez

En la primera página de la novela con grandes letras decía: *La mujer que nunca se dio por venida*. Por más antipatía que me provocaba el autor y su precipitada eficiencia, no pude evitar sonreír por la bobería maliciosa del título. Leí las primeras páginas tratando de intuir si el texto había sido escrito antes de escuchar mi sugerencia o si bien me había hecho caso. En cualquier caso, Méndez me parecía el ejemplo más abominable del intelectual inmigrado arribista capaz de hacer cualquier cosa con tal de abrirse paso en Nueva York. Seguramente era de esos que no dejan de asistir a ningún evento, que se presentan con toda zalamería con cualquier celebridad que se les cruza en el camino, que se apuntan a todas las recepciones, especialmente aquellas en que hay gente importante. Méndez me parecía el representante perfecto de la raza de los inevitables colados de todas las cenas, comidas y cocteles, arroz de todos los moles que no solamente se deslizan sigilosos a través de cualquier cerco de seguridad con tal de codearse con las luminarias, sino que además, una vez ahí, se regodean tratando de llamar la atención, haciendo su lucha con las invitadas más guapas y sobre todo repartiendo sus novelas, guiones de cine, portafolios de fotos o cualquier otra muestra de su enorme talento y creatividad.

El tono de la novela de Méndez era mordaz y austero, la ironía funcionaba bastante bien. Era obvio que el autor manejaba el género y quizás otros géneros con cierta destreza. No es que fuera una obra genial pero sí contaba con bastante ingenio la historia de una mujer sexualmente insaciable que convertía su ninfomanía en una lupa para observar a la sociedad, su hambre de sexo era también un bisturí con el que disecaba a un grupo de personajes cosmopolitas y desencantados. La novela tenía un par de escenas eróticas notablemente bien descritas y, si bien los personajes eran relativamente unidimensionales y el final carecía de energía y coherencia, en general era un trabajo muy respetable. O bien Méndez era un genio capaz de eructar novelas al ritmo de una por semana, lo cual me parecía prácticamente imposible, o era un descarado plagiario, lo que era casi seguro. Tenía muchas ganas de denunciarlo, de exponerlo y ridiculizarlo como el fraude que era, pero en ese momento no tenía el entusiasmo ni la motivación para ponerme a investigar.

Estaba pensando en eso cuando sonó el teléfono.

—Buenas tardes, maestro. Le llamo para saber si leyó mi novela.

—Apenas la acabo de recibir y ni siquiera he abierto el paquete —dije con una brusquedad que me sorprendió a mí mismo.

—Se la mandé en cuanto la terminé. Espero que le guste.

—Espero poderla leer.

—Ojalá que así sea, porque verdaderamente valoro su opinión.

Le dije que le avisaría en cuanto la leyera y colgué. Tenía que poner en orden mis ideas. Me fastidiaba que Méndez me presionara como si su texto fuera tan importante que yo tuviera que detener toda mi vida para atenderlo. Méndez con su optimismo mentecato me era imposible de digerir, era la negación misma de todo en lo que yo creía o más bien era el mejor ejemplo de todo en lo que había dejado de creer a fuerza de años de rechazos, promesas sin cumplir y bloqueos mentales. Pasé el resto de ese día y varios más rumiando una venganza contra alguien que tan sólo me había ofendido por querer mi opinión. Releí varias veces su novela buscando en ella más cosas que odiar. Analizaba escrupulosamente sus frases tratando de descubrir las flaquezas de su autor. En vez de eso reconocía su sarcasmo, sus sutiles referencias a diferentes mitologías, sus brillantes metáforas y un hábil juego de espejos entre la cultura del exceso estadounidense y la sexualidad desenfrenada e insatisfecha de su protagonista.

Méndez volvió a llamar un par de días después y el día siguiente y el siguiente y el siguiente. Dejé de responder mi teléfono y de abrir mi puerta. Revisé decenas de clásicos de la literatura erótica en busca del texto que Méndez seguramente había plagiado. Al no encontrar nada opté por revisar las colecciones de lecturas porno tanto en las librerías como en los libritos *pulp* de dos dólares que venden lo pocos *sex shops* que sobrevivieron a la disneylandización de Nueva York de finales de los noventa. Pero no di con nada parecido a la prosa de Méndez. Finalmente concluí que no necesitaba demostrar que se trataba de un plagio. Lo único que me reconfortaba era que, como evidencia de la nula integridad de Méndez, bastaba con saber que había escrito una novela porno tras mi sugerencia, que había salido corriendo a teclear 150 páginas para complacerme. Pero en el fondo no podía ignorar que la calidad de su trabajo era perturbadora.

Me acostumbré a escuchar diariamente la voz de Méndez en la contestadora quien, siempre cortés, comenzaba con un saludo y terminaba deseándome un buen día. También me dio por estudiar sus mensajes, por oírlos una y otra vez en busca de alguna inflexión que delatara su angustia, que mostrara una flaqueza, que anunciara que estaba a punto de perder la compostura. Pero nunca sucedió. Comencé a organizar mis actividades en torno a sus llamadas. Hasta que un domingo pasé el día completo esperando a que llamara y no lo hizo. Me quedé dormido en el sillón frente al teléfono. Al despertar me encontré con que las hojas de la novela de Méndez cubrían buena parte del piso de mi departamento. No pude recordar haberlas acomodado así.

Finalmente, el jueves siguiente a las cuatro treinta exactamente sonó el teléfono y lo contesté.

—Buenas tardes, maestro. ¿Cómo está? Pensé que habría salido de la ciudad, porque le he dejado varios recados.

—Sí, estuve fuera, en… un lugar.

—Espero que se la haya pasado bien. Yo he estado asistiendo a unos cursos en Columbia, con el maestro Bonifaz Nuño, y pienso irme a Brown la semana entrante para asistir a las conferencias que dará allá Fuentes.

—Si añoras tanto lo mexicano ¿por qué no te vas a México?

—¿Sí, verdad? Debería también darme unas vacaciones.

—No, no hablo de vacaciones. No veo el caso de vivir en Nueva York si uno se va a dedicar a fabricarse una ilusión cultural de otro país. Es decir, lo entiendo de los fanáticos del exotismo, pero no de nosotros.

—¿No cree usted que hay que aprovechar cuando vienen personalidades tan importantes? Hace poco tuve el privilegio de asistir a una cena con Mario Vargas Llosa y hace dos semanas me fui a tomar un café en el Village con Carmen Boullosa.

—No tengo la menor duda de que te la pasas entre celebridades, lo que no entiendo es qué haces aquí.

—Eso mismo me dicen mis papás.

—Bueno, vamos al grano. Leí tu novela. No sé cómo decírtelo. No es que esté mal escrita, se ve que tienes oficio pero tiene una serie de problemas. No sé si tenga caso entrar en detalles pero sí te puedo decir que difícilmente esta novela te va a ayudar a cumplir tu ambición de conquistar el mercado angloparlante. Así como el chiste del título es intraducible, tampoco creo que la novela funcione en inglés.

—Ya veo.

—No voy a hacer juicios de valor al respecto de los géneros corporales que explotan los estímulos físicos, las reacciones y las secreciones, ni creo que mi opinión personal al respecto del erotismo en la literatura o del ofensivo sexismo de la pornografía sea relevante pero sí me parece que tu novela va de estereotipo en estereotipo sin aportar nada propio al género. Yo creo que deberías retrabajarla, redefinir a tus personajes y cuidar un poco más la estructura.

—Que pena que no le haya gustado. Lástima que no escuché sus comentarios antes, porque ya la van a publicar en Anagrama. Por lo de la traducción, sé que va a ser un problema pero afortunadamente Penguin se ocupará de eso.

—Si ya se va a publicar la novela, ¿entonces para qué me has estado llamando con esa insistencia?

—Quería invitarlo a la presentación de mi otra novela, *El abril de mi sorpresa*, la que le quise dar en la presentación de Valdespino. Sería un gran honor para mí que usted estuviera en la mesa conmigo y con el maestro José Agustín para que dijera algunas palabras sobre el libro. Si le interesa participar se la puedo enviar cuanto antes.

Un par de meses después me arrastré hasta la presentación del libro de Méndez. La concurrencia era la misma triste docena de personas de siempre. Leí un par de páginas que escribí sobre la prosa del autor, elogié sus metáforas y su sentido del ritmo narrativo, conté algunas anécdotas que me parecieron oportunas y cité a Rabelais y a Éluard de forma totalmente gratuita. Esta vez me escabullí en cuanto terminó el evento. Tiré el libro y mis notas en un basurero y casi corrí hasta un modesto restaurante chinocubano en Chelsea. Pedí un cerveza y escribí en mi libreta el título de un relato: *El continente de los elogios*. Juraría que los de la mesa vecina me habían reconocido, pero se fueron sin decir nada. Diez páginas y cinco cervezas después salí tambaleándome del restaurante y caminé hacia el norte sobre la séptima avenida.

Tijeretazos

Lina Meruane

How can I live my life without
commiting an act with a giant scissors?
JOYCE CAROL OATES

Chaschás.

Chas.

No eran los pies planos de Zec, su caminar de pasos cortos y tambaleantes, los tacones de goma sobre las planchas de metal; chas, chas, chas, ni era pesado el anillo de plata, un elevado pezón de rosa espiral, golpeándose contra las planchas del ascensor. Zec llevaba las manos en el bolsillo desde el accidente aquel, hacia tanto y tanto tiempo en casa de su tía, allí, a orillas de la playa, en la ínsula mapochina, tan y tan lejos.

Gud mornin leidis, decía en ese instante, como cada vez que se abrían las pesadas correderas; *gud mornin,* el ascensorista regordete de *pitza* de *jamburger* de arroz con frijoles y plátano dominicano en la cientonoventa de esa otra isla en la que ahora estaba Zec, una isla sin palmas ni cordillera de la costa, una isla sin volcanes ni ríos sucios como el del Mapocho.

Men, jau yur duin, repitió dentro del cubo metálico atiborrado de… gente de color. Así les decían a todos ellos, a ella misma incluso, pensó Zec, espiándose un retazo de pellejo más bien pálido que asomaba entre su manga y el bolsillo, o sería por las ropas que usaban, la combinación de prendas en la paleta de un pintor abstracto, observó, ella, que seguía vistiéndose de riguroso azul escolar; o por las uñas moradas de la mujer que tenía al lado; y el pelo, ciertos peinados que jamás iba a lograr.

Gud mornin, joni. Era bien oscuro de piel, pero no negro como los carboncillos que Zec usaba para dibujar. Llevaba unos lentes descomunales, el ascensorista; atisbó por encima del grueso marco a la Zec de azul que acababa de entrar como quien se hunde contra su voluntad en un mar frío y demasiado calmo: aguantando la respiración.

Jau yur duin, ai sei. Y de vuelta, un poco a la rastra, medio dormido, respondió el coro disonante: *fain, okey.* Y se cerró la puerta, y Zec se quedó quietita, con los ojos entrecerrados, detrás del cuello grueso, rollizo, mal recortado del ascensorista, un desparramo de hombre atrincherado con ritmo sobre su banqueta de trabajo, frente al equipo panasonic chorreando salsa y merengue, con el diario de la tarde, el diario dominicano, abierto en la página sangrienta de balaceras, negros muertos y negros asesinos y blancos la misma cosa, chas, en un idioma que Zec apenas entendía.

Y entre todos ellos, los vivos, los muertos y los condenados y sus víctimas, Zec intentando encontrar un espacio de aire. Zec empinada sobre sus zapatos, Zec, la derecha clac en el metal —la rosa estrangulándole en índice y golpeando duro, clac— mientras descendían hacia la línea roja del metro, un largo periplo hacia lo más hondo de esa isla a la que había llegado sola, la noche anterior, Zec.

Java gud dei, pip'l.

Y Zec, la zurda en el bolsillo chas-chas-chas con su tijera.

Los vagones avanzaban tactac, tactac, y Zec dejó entonces de abrir y cerrar a velocidad las hojas de su *sísor*. Frenaron otra vez los destemplados vagones. En un abrir y cerrar de ojos las puertas habían liberado a algunos —al de bigote que hacía calistenia entre los barrotes del metro, al anciano que cantaba desafinadamente bajo el efecto de los audífonos con los ojos cerrados—, y en otro abrir y cerrar de ojos, las mismas puertas habían aprisionado a nuevos mortales.

Tactac, tac tac, el bamboleo plácido antes del siguiente chirrido. Un nuevo chas en el bolsillo de Zec, el pájaro agazapado intentaba liberarse.

La mujer se peinaba una larga trenza, larga larga, parecía no acabar de peinarla, y se quitó el cintillo, y los lentes, y sus enormes ojos y las enormemente largas pestañas brillaban, la mujer en la esquina, sentada en el suelo jaspeado del vagón, lloraba, y Zec no entendía por qué, si era bella, si llevaba zapatos viejos, si no hacía frío sino una temperatura de contingente humano, si su pantalón a manchones la hacían comparable a un leopardo sarnoso, si parecía tener todos los huesos donde debía y sin doblez ni magulladura, si era mujer con poco pecho y manos grandes, además, y todos en el carro la vigilaban. Era el centro de la atención de los aburridos viajeros.

Sollozaba ruidosamente, pero Zec debió desistir: la nariz de la mujer comenzaba a derramar una elástica lágrima que sorbió con los labios; Zec sintió un mareo, como si le dieran un tirón por dentro del ombligo, y los números de la estación le parecieron esta vez, sí, cada vez más y más pequeños, y sudaba.

Huyó de un brinco, antes de que se cerrara otra vez la jaula andante. La *sísor* agarrada con la izquierda.

Sin fijarse más en nadie, olvidada ya de la llorona con los mocos colgando, ascendería por las escaleras de esa cripta hedionda; y vio venir la calle, y ya no era ese puerto, la *guan nainti*, donde los colonos isleños de latitudes tropicales, ni era la grisácea ínsula mapochina, con su hilo de río y sus montañas tras la nube contaminada. La ciudad, el *daun taun*, era ésa otra isla, fría y adoquinada y rascacielos. Chaschás. Zec sonreía.

Se detuvo otro respiro a admirar los torreones del narcisismo. Palabras de su padre, más bien, de su padrastro; ese padre que dejaba caer metaforones de unas novelas en papel roneo que leía de noche, de turno en turno, entre partos urgentes y acuchillados de madrugada en la Posta Central. Entre los torreones cubiertos de espejo había otros menos vistosos, parecidos a los de su ínsula.

Zec hurgó en su chaleco, el papel donde su padrastro enfermero había anotado la dirección del hospital. *Para que vayas a visitarlo*, había sugerido en el aeropuerto mapochino, que más parecía una destartalada estación de buses provinciales que *aparcadero* de aviones. *Para que vayas a visitarlo*, repitió Zec como un eco; las palabras se desprendían de sus labios como humo de cigarrillo, la permanente humareda de su padrastro. La misma humareda que se desprendía el día entero de los labios de tío, más bien, de su tiastro, ese señor tan fino que se la pasaba frente al piano de cola con una mano sobre las teclas y la otra en el vaso de whisky, vestido con una bata roja de dibujitos chinos.

El tiastro, pensó Zec perdida entre peatones en la esquina de una plaza de árboles pelados y de carteles llamados Washington Square, el hermano de su padrastro tenía un acento bien extraño, medio mapochino, medio *dominican*. Hablaba de la cientonoventa pero decía *la guashinton haits, ¿oíste?* Y esa misma mañana, le había preguntado *pa dónde vas, mi amol, con esa sísor*. Y ella le había guardado su tijera, y le había dicho que a visitar el hospital donde le habían metido el mal al cuerpo. Porque desde entonces, pensaba Zec, ella era uno de esos seres de las películas gringas, seres con anillos rimbombantes, seres con jeringas en la cartera y una tijera chas chaschás, seres dobles —ella y la titiro, más bien la titi, escudada bajo su piel, extraña como un secreto y traicionera.

Un paso y un tijeretazo. Otro paso, chas, por la Lexington, hacia el torreón de la patología. Había sido *asimilada* en ese *voyager*, se había dicho Zec la tarde anterior al apagar la tele de su tío tiastro. Se recordó arrastrando tubos, el suero —chaschás, iba avanzando por la avenida—, se veía como en las películas, apoyada en una ventanita por la que de noche —chas— ojeaba la oscura galaxia de estrellas amarillas, alguna que otra fugazmente roja, amarilla, verde, otras fugaces avanzando por las calles mientras ella pedía un deseo, morirse, caer muerta por un rato, y despertar sana y salva, sin las venas con marcas moradas, sin la visita del galeno que metía su dedo en un guante con olor a plástico y se lo introducía entre las piernas —después ella hacía un pipí cremoso con olor a vainilla y a detergente— y lo frotaba, el dedo plastificado y lechoso del galeno frotaba, sobre un vidrio rectangular, y hablaba de *fungi*, de *yist*—hongos, mi niña, traducía una enfermera demasiado morena y con unas caderas que parecían infladas con bombín—, y Zec se preguntaba si le florecerían champiñones entre las piernas y se quedaba muda, sin atreverse a preguntarle a las caderas vestidas de blanco de la mujer de risa tan estrepitosa, de voz estentórea, sin atreverse a tocarse entre las piernas (tal vez por tocarse tanto le iban a salir callampas y coliflores ahí), sin atreverse a mirar al *dóctor*, que le sonreía sacándose el dedo de látex para tirarlo a la basura, y ella miedo, miedo, tragando saliva como si fueran lágrimas, y deseaba morirse, morir esa muerte falsa de las películas que le contaba su padre, y despertar en su casa, en una casa, cualquiera, con su mamá espiándole el movimiento del párpado, y su padre leyéndole el pulso con el libro de turno puesto en pausa sobre la huesuda rodilla.

En ese lugar, ahora comprendía, le hablaban en metaforones como los de su padrastro. Y las callampas chas chas no eran más que de los cuentos, le habían injertado la enfermedad ahí, ahora comprendía, chas chas, chas, chas, chas, chaschás.

Graznaba, era un hombre y graznaba. Por fin. Zec sonrió, pensó en el programa de la noche anterior en la tele. Ese hombre también había sido asimilado, o era un *borg* en plena conversión. Le habían hablado del hombre pájaro que andaba por esa isla, y se lo había topado en plena calle, ella, que había pispado al cielo por si sobrevolaba, ella que había sospechado su nido en la cumbre jeringa del edificio del «estado del imperio» —el tío toca-que-te-toca vestido en su bata oriental insistía en traducirle lo intraducible—, ella, que se fijaba en los puentes colocados a altura entre edificios, infructuosamente. En esa isla no había ni palomas ni palmeras, pero sí existía el hombre que graznaba.

Zec lo alcanzó en la esquina, y lo examinaba.

Dount ster at gim, joni, le había susurrado una señora pálida, pálida y dientes de vampiro, antes de cruzar la calle, y Zec no entendió bien, tal vez no oyó nada entre los taxis amarillos y el hombre pájaro, negro negro, palmas café con leche, plumas de pato brotando de su sombrero. O se hizo la loca y no dejó de mirarlo, y el pájaro negro palmas café *au lait* sacando pecho.

Luz roja para los autos, y un WALK.

El hombre continuaba graznando para la sorprendida Zec, chas chas, sonriente. Zec quiso entablar diálogo, y sacó sus *sísors* por primera vez en la isla, pero él no la escuchaba a ella, ni el metal de sus tijeras, chas; él solo tenía ojos para las aves urbanas, tal vez, maldito *borg*, te lavaron la memoria en el torreón, y Zec se cansó de seguirlo, y se detuvo y le dijo, a grito pelado, porque nadie le entendía, nadie le prestaba atención siquiera, *de todos modos no tienes pico, pajarraco, y no vas a poder defenderte a picotazos la próxima vez, oíste? yo, en cambio tengo mis tijeras.*

Y así fue como entró al hospital. *Am luking for mai moder, sic, verisic*, con cara de pena y el bolsillo silencioso. Ningún detector controlaría su entrada, nadie revisó el higiénico cuartito de baño donde Zec se sentó hasta el anochecer, mordiendo un *sanguich* de *tuna salad* —atún, niña, ¿oíste?, le explicó el tío empinándose el vaso, *con fat-free mayo*— antes de que titi apareciera y le hiciera sentir mal, fatigada, hipoglicémica, chas chas: diabética. Y así fue que Zec se escurriría por debajo de los ojos dormidos de las enfermeras, las muchas gordas de blanco y las minorías flacas de blanco, y entraría a las salas silenciosamente, salas largas como laboratorios, donde otros como antes ella, niños todavía, estaban siendo asimilados, y en una nada, sacó las *sísors* y fue cánula a cánula, despilfarrando, chaschás.

La niña que no tuve

Rodrigo Rey Rosa

A los ocho años, había sido condenada a muerte. Una extraña enfermedad, cuyo nombre no quiero repetir, la disolvería en menos de ciento veinte días, según varios doctores. El médico que me dio las malas nuevas lo hizo cuan humanamente pudo, pero eso no bastó. Tuvo que ser cruel, con la crueldad particular que se desarrolla en esa profesión. Le pedí que describiera las etapas de la enfermedad, y él precisó punto por punto —«con un margen de dos o tres semanas»— la descomposición de mi niña. Como, terminada la descripción, él añadió: «Me temo que no hay nada más que nosotros podamos hacer», le dije que si lo que aseguraba no era cierto, yo lo maldecía.

Llegué a casa con pensamientos fúnebres mezclados con accesos de esperanza: pero la niña estaba tendida en su camita, pálida y temblorosa, pues era la hora de los ataques.

La niñera salió del cuarto en silencio, y yo me arrodillé al lado de la niña.

—¿Cómo te sientes? —le pregunté, y le besé la frente.

—Mal —dijo, y agregó—: voy a morirme, ¿verdad?

Por un descuido mío, una semana antes ella había leído una carta del doctor acerca de la posibilidad de su muerte.

—No creo —le dije—. De niño yo también estuve muy enfermo varias veces y sobreviví.

—Yo también quiero sobrevivir —dijo con una seriedad conmovedora—. Pero papi, si voy a morirme, si los doctores piensan que me voy a morir, dímelo, no me engañes.

Me miraba fija, intensamente, y no pude mentir.

—Según el doctor que ha estado viéndote, podrías morirte dentro de cuatro meses. Pero yo no le creo.

—¿Cuatro meses? —se puso a contar, primero mentalmente y luego, para asegurarse, con los dedos—. Eso sería en febrero.

Asentí con la cabeza. Tomé su mano, sudorosa, y la apreté. Y ella se quedó dormida, o, con su delicadeza de pequeña, fingió que se dormía.

Al día siguiente me levanté temprano, le hice el desayuno y le preparé el baño. Por la mañana, parecía una niña sana, y por un momento olvidé que había sido condenada. Salí de compras. Era una esplendorosa mañana de noviembre, de modo que, al volver a casa, le propuse que saliéramos a pasear después de comer.

—¿Adónde quieres ir? —me preguntó.

—A donde tú quieras.

Dijo inmediatamente:

—A un lugar al que nunca hayamos ido.

Eran tantos los lugares a los que no habíamos ido, pensé. Había sido un error que yo la concibiera, yo, que siempre tuve miedo a la descendencia. Pero no me opuse a los deseos de su madre con suficiente determinación, y la niña nació. Su madre me abandonó hace tres años, y aquí estamos.

Cuando salíamos, al cruzar la doble puerta del vestíbulo, un hombre alto y pálido que aguardaba la ocasión, se introdujo furtivamente en el corredor.

—Un drogadicto —dijo ella, y el hombre pudo oírla.

—Tal vez —dije.

En la calle, me recriminó:

—Claro que era un drogadicto. Por qué dices tal vez.

—Tal vez te oyó.

—Y qué, es la verdad.

—A la gente no le gusta oír lo que uno piensa de ella.

Me miró, entre decepcionada y comprensiva, y dijo:

—Supongo que no.

En la esquina del Bowery y la octava, me tiró de la mano.

—¿Por qué no vamos a Times Square?

Tomamos el subterráneo en Astor Place, con su telón de fondo *kitsch*. Abajo, en el andén, una bandada de poetas daba un tono intelectual y hasta elegante a ese agujero del *grand gruyère*. La cosa sería evacuar la ciudad, demolerla por completo de una sola vez, darle la espalda al sitio y reintegrarse a la realidad.

Subimos al tren, ingresamos en el túnel. El carro dio un bandazo, y los pasajeros que estaban de pie fueron lanzados unos contra otros, pero los cuerpos con caras grises se mantuvieron de pie, con un movimiento pendular, como si colgaran de sus ganchos en un matadero prolongado. Cadáveres de todas las edades.

El cemento era tan duro en la calle 42 y el aire helado hería de la misma manera que diez años atrás, cuando caminé por primera vez en esta ciudad, pero el lugar había cambiado.

En la antesala de la muerte, hubiera sido de esperar que cada quien buscara el placer del prójimo como el suyo propio, pero suele ocurrir lo contrario. Así, en lugar de un jardín de las delicias de fin de siglo, la ciudad era una morgue suprema.

Dimos una vuelta por Times Square. Y así, entre aquel torbellino de gente muerta y un ejército de criaturas de Walt Disney, perdimos una de las ciento veinte tardes que le quedaban a mi niña.

Volvimos a casa decaídos al atardecer. Llegué al séptimo piso como siempre, sin aliento. Las luces de un pequeño rascacielos entraban, en lugar de la luz de las primeras estrellas, por un ventanastro en el otro extremo de nuestro apartamento. Me acerqué a la ventana. Era como arena erizada al lomo de un imán, aquel paisaje.

Preparamos juntos la comida y cuando nos sentamos a comer ella me dijo:

—Perdimos el tiempo esta tarde. Debí quedarme leyendo o estudiando. No tengo tiempo que perder.

—Pero linda, hacía un día hermoso.

—Sí, lo sé. Sé que tratas de hacerme feliz porque tengo poco tiempo. Pero no trates demasiado, ¿está bien?

Me quedé callado un momento, mientras ella miraba por la ventana el pequeño rascacielos.

—Claro, preciosa —dije después—. Perdona, pero nadie es perfecto —me encogí de hombros, y creo que, si hubiera tenido rabo, lo habría escondido entre las piernas.

Ella cerró los ojos, y luego me miró de una manera extraña. Me atemorizó.

—Papi —me dijo—, antes de morirme, quiero saber lo que es el sexo.

Levanté las cejas y tragué saliva y se me cortó la respiración. Habría oído algo en la escuela, pensé, era lo natural. Me pregunté fugazmente si no habría fantasmas pornográficos flotando todavía por la calle 42. Recordé al ratón Mickey, a Pluto, a Clarabella.

—Sí, mi niña —dije con una sonrisa confundida—, un día de éstos te lo explicaré.

—¿Me lo prometes?

Asentí con la cabeza.

—No —insistió—, quiero que lo digas.

Dije que se lo explicaría. Miré el reloj que estaba sobre el televisor.

—¿Cuándo? —preguntó.

—Ya son la siete, cómo corre el tiempo —le dije—. Desde luego, hoy no.

Hizo una mueca.

—Sí —dijo—, ya lo sé, comienzo a sentir los temblores.

La acompañé a su cuarto, le puse el pijama y la acosté. Le di a tomar sus medicinas: tantas gotas de esto, tantas de aquello, tantas de lo otro.

—La luz —dijo.

Apagué la luz, y nos quedamos juntos en la penumbra esperando los ataques.

No quiero quedarme sola y vacía

Ángel Lozada

epígrafe: *la honestidad: esa virtud tan déspota...*

Desquiciada y fuera de base, la Loca se encontraba sola y vacía.

¿Pero, sabes qué? No podrá seguir siendo Olga Tañón. Ella es muy frágil. Todavía perdona y recuerda. Merenguea. Todavía le hacen falta los hombres. Todavía los necesita para ser todo-todo. Todavía le dedica sus discos «AL DIOS TODO PODEROSO, PORQUE SIN ÉL NO HAY NADA, Y A USTEDES, MI HERMOSA FANATICADA QUE SIEMPRE ME HA DADO SU AMOR Y SU APOYO PARA SEGUIR ADELANTE, GRACIAS A USTEDES, HOY SE LOGRA MI PRIMERA PRODUCCIÓN DE ÉXITOS PUES DÍA A DÍA HICIERON DE ESTOS TEMAS SUS FAVORITOS. ESPERO DE TODO CORAZÓN QUE LA DISFRUTEN».

¡Y su televisión se prende sola, a las seis y media de la tarde y se apaga sola también, a las diez y cinco de la noche: Lo de'lla son los documentales sobre platillos, *Unsolved Mysteries*, UFO sightings, la gran pirámide y las experiencias extrasensoriales, de fantasmas y beyond death!

¡Qué terrible debía ser abducted por esos seres, que te sodomizaran en el espacio y que te metieran instrumentos y tubos de otro planeta por boca y nariz, y transplantes debajo de las uñas y de los brazos para hacer experimentos contigo y convertirte, poco a poco, en otra especie!

Y que nadie te crea.

Quizás he sido raptada en mi niñez sin saberlo, por esos extraterrestres pequeños con ojos grandes y ovalados como los de *Communion* o el Chupacabras de plástico, y me han cambiado los cables en el cerebro y por eso es que soy tan inteligente pero no puedo aguantarme en ningún trabajo ni defenderme cuando me acusan, o cuando me llaman los bill collectors a pedirme que les pague lo que les debo.

Era un trekkie y no se perdía todos los miércoles a las nueve de la noche, a *Voyager* y todos los domingos a las nueve en punto, a los *X-Files*, y los episodios que más le gustaban eran los que tenían que ver con UFOs, con brujerías y los que presentaban a Mulder desnudo, con el pecho por fuera. En *Voyager* la Loca era Seven of Nine.

Soy experta en documentales de serial killers, últimamente no me los pierdo, especialmente *Law and Order*, y después de verlos me sobrepreocupo, no por las víctimas que ni tan siquiera pena me dan —son casi todas homosexuales, prostitutas o niñas—, sino por mí misma, que tengo todas las características de aquellos murderers. *Investigative Reports* con Bill Kurtis: sus documentales sobre las cárceles: Sing Sing, Alcatraz, la Prisión de Angola. Y los históricos: de cómo se desarrolló la pena capital hasta nuestros días: la silla eléctrica, the gas chamber, the lethal injection.

La posibilidad de que ella pudiese conocer a un serial killer en Splash o en Luchos, o en alguna barra de Queens for that matter, y aparecer descuartizada sobre las cunetas de Nueva York con la boca llena de moscas, la aterraba. O ser víctima de un anti-gay hate crime la ponía en jaque en los subways —no se atrevía a mirar fijamente a los hombres que le gustaban, era más seguro enfocarse en los túneles oscuros y sucios, y en los anuncios de Tide—, y en Washington Heights ser atacado por un dominicano patófobo le impedía cruisear a su antojo.

Se tardarán años en identificar mi cadáver —mi familia no me busca ni me llama—, pasaré a ser un John Doe si soy encontrada abandonada, desnuda y semipodrida en un pastizal en Long Island, o seré estudiada por alumnos de medicina, que me disectarán y utilizarán para experimentos, si soy hallada en buen estado en una estación de un subway o en un dumpster del Bronx. De todas maneras, mi desnudez será pública y finalmente serviré para algo mientras la medicina me deja sola y vacía.

O si tengo suerte mis huesos serán usados por un palero para preparar un caldero de Zarabanda y si Dios lo permite, mi osamenta será bañada con sangre y rociarán ron y terminaré convirtiéndome en esclavo de alguien, a cambio de favores.

An Internet Abuser, la Loca se las pasaba chateando to el día, escribiendo e-mails, contestando personals y mandando fotos. Browseando las horas muertas sin decir esta boca es mía, hasta que le dolieran los huesos, y esperando a que uno de sus dates potenciales se metiera en la red y apareciera blinkeando en el buddy list para empezar a IM con ellos. Conectada de sol a sol, chequeaba sus mailboxes a cada rato y tenía cuentas en starmedia, america online, yahoo, excite, planetout, hotmail y periscopio. Sus dos mejores y veintiúnicas fotos —que eran ya públicas— las intercambiaba con otros hombres y de vez en cuando hasta pornografía veía durante horas laborables y fantaseaba con comprarse la réplica plástica del pene de Jeff Striker, pero no podía ordenar el dildo por secure server porque tenía todas las tarjetas de crédito llenas de tepe a tepe.

La Loca puso un personal en el internet: Puerto Rican Looking for LUV: In search of LTR: Spanish/Puerto Rican/Portuguese/African: In This Aol Masquerade Ball, LoVe Vs. Lust, Lets See What Magic U Have 4 this boy. No Pic means no date: Urs gets mine…If U Could Put a Smile on this Face, Then U got My Attention & If U dont, go ahead & make ur EXIT. 5'10"/40c/32w/7inches cut/brown eyes/black hair/160lb/Engineer/Personal Quote: Men are like parking spaces, all the good ones are taken, and all that is left are the handicapped or just too far away to get to. I go to the gym but I don't get my mail there, and if you are not a real man, just get out of my F***G face.

Compraba cuanto gadget electrónico aparecía en Chinatown: laptops, headphones, cd players portátiles, palmtops, una rasuradora para los pelos de la nariz y un visor anaranjado. Los usaba por unos días y después los engavetaba. Se cansaba de ellos rápidamente.

Se levantaba y se preparaba café con Equal, le daba un poquito a su Eleguá, acariciaba la perra y después se paraba frente al altar a todo dar que tenía en la sala, a rezarle al Niño de Atocha que le trajera un machote con buena pinga, a Santa Bárbara, a San Martín de Porres, a San Lázaro pa que no le diera sida, a San Blas, al Sagrado Corazón de Jesús que le sacara la gente de arriba y los desquiciara por bochinchosos y a La Virgen de la Candelaria, mientras la gata se bebía el agua de la bóveda espiritual. Mantenía prendido siempre un velón frente al retrato de su abuela, que en paz descanse, of course, y la mano poderosa en el piso.

En el subway miraba pa to los lados pa que nadie lo viera, se sacaba los mocos, y si no había ningún espécimen interesante se sentaba a leer.

Siempre por las noches, antes de acostarse, la Loca se lavaba la boca y luego se masturbaba viendo una película porno, se secaba la leche con las franjas blancas de una bandera puertorriqueña, y después se dormía.

Se apretaba los chichos.

Seguía on and off la dieta del doctor Atkins: quesos, cold cuts, aceitunas que le compraba a un árabe en la 110 con la Broadway, diet pepsi, fresca.

Se apuntó en un gimnasio, pero iba tres meses al año prácticamente a ver hombres, y con eso se creía que iba a echar músculos. Se tomaba su tiempo en el baño mientras cruceaba por los espejos. Quería tener las tetas desarrolladas y la barriga ripiada. Cuando veía los modelos de International Male, se decía: «Así mismito quiero tener mi cuerpo», y tensaba las nalgas.

Tenía el fondillo caído y como su hermana cogía clases de ballet, un día en el subway de Nueva York le preguntó que qué podía hacer para desarrollar sus glúteos. La hermana le dijo que lo que tenía que hacer era trincar las nalgas, y que eso lo podía hacer donde quiera, hasta sentada en el subway.

Cuando se ponía tensa le temblaba el ojo derecho. Y últimamente, si la regañaban en el trabajo o la contradecían, se le paralizaba y cerraba la mano izquierda.

Tenía problemas defendiéndose en inglés porque se le trababa la lengua y se le olvidaba el vocabulario o se le escapaba la expresión correcta que nunca le llegaba a tiempo sino que le llegaban siempre tarde, después de disipado el conflicto, y la Loca entonces se los repetía al aire, a la nada.

En 13 años, la Loca se había mudado 27 veces. I am not kidding! No se aguantaba en los sitios.

En 13 años, la Loca había cambiado de empleo 27 veces. I am not kidding! Duraba seis meses en los trabajos, no se aguantaba y se aburría rápidamente. Le fastidiaba la rutina de levantarse todos los días, a las siete de la mañana, a trabajar ocho horas, aquello la ponía tensa, y se martirizaba a sabiendas que, con todos los adelantos genéticos de la ciencia, le esperaban mínimo, mínimo, cuarenta años de trabajo por delante, sin descanso.

La Loca robaba lápices, magic markers, bloques de papeles, libretas. Cada rato se llevaba algo del trabajo. Tijeras.

Sacaba copias a tuti plen.

Llamaba enferma casi todos los viernes. Faltaba por cualquier cosa. Llegaba tarde. Se tomaba casi siempre dos horas de almuerzo, de vez en cuando cogía breaks y se iba a ver vitrinas en Soho.

Mentía en su resumé: exageraba sus cualificaciones. Si había trabajado seis meses en una firma, ponía que había trabajado un año entero. Si había visto brevemente un programa de computadoras, declaraba en el resumé que era una experta. Y como había trabajado para Andersen Consulting por cuatro meses, escribía en el resumé que había trabajado en esa firma por tres años y que era una perita en business development.

La Loca ponía CDs y los doblaba. Aparecía en escena en su casa y recibía los aplausos del público en calzoncillos mientras practicaba su saludo porque sabía que algún día sería grande, llegaría a la tarima, algún día tendría público, cantaría y sería famoso. Algún día saldría en un video del Banco Popular, grabaría discos, y volvía de nuevo y doblaba, a Olga Tañón, a la India, a Yolandita, y se le paraban los pelos mientras cantaba.

Escuchaba siempre los mismos discos.

Iba siempre a las mismas barras: Splash, Monster, Atlantis, Luchos, the Music Box.

Desprestigiada porque no tenía una relación monógama como las otras locas estables ni iba a grupos de doce pasos, la Loca andaba arrastrada por las cunetas, y los patos la habían casi excomulgado, declarándola puta públicamente. Sus salidas a las discos consistían casi todas en intentos fallidos de levantar al primero que le gustara. La conocían en todas las barras gays latinas de Queens, y cuando entraba a las barras, la saludaban.

Había sido católica, testigo de Jehová, pentecostal por tres años, presbiteriana, católica de nuevo, y ahora había caído en las profundidades del espiritismo y la santería. Le daban unos flashes religiosos y predicaba.

Lo combinaba todo.

Y aunque la Loca odiaba a Romero Barceló y a los PNPs, en lo más profundo de su corazón quería la estadidad para Puerto Rico.

De vez en cuando le salía un acento chileno.

Y aunque a la Loca le fastidiaba el discurso de los independentistas puertorriqueños, porque los encontraba homofóbicos, en lo más profundo de su corazón quería la independencia pa Puerto Rico.

De vez en cuando le salía un acento cubano que venía casi siempre acompañado con una crítica a la vaganza de los puertorriqueños: «Porque los cubanos, chiquitico, han triunfado en TU isla, porque se matan trabajando levantándose al amanecer de Dios mientras que TUS compatriotas quieren que el gobierno se lo de to en bandejas», le gritaba la Loca a las otras locas puertorriqueñas. Y aquella frasecita de «TU isla» iba casi siempre proseguida con una humillación a los puertorriqueños, porque la Loca, en lo más profundo de su corazón, detestaba ser boricua. Se avergonzaba de todo aquello. Los despreciaba.

De vez en cuando le salía un acento mexicano, y contestaba el teléfono con un «¿Bueno?»

De vez en cuando se afectaba y le salía un acento español bien fuerte.

Cogía el tren A todas las mañanas y tardes y cada vez que se montaba se recordaba o cantaba *If you take the A Train, youuuu, take the quickest way to go to Harlem*… Y cuando regresaba, casi siempre se quedaba dormida, a veces cabeceaba y se babeaba y miraba a los viejos montarse en el tren y la gente que no le cedía las sillas y se decía a sí misma: no quiero ponerme viejo en esta ciudad y se hacía la que no veía a las viejas que se tambaleaban mientras se agarraban de las barras pa no caerse.

Últimamente las estaciones habían empezado a oler a King Pine. Ese olor le recordaba los caseríos de Puerto Rico y la casa de su abuela. Y por las noches la peste era insoportable, porque los homeless usaban las estaciones para dormir —ésas eran sus casas—, y había una que pedía y decía: *I am homeless… I have no food to eat*… y la Loca: qué descarada, yo también soy homeless y no tengo food to eat porque gasté los chavos en Monsters y no tengo dinero hasta el 15 que es cuando cobro, y otra negra homeless bien apestosa que se puso a pelear y a gritar con un blanco porque no le dejaba espacio suficiente para hacer su procesión y pedir: NEXT TIME I SAY EXCUSE ME, GET OUT OF MY FUCKING WAY, AS IF I HAD TO PAY A TOLL TO PASS YOU BY… I ALREADY PAID MY TOLL TO GET ON THE SUBWAY… IF THE CROWD ON THE TRAIN BOTHERS YOU, TAKE A LIMO.

A La Loca no le gustaba aguantarse de las barras porque estaban llenas de microbios y tenía miedo a que le salieran verrugas o una enfermedad de la piel. A través de esas barras se contagia la gente. Veía como los homeless sucios estornudaban y las tocaban. Y llegaba rápidamente a su apartamento y lo primero que hacía era saludar a la perra y lavarse las manos. En el invierno se ponía los guantes para agarrarse. Aquello le daba asco.

De vez en cuando hacía yoga. Mentira, no. No hacía yoga. Había ido en su vida a tres sesiones de yoga, máximo, pero le decía a todo el mundo que la practicaba, se acordaba sólo del saludo al sol y de vez en cuando se estiraba en su casa.

Se entregó como por un año a las enseñanzas de Paramahansa Yogananda, después de haber leído la *Autobiografía de un yogui* y todos sus demás libros, y se suscribió por un año a las clases del Self-Realization Fellowship por correspondencia que terminaron todas en la basura. Durante esos días soñó con ir a la India, visitó agencias de viajes y recogió brochures y hacía budgets en el trabajo calculando el dinero que necesitaba para visitar la India, la China y el Tíbet, haciendo parada en las pirámides de Egipto. Pero también todo aquello terminó en nada.

Le gustaba lo caro: la ropa de GAP, los trajes de Hugo Boss, las camisas Ralph Lauren, los mahones de Calvin Klein, los zapatos Kenneth Cole.

La Loca estaba loca por tener un sofá. El no tenerlo le trabajaba. Visitaba a Ethan Allen a cada rato y hacía cálculos. Tenía cuatro sillas en la casa y las había forrado de plástico para «protegerlas del elemento».

En comparación con las otras locas, eran pocas las veces que la Loca había tenido sexo.

Y aunque usaba condones, tenía siempre miedo de coger sida. Especialmente después que ni tan siquiera se aprendía los nombres con quienes se acostaba.

La Loca había caído bien bajo.

La Loca se sacudía, mientras lo montaba la India, chasqueaba los dedos y empezaba a bailar en la parte de la canción que es toda instrumental. Zigzagueaba la cabeza y le temblaban los hombros.

Sigue, sigue por tu camino.

Después de haberse quemado las pestañas haciendo un bachillerato en ingeniería de computadoras, La Loca se metió al Navy y terminó trabajando nada más y nada menos que en el Pentágono, archivando papeles para un coronel. Como era puertorriqueño, le encomendaron la valerosa tarea de preparar el café para todo el mundo en la oficina, incluyendo las secretarias que no hacían un carajo, y el capitán de la división que se quejaba siempre del café de la Loca, y Loca fantaseaba, pensaba, urdía cuidadosamente llegar un día como si fuera Jim Jones, echarle cianuro al café de las doce, servirles a todos humildemente en una vajilla de porcelana, y verlos caer, empezando por los admirantes y terminando por las secretarias, y pasarle por encima a los cuerpos, salir en victoria del Navy Annex, e irse a celebrar a un cocktail de un nonprofit.

La Loca lo conoció en un concierto de la Asociación de Mujeres Puertorriqueñas de Nueva York, en uniforme, y quedó tan desquiciada por sus ojos verdes que decidió salirse del Navy pa irse detrás de él. La Loca fue el primero en penetrarlo.

La Loca lo dejó todo. Las dos locas montaron un apartamento y duraron dos años juntos.

Pero la otra loca gastaba lo que tú no te imaginas, no trabajaba y la Loca lo mantenía. Y en el momento que vio la oportunidad de irse con un médico que hiciera más que la Loca, actuó rápido, se montó en el carro y se fue pa Baltimore.

Pero la otra loca lo dejó por un médico y la Loca quedó destrozada: Imagínate, dejarlo todo, ser tan estúpida, para que después te dejen por un médico sin licencia más viejo y feo que tú.

Por eso tendré que recurrir a la India cada vez que me acuerde de él: Porque he sido la única que he tenido los cojones para decirle al mundo que quiero vengarme. Lo cantaré para siempre a todo el mundo, como si fuera la India en el Madison: *Mi mayor venganza será, será: que descubras su engaño, y te des cuenta que no te quiere, no quiere a nadie. Que te quedes con él, será mi mayor venganza.*

Ahhhhhhhhhhhhhhh, Y sufras como sufrí yo.

Y muchos años después que terminamos, me encontré con uno de tus exes que me preguntó por ti: y yo le contesté que todavía estabas muriéndote por mí, y la loca decidió abrirme los ojos y decirme: Loca, esa loca no quiere a nadie. Es totalmente incapaz de eso. Y yo, desengañada porque quería, me tuve que tomar una cuba libre pa celebrarlo. Pero lo que verdaderamente quiero es que te quedes en pena, mientras yo me río.

La Loca se rascaba los oídos a cada rato con las patas de los lentes.

Por eso ni lo pienses, que voy a luchar por él. Yo te lo regalo, llévatelo lejos.

Y después de aquel incidente con aquella loca, la Loca perdió la cuenta de todos los hombres con los que se había acostado. Empezó por un flight attendant de American Airlines, un venezolano que trabajaba para el Banco Mundial, un programador de computadoras que usaba drogas y un salvadoreño que trabajaba en Starbucks. Y a todos los penetró porque en aquel tiempo, la Loca era *top*.

Quedé, como se dice, moribunda de amor. Pero ya no me quejo.

Que el que juega con fuego se puede quemar. Y por eso te lo advierto, loca, para que no sufras lo que sufrí yo no te entregues nunca. Si te piden las dos manos, entrega la izquierda y la derecha métetela en el bolsillo.

Qué pena que tenga que contarte todas estas cosas.

Y es que yo tengo que tener mucho cuidado con la India, porque cada vez que la protagonizo quedo alterada.

Cambiaré el disco y pondré a Yolandita porque los de la India me causan odio. Obedeceré la orden de las locas que quieren que silencie mi odio y me sentaré por horas en posición lotus, respiraré hondo, mortificándome recordando todo lo que me hicieron y en un acto de entrega casi total, los perdonaré y les pediré disculpas públicamente por haberlos odiado tanto. Luego me iré a Central Park a escuchar al Lama y después, entraré inhalando y exhalando profundamente a Atlantis, dejándome llevar por mi tercer ojo y les ordenaré a todas por el micrófono que practiquen la compasión.

Y luego, camino a casa en el número siete, después que orine en la plataforma mientras espero el tren, me preguntaré seria y severamente: ¿Por qué me hiciste nacer si no era para ser absolutamente divina?

Pero que a veces soy difícil de entender, pero tú siempre me comprendes, y cada vez, cada vez. Pero yo no pensé que fuera a ser así, mi cuerpo adicto a ti. Eres tú.

La Loca había estado en el Navy por veintiún meses y le habían dado un Honorary Discharge porque estaba mal de la vista.

Cambiaré los discos y pondré a Ricky Martin, que ése es mi papi: Viendo tu espalda me masturbé muchas veces: Con el panfleto de tu disco *A medio vivir* te chupé los dedos, pasé mis manos por tu cabello, te besé la espalda completa en la contraportada y te quité los pantalones blancos y te besé las nalgas y luego te las besé de nuevo y te mordí el culo y te lo besé y te lo volví a morder y a soplártelo mientras te apretaba las nalgas como si fuera, como si fuera... y metí la punta de mi lengua dentro de ti y luego te pasé a la página 11 —Nada es Imposible—, y me vine mientras te mordía los muslos: Y mientras yo, me quedo sin ti, como un huracán, rabioso y febril, tanta pasión, tanta osadía...

La Loca cada rato se rascaba los testículos. Y después que se los rascaba, se olía los dedos.

Compraba libros que no leía. Tenía tres repisas de libros que ni tan siquiera se habían abierto.

A menudo cambiaba de peinado: a veces para el lado, a veces con partidura por la mitad, a veces se lo dejaba crecer para después recortárselo porque no sabía usar el blower.

A veces se dejaba bigote, a veces un chiva.

Le dio por aprender portugués, se fue pal Brasil dos meses, y regresó diciéndole a todo el mundo que había vivido en Brasil por un año entero y que hablaba portugués perfectamente.

Le pasaba como a Emma: con las lecturas le ocurría lo mismo que con sus labores, que, apenas comenzadas, iban a parar a las tres repisas que se había comprado; las tomaba, las dejaba, y aprendía otras nuevas: cartas del tarot, Kabbala y Kafka, Migene Wippler y Plato, *La Revista del Instituto de Cultura Puertorriqueña* y *Coming Out: An Act of Love*. Los libros de Saramago y el ANSI C de Kernighan and Ritchie.

Se las pasaba pensando en la vejez: Se revisaba a cada rato las canas y se las arrancaba. Le preocupaba tanto que se le cayeran las nalgas y los cachetes, ¿cómo iba a verse desnuda a los cincuenta? Si no se apresuraba a conseguirse un marido permanente, se quedaría solo y viejo si no se moría de sida. Le preocupaba muchísimo el regresar a Mayagüez a entregarle sus despojos: ¿en qué trabajaría la Loca cuando llegara la los 64 años? ¿De qué viviría? Si lo peor que te podría pasar, tanto acá como allá, era ser vieja, loca y pelá.

Le dio con aprender chino y gastó más de cien pesos en tres libros y un diccionario carísimo, aprendió a escribir su nombre, y después tiró los libros en el clóset y jamás los volvió a tocar.

Le aterraba la idea de que fuera a quedar postrada, en una cama, y que la madre o la sobrina tuviesen que limpiarle el culo y sacarle la mierda.

Además, ¿qué haría para conseguirse hombres después de los cuarenta?

A los cuarenta comenzaría un régimen riguroso de levantamiento de pesas para ponerse fibrosa y atractiva y levantarse las nalgas para las nuevas generaciones.

Los avances de la genética me dan esperanzas: Si Dios quiere, no me pondré vieja porque ya pronto descubrirán la pastilla para uno mantenerse permanentemente joven, y enseguida que descubran la cura pal sida, me entregaré de lleno a los baños que es lo único que necesito. Alcanzaré mi libertad después que descubran la cura pal sida y pal herpes.

Se la pasaba con las ventanas cerradas. Vivía prácticamente en un crematorio en Washington Heights, con basura y edificios sucios por todos lados y no quería que los vecinos le vieran los muebles caros para que así no se sintieran motivados a robarle. Tenía problemas con sus vecinos que ponían la música a to lo que da como si estuvieran todavía en Santo Domingo. Tuvo que llamar a la policía unas cuantas veces, se enredó a pelear con la doña de arriba que alquilaba cuartos mientras vivía del welfare y que, además de explotarle los oídos con el estéreo, pasaba vacuum a las doce de la noche y de vez en cuando, cuando discutían, dejaba el agua del fregadero corriendo para que le cayera agua abajo. Especialmente los viernes y sábados que aquello se convertía en un infierno y si la Loca llamaba a la policía no se aparecían ni por los centros.

Y la Loca se mordía los labios y se sacaba hasta sangre con todo aquello porque sabía que no había escapatoria para ella: She could never afford an apartment in Tribeca, paying 2000 dollars a month, mientras ella lo único que podía pagar eran 500 dólares. She could not afford it, could not afford it. Y se rehusaba vivir como esas locas de Chelsea, que eran casi todas secretarias y dependientes de tiendas y que se enchalchichaban cuatro y cinco como ratas dentro de un estudio, pagando 800 dólares cada una por una esquina. Jamás, jamás ella podría vivir en esos apartamentos decentes del West Side porque tenía su crédito destruido y nadie le aprobaría un lease.

Por eso le hervía la sangre los sitcoms de los blancos que trabajaban en Starbucks y tenían todos estudios de Martha Stewart en el East Side que, en la vida real, cuestan como cinco mil dólares mensuales alquilarlos. La Loca no era pendeja.

Mi única ventana al mundo es el noticiero de la 6:30 con Peter Jennings, *The MacNeil/Lehrer NewsHour*, and the *MacLaughlin Group*, los fines de semana, con el anuncio de GE de «I want my children to inherit more than just … memories» y que en la cara me recuerda mi caso. Es lo único que mis padres me han dejado: memories, and really bad ones.

Pero ahora soy Yolandita. Cantaré *Han roto en mil pedazos, El cristal de mi mirada*: Y es que es por esta misma razón que te estoy contando las cosas de esta manera: Han puesto sueños negros en mi almohada… Malditas esas manos, que siembran tanto daño, que ciegan la ilusión de un solo tajo… Pero ignoran quien soy yo cuando me enfado. Y QUE NO PODRÁN CONMIGO.

Blow Up

Giannina Braschi

—Ábrela tú.

—¿Por qué yo? Tú tienes las keys. Yo te las entregué a ti. Además, I left mine adentro.

—¿Por qué las dejaste adentro?

—Porque I knew you had yours.

—¿Por qué dependes de mí?

—Just open it, and make it fast. Y lo peor de todo es cuando te levantas por las mañanas y te vas de la casa y dejas la puerta abierta. Y todo el dinero ahí, desperdigado encima de una gaveta en la cocina, al lado de la entrada. Y ni te das cuenta que me pones en peligro. Yo duermo hasta las diez. Y entonces me levanto y me visto rápidamente y cuando voy a abrir la puerta me doy cuenta que está abierta. Es un descuido de tu parte. Dejar la puerta abierta. Alguien puede entrar y robarme y violarme. Y tú tan Pancho, Sancho, ni te importa.

—Claro que me importa. Eso sí fue un descuido.

—Sí, ¿y lo otro no lo es? Scratch the knob and I'll kill you.

—No, lo otro no lo es. Yo tengo mi forma de hacer las cosas.

—Ah, sí, pero cuando estás conmigo tienes que hacerlo my way. O quieres que llame a los vecinos para que vean lo torpe que tú eres. Imagínate, si hasta las mismas cerraduras se burlan de la forma que tú tienes de entrar. La próxima vez no voy a hacerte caso cuando me toques el timbre. Tú te crees que a mí me gusta cuando me tocas el timbre. No, no me gusta cuando me tocas el timbre. Si tienes keys, ¿por qué no la abres?

—Porque tú estás adentro. ¿Por qué si toco el timbre, no me abres la puerta?

—Porque me da rabia que estando yo adentro, y escuchando el roído de las keys roer la cerradura, y anhelando con toda la pasión que la abras, con toda la pasión, después de hacer ping-pong, un minuto, sin ninguna fuerza, me vengas a tocar el timbre, como si yo estuviera adentro esperándote todo el día, qué sabes tú si hay alguien por dentro. Y si estoy leyendo, why do I have to get up para hacerte el gran favor de abrirte la puerta. Do I look like a doorman. Besides, you have the keys and they fit, they sure do. You just have to learn how to handle them. It's no big deal. You're always making a fuss.

—Shut up.

—You shut up. Step aside.

—Gladly.

—Watch and learn to handle the locks, effortlessly. The rusty one for the bottom hole, a jiggle to the left, and this skinny one for the top slot. You do this just to annoy me. And you do. You certainly do. No me gusta verlas atoradas. Coño. Demasiada ropa atiborrada. Coño. Estas gavetas no cierran. Y tú sabes lo que para mí significa levantarme azorada a media noche, y primero, hace un calor enervante que me sofoca, y luego que he apagado el heater, me voy al baño y veo ahí mismo, frente a frente a mis ojos, las puertas del clóset no sólo abiertas, peor aún, de sus gavetas cuelgan unas sábanas, the incarnation of my nightmare, esos muertos despiertos, y no son los buenos. Intento cerrar la puerta, y se atora, y los ghosts guindando. Y te lo he pedido, por favor hay que limpiar los clósets, hieden los zapatos, y el olor a gato sudado que tienen los sweatshirts. Y voy a la cocina porque tengo la garganta reseca, coño, tú sabes, el calor, abro la nevera, y mi botella de agua, ¿dónde está el tapón de mi botella de agua? Tú no sabes que le entran germs, pierde el fizz, y no me gusta que el agua huela como tu chicken curry sandwich, ésta ya no sirve, ya nadie toma agua de esta botella. I forbid it. I'm throwing it out. Me acerco al maldito dishwasher, y ahí mismo, los trastos desbordándose del fregadero, millones de años sin lavarse, llenos de carrot peels y globs of brie pegados de sus rims. Y esto ya es demasiado para mí. Ya no aguanto más. Esas malditas keys abriendo y cerrando las cerraduras. Y durante los weekends, tu insolencia es inaudita. At least, durante la semana, soy dichosa, when I hear you leave at eight. *Libertad* —me digo a mí misma, con los ojos entrecerrados. Puedo leer en paz. Y si veo a Bloom mirando desde un risco a Gerty, y se toca su prepucio, y me dan ganas, no tengo más que cerrar la cortina que acabo de abrir, y dejarme ir. Qué rico. Una distracción de tu careta. Pero ahora, si yo no me levanto, tú no te levantas, pones el alarm para nada, just to piss me off, and snore some more, hasta las diez. Porque eso sí, yo tengo un alarm por dentro. Cuando me despierto, tú sabes que estás en peligro y me dices:

—Breakfast? Orange juice? Croissant?

—No —I say— today I want fruit and bacon.

—*Okay —you say— coming right up.*

Y entonces, te vas, te tardas una hora para hacerme sentir culpable de que te dejé ir sin mí. Escucho las sirenas, horrible, pienso:

—Cruzó la calle to bring home the bacon y lo espacharró una guagua. Qué hago ahora yo. Ya sólo tengo enough in the checking to cover un mes de la renta, y luego lo tengo que vender todo, salirme de aquí. Qué hago.

Y lo peor de todo, en la oscuridad, porque a ti no se te ocurre encender las luces, sentada, meciéndome, pensando en tu muerte, y después llegas, no te lo voy a negar, se me alivia el corazón, pero entonces me dan ganas de matarte, cuando veo y escucho, no veo, escucho, la vacilación de las keys en la puerta, y la oscuridad, la maldita oscuridad. Pero el aroma del café me aguanta las ganas que tengo de insultarte. *Bendito* —me digo— *after all, he risked his life for me. Breakfast* —you say with a smile on your face. You open the white paper bag, and out of the rustling comes…

—What is this?

—Chocolate. Oh, it's too late for breakfast, Chipa, it's lunchtime. No bacon. No eggs. Have a chocolate bar. Quick energy. I brought you vitamins. Take a swig. They're good for your bones.

—Where is my orange juice?

—No orange juice. Vitamin C. It's the same thing.

—Not to me.

—No seeds. No pulp.

—I want my orange juice. Juicy red with its pepas.

—Seeds.

—And I want fresh squeezed. I don't want chocolate. It gives me grains.

—*Pimples.*

Why. Tell me, why do you insist on bringing me breakfast in bed when you can never satisfy me. I am sure that there are oranges and bacon and scrambled eggs out there. It's just that you're too eager to disappoint me. As if I couldn't walk to the corner on my own two legs and buy my own breakfast. It's a pleasure for me to wake up in the morning, alone, find $5 and my keys in the kitchen, get dressed, brush my teeth, wash and dry my face with a towel, open the door as my stomach growls, ride the elevator, check the bills in the mailbox, relieved that I don't have to pay them, buy *The Post* at the nearest newsstand, head to the Greek, read the gossips with the pleasure of a toasted bran muffin with melted butter and a cup of coffee, relax, come home, and start working. Good old times, not so old after all. But here you are, again, interrupting my creative process. Y cuando me llevas a Toritos, después de estar todo el día sin comer para guardar la línea, lo primero que haces es abrir el menú, y soltarte una carraspera.

—¿Qué tienes, mijo? Una tosecita. Toma un poco de agua.

Sospecho algo de esa tos. Carraspera. Catarro. No. Atoramiento. Se te sube la sangre a la cabeza. Cada vez que Jabalí tosía era porque estaba entrampándome de alguna u otra forma. Ahí mismo. Cuando aparecía la tosecita, aparecía la mentira.

—Hoy tengo que salir —decía Jabalí—. Ahem. Department meetings. Ahem. Tú comprenderás. Ahem. No puedes venir conmigo. Ahem. Son profesores.

Asuntos amorosos. Metido en ese lío con esa chilla. Y yo sabía que me mentía. Y disfrutaba su mentira. Porque sabía que me mentía. Claro, mira, eran dos disolutos. Estaban desnudos, ella trepada en su regazo, with the phone cord wrapped around her neck como collar de onyx, amarrado, ojalá se hubiera ahorcado, no te creas, yo escuchaba sus carcajadas, cuando me veía implorarle a Jabalí que volviera.

—Disoluta.

—You don't know how many times I had to hear Ingrid Bergman reciting Jean Cocteau's monologue of a woman talking to her lover on the phone before she commits suicide.

—Jabi gave you that record.

—Yes, until one day, he came home with Edith Piaf and told me he found her at Rizzoli. I later learned, lo olfateé, que fue Chilla quien se lo regaló.

—La falta de sensibilidad.

—He ran off with Edith Piaf and left me con el disco rayado de Ingrid Bergman despidiéndose de su amante. We never hear his voice, just her desperate responses. With me it was different. I saw his lover seated on his lap, naked, eavesdropping and squealing with pleasure, deep pleasure, more pleasure, the sum of more and more pleasure, thinking she had him eating from her sweaty palm. And they were swilling scotch and soda on the rocks, and I heard the icy ice, his voice choking with pleasure, when he said, so easily, with no emotional regret, no sensitivity, cold and distant:

—Volverán las oscuras golondrinas, pero aquéllas, no volverán.

—Y por qué no vuelven —dije yo—. Por qué no vuelven.

—*No se puede pasar dos veces por el mismo río. Nuevas aguas.*

In the background I heard the laughter of Chilla, sloshed as she was, with her curly sweaty hair, which I'm sure she hadn't washed in ages, and her shiny face and her yellow, yellow teeth, and her gums, open wild, I could even see the chambers of her throat with scotch splashing sassy, screaming like a witch and dancing, because he was with her and I was alone and lonely in my solitary room. Pero ahora, ahem, qué me trae esta nueva tosecita. Estamos en el booth, y te lo juro, me siento bien a tono con los mariachis y las velas.

—¿Qué pido, Chipo?

—Pide lo que quieras, Chipa.

—No sé si pedir el bifsteak gaucho o el trío dinámico.

—Pide lo que quieras, Chipa. ¿Cuál crees tú que debo comer?

—Pide lo que quieras, Chipo.

—Ahí viene la waitress.

—Pues que se espere. We haven't decided yet.

—I know what I want, el gaucho.

—Ahem, but it comes with garlic bread and fries. Ahem. You are on a diet. Let me see if I have enough to cover it. Sorry. Ahem. You'll have it next time. Or you'll have to select between the steak or the piña colada.

—Piña colada, then.

—But you understand, we'll have to share the piña colada.

—Hurry up, please, it's time.

—Just a moment, please. We haven't made up our minds. For the time being, please, ahem, bring the lady a piña colada.

—Just one?

—Yes, with two straws, and for me, ahem, a frosty glass of tap water with crushed ice, no cubes.

—You see, ahem, if you hadn't ordered the piña colada we could have had two dishes. Now, ahem, I'm running short. Plus the tip. I need a better job. Eating out every night. Did I send out my student loan payments last week?

—I told you to.

—Or was it this week? Wait, I made a deposit last week, which means no problem, it's due next week.

—Have you decided what you want?

—I'll have a steak.

—Ahem, no, we'll have fajitas instead. It's the same beef, but we can share fajitas.

—Yes, fajitas, thank you.

—How about another drink?

—*Just water, please, and the bill. How much do I leave for a tip. 15% plus tax. Do you know if I paid the credit cards. Kika, we must stop eating out. You should learn how to cook. It would be so much healthier and we would save so much time and money.*

—Para que me invitas a comer y me dejas con hambre, insatisfecha. No puedo escoger el plato que quiero del menú. Ésta es la impotencia, la insatisfacción. Tu insatisfacción, tu duda. Tú te crees que hay derecho que cuando estoy concentrándome en el esquema, precisamente en ese preciso momento en que surge la imagen, aquí estás tú abriendo las gavetas del mismo escritorio en que trabajo, y no sólo claquiteando las gavetas sino preguntándome: ¿dónde están las tijeras?

—Yeah, where are the scissors? I have to cut the ad out of the paper. And I need the glue for the envelope. Look, I saved the film schedule for you. What time are you planning to go?

—¿A qué viene esa pregunta?

—I need to know when you're going so I can use the phone. I've got agencies to call.

—¿Para qué?

—¿Para qué tú crees?

—¿Para trabajar? Tú no comes ni dejas comer. O tú quieres comer pero no quieres que los otros coman.

—¿A qué hora puedo hacer las llamadas?

—A ninguna hora en que yo tenga que concentrarme. Me quitas la intensidad, la densidad.

—Y por qué no te vas a ver *Cries and Whispers, Autumn Sonata,* a double feature for $6.

—¿Tú no crees que ya he perdido suficiente tiempo?

—Nunca se pierde el tiempo. Necesitas un outlet: cries, whispers. Necesitas estallidos, bombas, fuegos artificiales, popcorn, música, diálogos. Necesitas algo del gangsterismo. A fatal attraction. A crime of passion. Y esto debe ser en el mismo instante en que yo entro al baño. El suspenso creado por la música lenta, enigmática, cerebral —Hitchcock, Welles— y de repente la ruptura. Un cuchillo de doble filo enterrado en tu estómago, abriéndote una zanja. A bloodcurdling scream. Una ola de sangre se levanta de la bañera y lava tu cuerpo y tu frente, estrago, rompe la concreción, se mete por la intriga y por la duda, zigzagueando like a serpent over the white tile floor. My expression remains calm, steady. One thing is what is happening to you and another is the indifference of my face —who cares if I kill you— I do it like a duty. No mercy, no compassion. Blood Simple.

—Now you want to kill me off. Esto es lo que me jode de ti, siempre cambiando el plot.

—Well, one of us has to go.

—Not me. Why not you. You're the one who is fucking my head.

—Blowing your mind.

—No, my murderer, you're killing me. So much time wasted on your tongue. You think I hear what that mouth is sputtering. Not a voice, not a sound. Static. The lips flapping with spit bubbles popping on the tip of the tongue, repeating, Pipa, you are doing fine. I'm convinced, this is the road. King of the road, you say you'll rent a mobile home to cross the desert. Why the hell don't you do it. Leave me alone. Your tongue's vibration in your mouth, in my ears. A month goes by. A lot of kikiriquis, a lot of movies but no move-outs. Nope: movies, kikirikis, muñequitos. Don't worry, you say, the time will come. You're too excited, too impatient. You talk so much. You talk so, so much:

—*Did you read about Pee-Wee Herman in* The Post? *Arrested during a porn flick with his pants down. Had his pee wee in his hands. Nabokov was probably the same. They say Joyce raped his daughter, that's why she was schizophrenic. Ah, Pee-Wee, who would pick a name like that anyway, like pee-pee, I want to pee, and to think his show was canceled just because his little pee wee went weee-weee in his pants.*

Van Gogh would have cut off both ears if he lived with you. I hate it when you flap it and flap it so much so fast that I can't understand what you are saying. But don't think that I don't notice what you're up to. Oh yeah, pleased, delighted, so much enlightenment when you find one fragment, one lonely ranger without a horse, and then you patronize me swearing —*you're doing fine*— and I'm on my death bed telling you I know I'm dying, but you insist —*you're looking better than ever!* Says who? You? I wouldn't believe you if your tongue were notarized. Estos gritos que tú das retumban en mis oídos.

—A mí me zumban tus susurros.

—Es como un callejón sin salida, el grito, deja mucho que desear. Pero si al menos tuviera cierta paz, si yo te pudiera decir: no me grites. Y tú escucharas que te estoy suplicando, implorando, que no me grites. Y por qué no me dices, claro: *este libro no sirve.*

—No sigas con la cantaleta. Porque voy a gritar de verdad.

—Antes de que tú llegaras aquí, nadie, escúchame, nadie, se había atrevido a manipularme de esta forma.

—Qué manipulación, ni ocho cuartos.

—Mañana mismo te vas de aquí. Estos malos ratos no me dejan concentrarme. Y luego me deprimo. Bajo la cabeza. Quiero leer, y no puedo. Quiero pensar. Y sabes lo que tengo por dentro, el grito estallándome. Scandalizing the neighbors, interrumpiendo su sueño, fastidiando a la gente abajo, tirando keys, tijeras, dishes al suelo. I wouldn't be surprised if they complained to management. O la vergüenza de recibir una nota por debajo de la puerta. Y qué te crees tú, que estás en la finca. Tú no sacas de mí más que lo peor. Por qué no me respetas.

—Te respeto a ti como tú me respetas a mí.

—No, no me respetas. Si me respetaras cuando te pido que te calles, te callarías.

—Don't point at me.

—Yes, I point at you.

—Don't point at me, I said.

—I point at you.

—Take away that finger.

—Why, it's just a finger.

—I said, take away that finger. Don't point at me.

—I said, I am pointing at you. You are the one who is pointing at me. You are the one who is pointing at me. You are pissing me off. You are really pissing me off.

—Don't repeat yourself. I heard you. Don't repeat yourself. I said what I said. Do not point that finger at me. Take that finger away.

—You are repeating yourself too many times. Stop screaming at me. And stop pointing at me. I heard you. Now, listen to me. Do not talk when I am speaking. Listen to me.

—Don't point at me. I'm listening. But take that finger away. You did the same thing to Monique Wittig:

—You like Fellini? —you said.

—*I like two of his films:* Satyricon *and* Juliette of the Spirits —*she said.*

—You don't like Fellini? —you said.

—I said what I said —she said—. I like two of his films.

—*So —you said— you hate Fellini.*

—Idiot, exactly, that is exactly what I said to her. No me gustan los compromisos. Either you like him or you don't. Not two. Listen to me. Everything or nothing.

—Don't point at me.

—That's a compromise. Either you like him or you don't. What do you mean? You like me when I make good films. And when do I make good films? When you like me? I don't believe in that. It's not real.

—Listen to me. Unreliable. You're so unreliable. You tell me you like Almodóvar, and I trusted that you like Almodóvar. But then when you meet Jean Franco, you say you don't like Almodóvar. I said:

—But you told me you like Almodóvar.

—Because you told me you like Almodóvar. I wasn't going to disagree with you even though I hate Almodóvar. Jean, you hate Almodóvar?

—I hate Almodóvar. He's a terrible filmmaker.

—*You see, I hate Almodóvar. The only thing new in him is his cynicism. But he imitates American comedy,* ad nauseam. *After Buñuel, he's a retrograde.*

—*Did you like* The Piano?

—No, that feminism was so decimononic.

—*You see, I hated* The Piano. *I went to closing night at the film festival, and I was planning to give a standing ovation. But I turned into rock, and I couldn't get up from my seat. I'm glad you didn't like it. It confirms my suspicions. I was so angry when I left the film.*

—*You were also angry when you saw* Sweety.

—Because it was so dirty.

—It was an original.

—*Jean, did you like* Sweety?

—*I loved* Sweety.

—*Me too, I loved* Sweety.

—¿Por qué llevarles la contraria? To make people uncomfortable? If I were to say whatever I think, I would not have one single friend. You are out of an argument. I won. End of discussion. I won. And you know it.

—Don't point at me.

—That's why you lost. I pointed at you. I won.

Notas sobre los autores

RICARDO ARMIJO (Nicaragua, 1959), emigró a Estados Unidos en 1980 y desde 1991 vive en Chicago, donde trabaja como editor y traductor. Ha publicado en México, Nicaragua y Estados Unidos. Tiene una colección de cuentos. Es webmaster de www.contratiempo.com.

MARIO BELLATÍN (México, 1960), tiene seis novelas publicadas. Este año aparecerá *El jardín de la señora Murakami*. *Salón de belleza* y *Poeta ciego* acaban de ser traducidos al francés y al alemán.

GIANNINA BRASCHI (Puerto Rico, 1953), autora de la novela bilingüe *Yo-Yo Boing!* y de *El imperio de los sueños* (traducida al inglés como *Empire of Dreams*). Ha obtenido becas y premios de National Endowment for the Arts, el diario *La Prensa*, Ford Foundation y el Puerto Rican Institute of New York, entre otros. Ha sido nominada para el Pulitzer Prize y el American Library Association's Notable Book Award.

PABLO BRESCIA (Argentina, 1968), reside desde 1986 en Estados Unidos. Recibió su doctorado en lenguas y literaturas hispánicas de la Universidad de California, Santa Bárbara. Enseña en la Universidad de Texas, Austin. Participó como autor y editor en *Sor Juana y su mundo*; *El cuento mexicano*; *Sor Juana y Vieira*; y *Borges múltiple: cuentos y ensayos de cuentistas*. Ha publicado un libro de cuentos: *La apariencia de las cosas*.

HOMERO CARVALHO (Bolivia, 1957), nació en la región amazónica de Bolivia y estudió sociología en la ciudad de México y en La Paz. Ha publicado, entre otros libros de cuentos, *Territorios invadidos*, *Historias de ángeles y arcángeles* y *Ajuste de cuentos*. En 1996 obtuvo el Premio Municipal de Novela con *Memoria de los espejos*. Fue director de la Biblioteca del Congreso Nacional de Bolivia.

RICARDO CHÁVEZ CASTAÑEDA (México, 1961), tiene una maestría en Creación Literaria de New Mexico State University y una licenciatura en psicología. Ha publicado ocho libros y ha obtenido diversos premios de narrativa en México. Entre sus obras figuran *La conspiración idiota* y *El día del hurón*.

ROSINA CONDE (México, 1954), ha publicado varios libros de cuento, poesía, teatro y novela corta. En 1993 recibió el Premio Nacional de Literatura Gilberto Owen en la categoría de cuento por su libro *Arrieras somos...*, que será traducido al francés.

ALEJANDRA COSTAMAGNA (Chile, 1970), es periodista y autora de las novelas *En voz baja* y *Ciudadano en retiro*, distinguidas con los premios Juegos Literarios Gabriela Mistral y Municipal de Literatura. Ha publicado también el libro de cuentos *Malas noches*. Relatos suyos han sido llevados al teatro.

JUNOT DÍAZ (República Dominicana, 1967), se crió en Nueva Jersey. Se graduó en Rutgers State University y obtuvo su maestría en Artes en Cornell University. Ha publicado cuentos en *Story*, *The Paris Review*, y *The New Yorker*; esta última publicación lo eligió como uno los mejores escritores norteamericanos de la nueva generación. Ha publicado un libro de cuentos, *Drown* (traducido al español como *Negocios*). Está escribiendo su primera novela.

ÁLVARO ENRIGUE (México, 1969), cursa un doctorado en literatura en la Universidad de Maryland. Ha colaborado en revistas y suplementos de México y España como *Vuelta*, *Letras Libres*, *Lateral*, entre otros. Ganó el Premio de Primera Novela Joaquín Mortiz 1996 con *La muerte de un instalador*. Su segundo libro es de relatos, *Virtudes capitales*.

GUSTAVO ESCANLAR (Uruguay, 1962), trabaja como periodista cultural. Publicó dos libros de relatos: *Oda al niño prostituto* y *No es falta de cariño*; y la novela *Estokolmo*.

JORGE FRANCO RAMOS (Colombia, 1962), estudió cine en The London International Film School y literatura en la Universidad

Javeriana de Santa Fe de Bogotá. Entre sus libros se encuentran la colección de cuentos *Maldito amor* (Premio Nacional de Narrativa) y la novela *Mala noche*. Su última novela, *Rosario Tijeras*, obtuvo el Premio Internacional de Novela Hammett 2000 en Oviedo, España, y ha sido traducida a varios idiomas.

ALBERTO FUGUET (Chile, 1964), se crió en Encino, California. Estudió periodismo en la Universidad de Chile. Obtuvo una Beca Fullbright. Time/CNN lo eligió como uno de los 50 líderes latinoamericanos del Nuevo Milenio. Algunos de sus libros son *Mala onda, Por favor, rebobinar* y *Tinta roja*. Coeditó la antología *McOndo* y escribió el guión de *Dos hermanos (En un lugar de la noche)*. Ha sido traducido al inglés, portugués e italiano.

SERGIO GALARZA (Perú, 1976), colabora en algunas revistas y sigue estudios de Derecho. Ha publicado los libros de cuentos *Matacabros, El infierno es un buen lugar* y *Todas las mujeres son galgos*.

ÁNGEL LOZADA (Puerto Rico, 1968), fue jesuita y vive en Nueva York. Estudió ingeniería en la Universidad de George Washington y la maestría en informática en Johns Hopkins University; está completando su doctorado en literatura latinoamericana en New York University. Es autor de la novela *La patografía*, y editor general del libro de ensayos *Ambiente*. Trabaja en su segunda novela.

RONALDO MENÉNDEZ (Cuba, 1970), es licenciado en Historia del Arte de la Universidad de La Habana. Ha obtenido, entre otros premios, el Casa de las Américas 1997, por su libro de cuentos *El derecho al pataleo de los ahorcados*; y el Lengua de Trapo 1999, por la novela *La piel de Inesa*. Reside en Lima, es columnista de *El Comercio*, y ejerce la docencia en la carrera de periodismo de la Universidad Peruana de Ciencias Aplicadas.

LINA MERUANE (Chile, 1970), ha ejercido como periodista, editora de cultura y corresponsal para diversos medios de prensa chilenos. Es autora del libro de cuentos *Las infantas* y de la novela *Póstuma* (traducida al portugués). Cursa el doctorado en literatura hispanoamericana en la Universidad de Nueva York.

MAURICIO MONTIEL FIGUEIRAS (México, 1968), es autor de tres libros de cuentos: *Donde la piel es un tibio silencio*, *Páginas para una siesta húmeda* e *Insomnios del otro lado*. Ha publicado también dos libros de poesía: *Mirando cómo arde la amarga ciudad* y *Oscuras palabras para escuchar a Satie*. Es secretario de redacción de la revista *Biblioteca de México* y director del suplemento cultural *sábado*, del periódico *unomásuno*.

IGNACIO PADILLA (México, 1968), realizó estudios de comunicación y literatura en México, Sudáfrica, Escocia y España. De su obra narrativa sobresalen *Subterráneos* (cuentos, Premio Alfonso Reyes 1989), *Trenes de humo al bajolafombra* (cuentos), y las novelas *La catedral de los ahogados* (Premio Juan Rulfo) y *Si volviesen Sus Majestades*. Es profesor en la Universidad de las Américas, Puebla. Obtuvo el Premio Primavera 2000 con su novela *Amphitryon*.

SILVANA PATERNOSTRO (Colombia, 1961), vive en Nueva York. Sus escritos han aparecido en *The New York Times Magazine*, *The Paris Review*, *Newsweek*, *The New Republic*, *Spin* y otros. Su libro *In The Land of God and Man: Confronting Our Sexual Culture*, fue finalista para el PEN/Martha Albrand Award for First Fiction en 1998. Time/CNN la eligió como una de los 50 líderes latinoamericanos del Nuevo Milenio.

EDMUNDO PAZ SOLDÁN (Bolivia, 1967), es doctor en lenguas y literaturas hispánicas de la Universidad de California, Berkeley. Es profesor en Cornell University. Con "Dochera" ganó el premio de cuentos Juan Rulfo 1997. Algunas de sus novelas son *Río fugitivo* (traducida al finlandés y al danés) y *Sueños digitales*; entre sus libros de cuentos: *Amores imperfectos* y la antología *Simulacros*. Ha coeditado *Beyond the Lettered City: Latin American Literature and Mass Media*.

FRANCISCO PIÑA (México, 1968), vive en Chicago desde 1988. Trabaja como maestro de español en la Secundaria Cristo Rey. Fue cofundador de diversas revistas literarias y culturales. Es coautor de *Rudy Lozano: His Life His People*. Publica crítica de arte en un semanario de Chicago.

ROBERTO QUESADA (Honduras, 1962), reside en la ciudad de Nueva York desde 1989. Es autor de las novelas *Los barcos* (traducida al inglés como *The Ships*), *El humano y la diosa*, *The Big Banana* (traducida al inglés) y *Nunca entres por Miami*.

ERNESTO QUIÑÓNEZ (Ecuador, 1965), se crió en el Spanish Harlem de Manhattan. Estudió escritura creativa en el City College of New York. Enseña cuarto grado bilingüe en el sistema público de escuelas de Nueva York. Ha publicado una novela en inglés, *Bodega Dreams*.

MARTÍN REJTMAN (Argentina, 1961), ha dirigido los cortos "Sitting on a Suitcase" y "Doli vuelve a casa". Su primer largometraje es *Rapado*. Publicó, con ese mismo título, su primer libro de cuentos. Le siguieron las colecciones de relatos *Treinta y cuatro historias* —incluida *en Un libro sobre Kuitca*— y *Velcro y yo*. Su segundo largometraje es *Silvia Prieto*, cuyo guión también publicó, junto con un diario de la posproducción.

RODRIGO REY ROSA (Guatemala, 1958), ha residido en Nueva York y Marruecos. Es autor de *El cuchillo del mendigo-El agua quieta*, *Cárcel de árboles-El salvador de buques*, *Lo que soñó Sebastián*, *Ningún lugar sagrado* y *La orilla africana*. Su obra narrativa ha sido traducida al inglés (por Paul Bowles), francés y alemán.

CELSO SANTAJULIANA (México, 1960), es autor de las novelas *Historias de lorea* y *Palabras que sueñan como si vuelves*, y de los libros de cuentos *Niantla* y *Salón de usos múltiples*.

MAYRA SANTOS-FEBRES (Puerto Rico, 1966), ha publicado poemas en revistas y periódicos tales como *Casa de las Américas* y *Latin American Revue of Arts and Literature*. Dos de sus poemarios son *Anamú y manigua* y *El orden escapado*. Ha ganado el Premio Letras de Oro 1994 por su colección de cuentos *Pez de vidrio*, y el Juan Rulfo de cuentos 1996, por "Oso Blanco". Su primera novela se titula *Sirena Selena vestida de pena* (traducida al inglés).

ALFREDO SEPÚLVEDA (Chile, 1969), tiene una maestría en periodismo de la Universidad de Columbia, en Nueva York. Ha sido editor de la revista de cultura popular *Zona de Contacto*, del diario *El Mercurio*, de Chile. Ha publicado el libro de cuentos *Sangre azul*.

JORDI SOLER (México, 1963), ha publicado los libros *El corazón es un perro que se tira por la ventana*, *Bocafloja*, *La corsaria*, *La cantante descalza*, *Nueve Aquitania*. Es columnista del periódico *Reforma*, de la ciudad de México.

ILAN STAVANS (México, 1961), enseña en Amherst College, Massachusetts. Entre sus libros se incluyen *The Hispanic Condition*, *The Oxford Book of Jewish Stories*, un diccionario de Spanglish y su autobiografía *On Borrowed Words: A Memoir of Language*. Ha ganado la Beca Guggenheim y el Latino Literature Prize, y ha sido nominado al National Book Critics Circle Award. Colabora con *The Nation*, *The Washington Post* y *El País*, entre otros. Su obra ha sido traducida a media docena de idiomas.

IVÁN THAYS (Perú, 1968), estudió literatura y lingüística en la Universidad Católica del Perú, donde ejerce la docencia. Ha publicado el libro de cuentos *Las fotografías de Francis Farmer* y las novelas *Escena de caza* y *El viaje interior*.

SANTIAGO VAQUERA-VÁZQUEZ (Estados Unidos, 1960), estudió en la Universidad de California, Santa Bárbara. Da clases en Pennsylvania State University. También es pintor. Ha publicado cuentos y crónicas en Estados Unidos, México y España.

JULIO VILLANUEVA CHANG (Perú, 1967), estudió educación en la Universidad de San Marcos. En 1995 ganó el Premio de la SIP en Crónicas por "Viaje al centro de la noche". Ha publicado *Mariposas y murciélagos*, una antología de sus crónicas y perfiles. Es colaborador de las revistas *Gatopardo* y *Rolling Stone* (Argentina). Enseña Taller de Crónicas y Periodismo Literario en la Universidad Peruana de Ciencias Aplicadas. Escribe en el diario *El Comercio*, de Lima.

JORGE VOLPI (México, 1968), es licenciado en derecho y maestro en letras mexicanas de la Universidad Nacional Autónoma de

México. Prepara su tesis doctoral en filología hispánica en la Universidad de Salamanca. Entre sus novelas se encuentran *A pesar del oscuro silencio*, *El temperamento melancólico*, *Sanar tu piel amarga*, *El juego del Apocalipsis*. En ensayo ha publicado *La imaginación y el poder: Una historia intelectual de 1968*. En 1999 obtuvo el Premio Biblioteca Breve por su novela *En busca de Klingsor*, traducida a doce idiomas.

NAIEF YEHYA (México, 1963), crítico de cine y pornografógrafo. Escribe para el suplemento cultural *La Jornada Semanal* y es corresponsal de cultura en Nueva York de *El Financiero*. Ha colaborado en *Letras Libres Interactivas* y *Reforma.com*, y en revistas como *Viceversa* y *Nexos*. Ha publicado las novelas *Obras sanitarias*, *Camino a casa*, *La verdad de la vida en Marte*, y el libro de ensayos *Ciborgs: La nueva ecología postbiológica*.

Agradecimientos

El editor ha hecho todo lo posible por localizar a todos los derechohabientes de los relatos y de las traducciones de los mismos incluidas en este volumen. De antemano pedimos disculpas por cualquier omisión o error involuntarios.

Ronaldo Menéndez, "Las palmeras detrás", en *El derecho al pataleo de los ahorcados*, Lengua de Trapo, Madrid, 1999. Publicado por autorización del autor.

Edmundo Paz Soldán, "Faulkner" (título original: "Viaje a Oxford"), en *Desapariciones*, Fundación Simón Patiño, Cochabamba, 1994. Publicado por autorización del autor.

Sergio Galarza, "Todas las mujeres son galgos", en *Todas las mujeres son galgos*, Lima, LecturAmoral, 1999. Publicado por autorización del autor.

Iván Thays, "Nosotros hubiéramos querido que ella fuera eterna", en *Las fotografías de Francis Farmer*, en Editorial Pedernal, Lima, 1992. Publicado por autorización del autor.

Martín Rejtman, "El pasado", en *Velcro y yo*, Lengua de Trapo, Madrid, 1999. Publicado por autorización del autor.

Ricardo Armijo, "Chichicastenango Supermarket" (título original: "Balada urbana"), en John Barry, editor, *Voces en el viento: Nuevas ficciones desde Chicago*, Esperante, Chicago, 1999. Publicado por autorización del autor.

Francisco Piña, "Seven veces siete", en John Barry, editor, *Voces en el viento: Nuevas ficciones desde Chicago*, Esperante, Chicago, 1999. Publicado por autorización del autor.

Jorge Volpi, "Teoría de juegos", en *En busca de Klingsor*, Seix Barral, Barcelona, 1999, pp. 64-99. Publicado por autorización de su agente literaria, Antonia Kerrigan.

Junot Díaz, "Instrucciones para citas con trigueñas, negras, blancas o mulatas" ("How to Date a Brown Girl, Black Girl, White Girl, or Halfy"), en *Negocios*, Vintage Español, Nueva York,

1997, traducción de Eduardo Lago. Publicado por autorización de Benjamin Moser, Knopf, Nueva York.

Silvana Paternostro, "Northern Ladies", en *In the Land of God and Man,* traducción de Teresa Arijón. Publicado por autorización de la agencia literaria ICM.

Ernesto Quiñónez, "The White Baby" ("El niño blanco"), en *The New York Times*, 4 de junio de 2000, traducción de Jesús Vega. Publicado por autorización del autor.

Homero Carvalho, "Náufrago", en *Ajuste de cuentos*, Nuevo Milenio, La Paz, 1999. Publicado por autorización del autor.

Rodrigo Rey Rosa, "La niña que no tuve", en *Ningún lugar sagrado*, Seix Barral, Barcelona, 1999. Publicado por autorización del autor y de su agente literaria, Carmen Balcells.

Giannina Braschi, "Blow Up", en *Yo-yo Boing!*, Latin American Literary Review Press, Pittsburgh, 1998. Publicado por autorización de su agente literaria, Tess O'Dwyer.

Se habla español terminó de imprimirse en septiembre
de 2000, en Encuadernación Ofgloma, S.A. Calle Rosa
Blanca No. 12, Col. Ampliación Santiago Acahualtepec,
C. P. 09600, México, D. F. Cuidado de la edición:
Norman Duarte, Ulises Martínez y Vicki García.